perfis brasileiros

D. Pedro II

por
José Murilo de Carvalho

2ª edição
2ª reimpressão

coordenação
Elio Gaspari e Lilia M. Schwarcz

COMPANHIA DAS LETRAS

copyright © 2007 by José Murilo de Carvalho

Grafia atualizada segundo o Acordo Ortográfico da Língua Portuguesa de 1990, que entrou em vigor no Brasil em 2009.

capa e projeto gráfico
warrakloureiro

imagem da capa
coleção particular

pesquisa iconográfica
Vladimir Sacchetta/Cia. da Memória
Carlito de Campos/Cia. da Memória

pesquisa adicional para a cronologia
Rafaela Deiab

legendas
André Conti
Lilia M. Schwarcz

preparação
Márcia Copola

índice onomástico
Miguel Said Vieira
Luciano Marchiori

revisão
Cláudia Cantarin
Carmen S. da Costa

Dados Internacionais de Catalogação na Publicação (CIP)
(Câmara Brasileira do Livro, SP, Brasil)

Carvalho, José Murilo de
D. Pedro II / por José Murilo de Carvalho; coordenação Elio Gaspari e Lilia M. Schwarcz — São Paulo: Companhia das Letras, 2007.

ISBN 978-85-359-0969-2

1. Brasil – História II. Reinado – 1840-1889 2. Pedro II, Imperador do Brasil, 1825-1891. I. Gaspari, Elio. II. Schwarcz, Lilia M.

07-0053   CDD 923.181

Índice para catálogo sistemático:
1. Brasil: Imperadores: Biografia 923.181

[2017]
todos os direitos desta edição reservados à
EDITORA SCHWARCZ S.A.
rua Bandeira Paulista, 702, cj. 32
04532-002 — São Paulo — SP
tel. (11) 3707-3500
www.companhiadasletras.com.br
www.blogdacompanhia.com.br
facebook.com/companhiadasletras
instagram.com/companhiadasletras
twitter.com/cialetras

D. Pedro II
Ser ou não ser

Sumário

1. D. Pedro II e Pedro d'Alcântara 9
2. Órfão da nação 11
3. Povo, canhões e lágrimas 19
4. Fabricando o príncipe perfeito 26
5. A corte mais triste do universo 34
6. Um imperador de catorze anos 36
7. Aprendendo a governar 44
8. "Enganaram-me, Dadama!" 50
9. "O Paraná não se curvava" 54
10. Noites de Atenas e outras noites 62
11. Auto-retrato 78
12. Receita de governante 89
13. Monarquia sem corte 92
14. O bolsinho imperial 99
15. A paixão pelo Brasil 103
16. Um fantasma: o Manifesto Republicano 128
17. O cancro social 132

18. Pelas estradas do Brasil e da Europa 139
19. Dois bispos na cadeia 152
20. O imperador ianque 159
21. Neto de Marco Aurélio 173
22. O imperador e o povo 175
23. Eleições e representação nacional 182
24. Abolição da escravidão e do trono 189
25. A casaca e o botão amarelo 195
26. "Grande povo!" 201
27. O reino que não era deste mundo 206
28. "Terpsícore" 214
29. "Estão todos malucos!" 218
30. "Nasci para as letras e as ciências" 224
31. Morte em Paris 234

Cronologia 245
Indicações bibliográficas 262
Índice onomástico 273

1. D. Pedro II
e Pedro d'Alcântara

D. Pedro II governou o Brasil de 23 de julho de 1840 a 15 de novembro de 1889. Foram 49 anos, três meses e 22 dias, quase meio século. Assumiu o poder com menos de quinze anos em fase turbulenta da vida nacional, quando o Rio Grande do Sul era uma república independente, o Maranhão enfrentava a revolta da Balaiada, mal terminara a sangrenta guerra da Cabanagem no Pará, e a Inglaterra ameaçava o país com represálias por conta do tráfico de escravos. Foi deposto e exilado aos 65 anos, deixando consolidada a unidade do país, abolidos o tráfico e a escravidão, e estabelecidas as bases do sistema representativo graças à ininterrupta realização de eleições e à grande liberdade de imprensa. Pela longevidade do governo e pelas transformações efetuadas em seu transcurso, nenhum outro chefe de Estado marcou mais profundamente a história do país.

D. Pedro foi um Habsburgo perdido nos trópicos. Um homem de 1,90 m, louro, de penetrantes olhos azuis, barba espessa, prematuramente embranquecida, num país de pequena elite branca cercada de um mar de negros e mestiços. Órfão de mãe logo depois de completar um ano de idade, de pai, aos nove, virou órfão da nação. Dela recebeu, via tutores e mestres, uma educação rígida, propositalmente distinta da do pai. Seus educadores procuraram fazer dele um chefe de Estado perfeito, sem paixões, escravo das leis e do dever, quase uma máquina de governar. Passou a vida tentando ajustar-se a esse modelo de servidor público exemplar, exercendo com zelo um poder que o destino lhe pusera nas mãos.

Este foi d. Pedro II, imperador do Brasil. Mas, detrás dessa máscara, reforçada pelos rituais da monarquia, havia um ser humano marcado por tragédias domésticas, cheio de contradições e paixões, amante das ciências e das letras, apaixonado pela condessa de Barral. Este foi Pedro d'Alcântara, cidadão comum, que detestava as pompas do poder. No Brasil, predominava a máscara do imperador d. Pedro II. Na Europa e nos Estados Unidos, ressurgia o cidadão Pedro d'Alcântara.

Mas uma paixão mais forte evitou o dilaceramento interno, permitiu que os dois Pedros convivessem, embora sob tensão permanente. Foi a paixão pelo Brasil. Ela marcou a vida de d. Pedro II e de Pedro d'Alcântara, possibilitando que o homem que os abrigava se dedicasse integral e persistentemente à tarefa de governar o Brasil por meio século. Ele o fez com os valores de um republicano, com a minúcia de um burocrata e com a paixão de um patriota. Foi respeitado por quase todos, não foi amado por quase ninguém.

2. Órfão da nação

D. Pedro nasceu em 2 de dezembro de 1825. Era três anos mais moço do que o Brasil, e sua gestação foi tão trabalhosa quanto a do país. O pai, d. Pedro I, enfrentava no momento sérias dificuldades políticas. Tivera uma lua-de-mel com a nação durante os anos de 1822 e 1823. Proclamara a independência, fora aclamado imperador e defensor perpétuo do Brasil. Mas, ao dissolver a Assembléia Constituinte em novembro de 1823, deu início a um lento e penoso processo de divórcio político com a nação. Como conseqüência da dissolução, Pernambuco e outras províncias do Norte revoltaram-se no ano seguinte e proclamaram a Confederação do Equador, movimento separatista e republicano, cuja cabeça pensante foi Frei Caneca. A revolta foi combatida e derrotada, mas o julgamento dos líderes, feito em rito sumário e com muito rigor por um tribunal de exceção, uma comissão militar, aumentou a rejeição ao imperador. No mesmo ano do nascimento de d. Pedro, doze líderes da Confederação, entre os quais Frei Caneca, foram enforcados ou fuzilados. A boa notícia do ano foi o reconhecimento da independência por Portugal, mas, em contrapartida, o Brasil entrou em guerra contra as Províncias Unidas do Prata, atual Argentina.

O parto que trouxe Pedro d'Alcântara ao mundo demorou cinco horas. Mas o sétimo filho da imperatriz d. Leopoldina nasceu com aparência robusta, medindo 47 centímetros. Era a terceira tentativa da sua mãe de dar a Pedro I um filho homem. Depois da primogênita, Maria da Glória, nascera em 1820 o primeiro filho, d. Miguel, que morreu logo em seguida. O segundo, d. João, nascido em 1821, faleceu antes de completar um ano. Depois, nos três anos seguintes, só vieram mulheres, Januária, Paula Mariana e Francisca. Para interromper a seqüência de filhas, Leopoldina recorreu a médicos franceses e até mesmo aos serviços de uma esperta madame que se vangloriava de, mediante pagamento, determinar o sexo dos filhos. A loteria da natureza favoreceu a vigarista, que cobrou seu preço.

Houve muita celebração na capital em virtude do nascimento. As casas iluminaram-se durante quatro dias. O veador da Casa Imperial, brigadeiro Francisco de Lima e Silva, pai do futuro duque de Caxias, apresentou o menino à corte. A tarefa era bem mais agradável do que a que executara um ano antes, presidindo a comissão militar que condenara à morte os rebeldes da Confederação do Equador. No batizado, em 9 de dezembro, foi executado um te-déum de autoria de Pedro I. Em 2 de janeiro de 1826, foi a vez de se pedir para o menino a proteção de Nossa Senhora da Glória, na igreja do Outeiro. Conforme o costume da época, a amamentação da criança ficou por conta de ama-de-leite. Para o cargo, foi escolhida uma robusta suíça, Maria Catarina Equey, residente na colônia do Morro do Queimado, futura Nova Friburgo.

Apesar da aparência saudável ao nascer, d. Pedro não foi criança sadia. Em 1827, o visconde de Barbacena o achava um menino "magrinho e muito amarelo". Herdara, ele e a irmã Januária, do pai, via Bourbon da Espanha, a epilepsia. Desde 1827 até as vésperas da maioridade, em 40, sofreu vários ataques. Já no exílio, se lembraria de um desses ataques, sofrido em 1833, descrevendo-o como uma "indigestão minha com convulsões e que quase matou-me". Não era indigestão, mas um ataque epiléptico, que foi, de fato, considerado pelos médicos da época como séria ameaça à vida do menino.

Mas saúde precária não foi o maior dos infortúnios da criança. A palavra que melhor define sua infância é *orfandade*. Azares da vida e vicissitudes políticas assim o determinaram. Perdeu a mãe quando tinha apenas um ano e nove dias de idade. Não conheceu o avô, d. João VI, que morrera em Lisboa em 1826. A avó, d. Carlota Joaquina, filha de Carlos IV da Espanha, retornara a Portugal em 1821, onde morreria em 7 de janeiro de 1830. O pai, d. Pedro I, e a madrasta, d. Amélia de Leuchtenberg, deixaram o Brasil em 13 de abril de 1831, logo após a abdicação. Ao ser aclamado imperador pela multidão reunida no Campo de Santana, em 7 de abril de 1831, d. Pedro II tinha cinco anos e cinco meses de idade, e tornou-se um órfão da nação, como passou a ser chamado. Um órfão acompanhado de três órfãs, as irmãs Januária, Paula Mariana e Francisca. Seria difícil imaginar infância e juventude mais infelizes para quem nascera em berço de ouro.

Dos primeiros cinco anos de vida pouca coisa lhe deve ter restado na memória. Do pai, guardou algumas boas lembranças. Da mãe, só sabia "o que os outros dela me referiram". Os outros eram naturalmente as pessoas que freqüentavam o paço imperial. Uma delas seria sua aia e camareira-mor, d. Mariana Carlota, futura condessa de Belmonte. D. Mariana, ou Dadama, como d. Pedro a chamava, era portuguesa, viúva, mulher muito religiosa, que viera para o Brasil na comitiva do príncipe regente. Foi a mãe de criação de d. Pedro e o acompanhou até a maioridade. Ela, ou o futuro tutor, José Bonifácio, ou mesmo o abade Boiret, capelão-mor do Exército, talvez lhe tenham falado de sua infância. É de todo provável que tenham falado muito bem de d. Leopoldina, elogiado o pai e demonizado d. Domitila de Castro, amante de d. Pedro I, detestada por José Bonifácio e d. Mariana.

A arquiduquesa Leopoldina era uma Habsburgo-Lorena, filha de Francisco I, imperador da Áustria e chefe de uma das mais prestigiosas casas reais da Europa. Sua irmã, Maria Luísa, casara-se com Napoleão I. Tinha fina educação e rígidos princípios religiosos, em nítido contraste com os maus modos e os costumes frouxos do marido. Chegara ao Rio de Janeiro em 1817, com vinte anos de idade. No período crucial em que José Bonifácio esteve no governo, de janeiro de 1822 a julho de 1823, atuara abertamente na política, exercera o cargo de regente durante viagem de d. Pedro a São Paulo e presidira à reunião do Conselho de Estado que decidiu pela independência. O futuro Patriarca, ao tomar conhecimento de sua carta a d. Pedro, a mesma lida pelo imperador às margens do Ipiranga, teria comentado: "Meu amigo, ela deveria ser ele!".

Depois do regresso de d. João VI, seu protetor, e da saída de José Bonifácio e da inglesa Maria Graham, tutora de suas filhas, a vida na corte tornou-se um martírio para a imperatriz. Além das intrigas e mesquinharias, o motivo principal de seu tormento era a presença ostensiva em palácio, desde 1823, de Domitila de Castro. D. Pedro tivera e tinha várias amantes, que lhe deram dezenas de filhos. Mas a nenhuma outra concedera a condição de concubina oficial. Conhecera Domitila durante a viagem a São Paulo de que resultou a proclamação da independência.

Grávida do herdeiro do trono, d. Leopoldina teve de aturar a nomeação da amante para o cargo de sua primeira-dama. Para aumentar a humilhação, nascera, em 1824, Isabel Maria Brasileira, primeira filha do imperador com Domitila.

Isabel Maria foi legitimada em 1826, mesmo ano de promoção da concubina a marquesa de Santos. Leopoldina extravasava suas mágoas em cartas a Maria Graham e à irmã Maria Luísa, a quem escreveu em 1823: "Encontro-me numa perfeita solidão, restringida exclusivamente aos passeios a cavalo". Nesses passeios, que fazia acompanhada do abade Boiret, colhia plantas, minerais e animais. Guardava-os em seu gabinete de história natural e no pequeno zoológico que montara na ilha do Governador, ou os remetia ao pai, à irmã, ou a algum museu europeu.

Em maio de 1826, d. Pedro concedeu à filha bastarda o título de duquesa de Goiás e a apresentou à imperatriz. Leopoldina recolheu-se em prantos. "Estremeço de raiva quando a vejo", escreveu. O escândalo imperial repercutia na imprensa e nas ruas. O revolucionário Cipriano Barata e outros exilados enviaram do exílio em Buenos Aires um violento panfleto em que acusavam Pedro I de ser "marido brutal, que, escandalosamente libertino, nada respeita de quanta mocidade há na corte de ambos os sexos, idade e cores; e trata depois com as formas mais indecentes, e rasteiras à lamentável de sua esposa". Apareciam na imprensa caricaturas representando d. Pedro como cavalo de cabriolé sendo chicoteado pela amante.

Leopoldina entrou em depressão profunda ou, na expressão da época, em crise de melancolia. Na última carta a Maria Graham, de 22 de outubro de 1826, registrou: "Estou desde há algum tempo numa melancolia realmente negra". Estava grávida de três meses. Quando d. Pedro exigiu que comparecesse a um beija-mão em companhia da amante, ela se recusou a obedecer. O imperador a teria então espancado na frente da marquesa. Leopoldina escreveu à irmã que o marido a maltratara "na presença daquela mesma que é a causa de todas as minhas desgraças", cometendo um "horroroso atentado que será sem dúvida a causa da minha morte".

De 1º para 2 de dezembro, aniversário do filho, abortou um feto masculino. Entrou a delirar. Houve preces públicas nas igrejas, e muitas pessoas se dirigiram a São Cristóvão para saber notícias. Cartas anônimas ameaçavam ministros e Domitila, pasquins pediam o impedimento do imperador e o reconhecimento do herdeiro, sob a regência da imperatriz. A polícia teve de proteger a casa de Domitila. Leopoldina morreu na manhã do dia 11 de dezembro, aos 29 anos de idade. D. Pedro I estava no Rio Grande do Sul por conta da guerra contra as Províncias Unidas do Prata. Houve grande consternação na cidade. Imensa procissão noturna, que o pintor Debret descreveu e ilustrou, levou o corpo de São Cristóvão para a igreja do convento da Ajuda, onde foi enterrado. Hoje, os restos mortais da imperatriz jazem no Monumento do Ipiranga, em São Paulo, ao lado dos de Pedro I.

O imperador prolongou por mais dois anos as relações com a amante. Somente a abandonou quando se tornou claro que nenhuma princesa européia aceitaria substituir Leopoldina enquanto a marquesa permanecesse no paço. Oito das consultadas já tinham recusado proposta de casamento. Afastada a amante, d. Amélia de Leuchtenberg aceitou, e o casamento realizou-se em 1829. Nos três anos que o precederam, d. Pedro I perdera a primeira imperatriz, a Guerra da Cisplatina e a popularidade.

O filho conviveu com a madrasta menos de dois anos. Filha do vice-rei da Itália e enteada de Napoleão, d. Amélia era, na época do casamento, uma adolescente de dezessete anos. Seu relacionamento com o enteado parece ter sido carinhoso, como o atesta a carta de despedida que ela lhe escreveu. Com um sentimentalismo um tanto retórico, chamou d. Pedro de "menino querido" e fez um apelo às mães brasileiras para que adotassem como filho o órfão coroado. Manteve depois intensa correspondência com o enteado. Chegaram até nós umas seiscentas cartas, em que tentava, mesmo de longe, orientar o jovem imperador, como se deu por ocasião do casamento das filhas Isabel e Leopoldina. Em 1871, d. Pedro a visitaria em Portugal em seu palácio das Janelas Verdes. A correspondência entre os dois perdurou até a morte de d. Amélia em janeiro de 1873. Em carta a Barral, de 15 de fevereiro desse ano, o imperador comentou a morte de d. Amélia. Chamou-a de sua segunda mãe e acrescentou: "estou profundamente triste e cada vez conto mais com as demonstrações de amizade da condessa". Transparece na frase, mais uma vez, sua grande carência afetiva.

Embora d. Pedro não tenha tido oportunidade de conviver com a mãe, os dois se assemelhavam em muitos pontos. Era-lhes comum o amor aos livros e à ciência, especialmente à astronomia. O filho conservou o museu de história natural da mãe e o doou ao Museu Nacional com o título de Coleção Imperatriz Leopoldina. Tinham também em comum a obsessão pelo cumprimento do dever e buscavam refúgio no estudo quando atormentados pelo tumultuar dos sentimentos: "[...] procuro a minha felicidade no cumprimento exato do dever e estudando muito", escreveu Leopoldina à irmã.

Com o pai, d. Pedro II tinha pouco em comum por razões de temperamento e, sobretudo, de educação. D. Pedro I era comandado por emoções, às vezes contraditórias, a que não aprendera a impor barreira alguma. Era impulsivo, romântico, autoritário, ambicioso, generoso, grosseiro, sedutor. Era capaz de grandes ódios e grandes amores. D. Pedro II foi educado para não se parecer com o pai. Ensinaram-lhe a controlar ódios e amores, a ser contido, racional, equilibrado, previsível. Por trás do verniz da educação, no entanto, ferviam paixões, se não tão grandes quanto as do pai, pelo menos semelhantes a elas, tanto na vida privada como na vida pública.

Na primeira, sua longa relação com a condessa de Barral e casos amorosos esporádicos com outras mulheres mostram que a diferença entre ele e o pai foi menos de conteúdo que de forma. As cartas dos dois às amantes o demonstram. Do lado do pai, a sensualidade explícita, a crueza e o mau gosto. Falava de "sua coisa", e chegou a mandar de presente para a amante uma camisa manchada com secreções blenorrágicas. Do lado do filho, a delicadeza, as referências indiretas, as boas noites, as confissões de saudade. Seus presentes eram retratos, livros, objetos de arte. Na vida pública, o amor pelo país era de ambos, se não maior no filho. Variava o estilo, arroubado e inconstante em um, meticuloso e persistente no outro.

3. Povo, canhões e lágrimas

Enquanto esses pequenos dramas se passavam no isolamento do palácio de São Cristóvão, a agitação política contra o governo invadia as ruas do Rio de Janeiro. Contra d. Pedro I alegava-se o excessivo envolvimento na questão da sucessão portuguesa. Seu irmão, d. Miguel, usurpara o trono à primogênita do imperador, Maria da Glória. A filha voltara para o Rio em 1829, acompanhada de muitos partidários, sob a proteção do pai, causando desconforto político. Reclamava-se também da dependência de d. Pedro em relação aos conselhos de um gabinete secreto de amigos portugueses, entre os quais se salientava o Chalaça. Havia ainda conflitos constantes com a Câmara dos Deputados, cuja primeira legislatura tivera início em 1826. Os deputados estavam ansiosos por fazer funcionar o regime representativo, coisa que não despertava o entusiasmo do imperador. Os liberais tinham também ficado chocados com o enforcamento e o fuzilamento dos líderes da Confederação do Equador. Veio agravar a situação a derrota brasileira na guerra em que a província da

Cisplatina, apoiada pela Argentina, conseguiu sua independência sob o nome de Uruguai.

O descontentamento extravasava os limites da corte. No começo de 1831, o imperador foi buscar apoio em Minas Gerais. Foi recebido com hostilidade em todas as cidades que visitou. Diante da reação negativa, chegou a mencionar a possibilidade de abdicação. A situação tornou-se explosiva quando da França veio a notícia de mais uma revolução, dessa vez para derrubar Carlos X e colocar Luís Filipe no poder. O exemplo francês encorajou a oposição brasileira. Na agitação das ruas, confundiam-se demandas nativistas, constitucionais, federalistas, republicanas, e mesmo raciais.

Ao regressar d. Pedro de Minas, em 13 de março de 1831, deu-se na capital o conflito sangrento entre brasileiros e comerciantes portugueses, conhecido como a Noite das Garrafadas. Os portugueses iluminaram as ruas para receber o imperador. Os brasileiros reagiram, e o conflito generalizou-se, resultando em muitas garrafas e cabeças quebradas, as primeiras partindo-se ao partirem as segundas. A cidade entrou em estado de agitação permanente. A gota d'água, como ocorre com freqüência em situações análogas, foi um acontecimento menor. D. Pedro demitira em 5 de abril um ministério formado de deputados, considerado mais brasileiro do que os anteriores, e nomeara outro composto de marqueses. Uma multidão, calculada em mais de 4 mil pessoas, aglomerou-se no Campo de Santana para exigir o restabelecimento do ministério brasileiro. No meio do povo, estavam os deputados que já se achavam na cidade para a abertura das câmaras, juízes de paz e tropas do Exército. Do ajuntamento podia-se dizer que reunia, em momento raramente repetido na história do país, elite, políticos, militares e povo.

Às três horas e meia da madrugada do dia 7 de abril, o major Miguel de Frias entregou a d. Pedro a exigência de reposição do ministério afastado. O imperador não aceitou a imposição, mas, ao mesmo tempo, proibiu que as tropas dispersassem a multidão, optando pela abdicação na pessoa do filho. Na véspera, já assinara decreto nomeando José Bonifácio tutor do herdeiro.

Quando o major Frias voltou ao Campo de Santana com a notícia da abdicação, várias coisas poderiam ter acontecido. Nada garantia a manutenção da unidade da oposição no momento de uma vitória conseguida com surpreendente facilidade. Havia concordância em combater Pedro I, mas não em relação ao que se deveria fazer em sua ausência. No calor da hora, a multidão poderia aclamar o herdeiro, proclamar o general Francisco de Lima e Silva ditador, ao estilo hispano-americano, ou mesmo exigir uma república federal. O grito de "Viva d. Pedro II!", lançado pelo general Manuel da Fonseca Lima e Silva, irmão de Francisco de Lima e Silva, quebrou o suspense e foi decisivo. Como por instinto, a multidão repetiu a aclamação, desfazendo a tensão da expectativa e definindo o curso da história. Rei morto, rei posto.

As lutas que se seguiram ao Sete de Abril mostraram com clareza que a solução adotada não tinha o assentimento de todos. O republicano Teófilo Otoni, cujo irmão Cristiano participara dos acontecimentos, denunciou mais tarde o episódio como uma "jornada de otários". Os otários, os enganados, no caso, eram os republicanos e os federalistas, derrotados pelos liberais moderados. Mas a decisão se impôs. Feita a aclamação, a multidão seguiu para o Senado, localizado no mesmo Campo de Santana, na antiga residência do conde dos Arcos, para que fosse dada forma legal à sucessão. Reunidos às pressas, os senadores e os deputados que já se achavam na capital elegeram uma regência trina provisória para governar o país durante a menoridade do novo imperador. No primeiro escrutínio foi eleito o marquês de Caravelas; no segundo, o senador Vergueiro; no terceiro, o general Francisco de Lima e Silva.

A multidão seguiu então para a Quinta da Boa Vista a fim de buscar o menino imperador e trazê-lo para o paço da cidade. Ainda sob o choque da ausência do pai e da madrasta, ele foi colocado sozinho no banco de trás da carruagem, tendo em sua frente apenas a aia, d. Mariana. De acordo com o testemunho de Debret, o menino chorava muito, aterrorizado com a multidão e o barulho. Na altura da rua do Rosário, alguns manifestantes desatrelaram os cavalos e passaram a puxar a carruagem. A aia abriu a portinhola para mostrar o menino. No paço da cidade, ele foi exibido numa das janelas, ao lado das três irmãs, sustentado em cima de uma cadeira. As aclamações confundiram-se com o troar da artilharia. O grande ruído vinha envolto no cheiro e na fumaça da pólvora. Debret, presente a tudo, registrou a cena num desenho. Um te-déum encerrou as celebrações. Acontecimentos tão extraordinários devem ter ficado gravados na memória da criança de cinco anos. O imperador nunca a eles se referiu. É provável, no entanto, que os tenha vivido, como viveu outros da Regência, como um terrível pesadelo.

Ao despertar no dia 7, d. Pedro II já encontrara sobre a cama a coroa imperial. Com a ajuda de Dadama, escreveu ao pai uma carta de despedida. A resposta foi dada já a bordo da fragata inglesa, *Warspite*. Com sua tradicional emotividade, d. Pedro I dirigiu-se ao "Meu querido filho, e meu imperador", confessando ter lido a cartinha entre lágrimas. Pediu ao filho que se tornasse digno da pátria e desejou prosperidade ao Brasil. Despediu-se "sem mais esperanças de o ver". Essa carta foi guardada por d. Pedro II. Talvez lhe tenha vindo à lembrança no dia 17 de novembro de 1889, quando nova reviravolta histórica o forçou a tomar o mesmo rumo do pai.

José Bonifácio, confirmado na tutoria pela Câmara, apresentou-se em São Cristóvão em agosto. Consta ter suspendido a criança nos braços e exclamado: "Meu imperador e meu filho!". Pode-se imaginar a emoção do Andrada, então um velho de 68 anos mas cheio de energia. Ele fora a figura central da independência. Ao verificar que as Cortes portuguesas não admitiam igualdade de posição entre Brasil e Portugal, optara definitivamente pela independência e nesse sentido, apoiado por Leopoldina, empurrara o imperador e comandara o processo de separação. Sua relação com Pedro I fora tumultuada. Admirava-lhe o arrojo político, mas abominava o tratamento que ele dava à imperatriz. Dois autoritários, romperam relações por ocasião da dissolução da Constituinte, quando d. Pedro o exilou na França, junto com outros políticos. De lá só retornou em 1829. A admiração era recíproca. Ao ser também forçado a deixar o país, foi ao velho Andrada que confiou o filho. Ao levantar nos braços o imperador-menino, nascido no Brasil, José Bonifácio viu garantidas, ao mesmo tempo, a monarquia e a unidade do país, dois dos principais objetivos por que lutara.

Mas a belicosidade do Andrada não lhe permitiu dedicar-se integralmente à tarefa de educar o jovem imperador. A vitória do Sete de Abril fora muito fácil. A luta mais intensa veio depois, sobretudo no Rio de Janeiro, onde caramurus restauradores, organizados na Sociedade Militar, farroupilhas radicais, na Sociedade Federal, e liberais moderados, na Sociedade Auxiliadora da Independência Nacional, digladiavam-se pelo controle da Regência. Os caramurus eram velhos monarquistas, presos às práticas absolutistas, ainda ligados ao ex-imperador, cujo retorno almejavam. Os farroupilhas eram os radicais da época, antiabsolutistas e, no limite, antimonarquistas. Foram os principais responsáveis pelas revoltas e agitações do período. Não hesitavam em aliar-se aos caramurus para combater o inimigo comum, os moderados. Estes assumiram o poder em 1831 e o mantiveram a todo custo, lutando pela consolidação de uma monarquia constitucional.

Tantas eram as revoltas e tumultos na corte, que os

regentes pensaram em dela retirar o imperador por medida de precaução. José Bonifácio e, por sua influência, os irmãos, Antônio Carlos e Martim Francisco, aliaram-se aos caramurus. O tutor envolveu-se em conspirações restauradoras e chegou ao ponto de armar partidários dentro do próprio palácio de São Cristóvão. Ao mesmo tempo, Antônio Carlos viajava para a Europa com o fim de consultar o ex-imperador sobre a possibilidade de retorno. Nessas circunstâncias, as relações do tutor com a Regência tornavam-se insustentáveis.

O ministro da Justiça, Aureliano Coutinho, que mais tarde se casaria com uma neta do Patriarca, destituiu-o do cargo em dezembro de 1833. Como era de esperar de seu temperamento, José Bonifácio ameaçou resistir pela força, e só concordou em deixar o palácio após interferência do general José Joaquim de Lima e Silva e do barão Daiser, ministro de Francisco I, avô de d. Pedro II. Foi confinado na ilha de Paquetá, onde possuía uma chácara, tendo morrido em Niterói em 5 de abril de 1838. Do conflito no palácio de São Cristóvão resultaram várias prisões. D. Pedro e as irmãs tinham sido transferidos para o paço da cidade. Além desse grande susto, o menino de sete anos passara por outro ainda maior nesse mesmo ano. No mês de outubro, sofrera forte ataque epiléptico. Não morreu da doença, mas poderia ter morrido do tratamento, que consistiu em aplicações de clister e cataplasmas, de sangria e ingestão de óleo de rícino.

Com a saída do tutor, d. Mariana, seu desafeto, voltou ao posto de aia e o ocupou até a maioridade. Aureliano vangloriou-se escrevendo-lhe: "Demos com o colosso em terra!". Estranhamente, nas várias referências que d. Pedro fez mais tarde a seus mestres, em nenhuma mencionou o primeiro tutor. Talvez estivesse José Bonifácio por demais ocupado com a luta política para dar atenção ao pupilo. O imperador quis, no entanto, comparecer às exéquias dele. O regente e o tutor Itanhaém mesquinhamente lhe negaram permissão.

Dessa época tumultuada, ficaram na memória do menino os toques de clarim e os tiros de artilharia. No dia de seu primeiro aniversário após a maioridade, 2 de dezembro de 1840, anotou no diário que começara a escrever: "Depois a trombeta tocou o seu clarim que outrora me era tão terrível, principiaram os tiros de artilharia, que antigamente até me faziam verter lágrimas de terror". Talvez a ojeriza que o imperador sempre teve pela pompa do poder se devesse em parte a esse trauma infantil.

As perturbações políticas só se arrefeceram na capital em 1834, quando foi aprovado o Ato Adicional, um compromisso entre moderados, farroupilhas e caramurus. A morte, nesse mesmo ano, de d. Pedro I, já então Pedro IV de Portugal, também contribuiu para acalmar os ânimos, desencorajando os restauradores. Afastada a agitação da capital, ainda que recrudescesse nas províncias, a vida do imperador entrou em fase de maior tranqüilidade. O novo tutor nomeado pela Regência era Manuel Inácio de Andrade Souto Maior Pinto Coelho, futuro marquês de Itanhaém. Homem de cinqüenta anos, era militar reformado, proprietário rural, e não se metia nas brigas das facções políticas da Regência. Era alto, magro e circunspeto ao ponto de se dizer dele que nunca ria. Embora de inteligência medíocre, parecia atrair as mulheres, ele ou seu posto. Casou-se quatro vezes, três delas com damas do paço. Depois da maioridade, elegeu-se senador por Minas Gerais e morreu em 1868. Sob seu comando e sob a supervisão da Câmara dos Deputados, o herdeiro do trono começou a ser educado com rigor quase militar e foi mantido alheio ao que se passava fora do palácio.

4. Fabricando o príncipe perfeito

A primeira educação de d. Pedro esteve a cargo de d. Mariana, de frei Antônio de Arrábida, que já fora preceptor do pai, e de outros mestres, como o pintor Simplício de Sá e o coreógrafo Luís Lacombe. Fiel a sua profunda religiosidade, d. Mariana compôs em 1830, para uso do pupilo, uma *Introdução do pequeno catecismo histórico, oferecido a S.A.I.D. Pedro de Alcântara*. Nesse mesmo ano, o menino já conseguia ler. Fala em favor de Pedro I o fato de ter percebido a falta que lhe fizera, a ele e ao irmão Miguel, uma educação adequada. O filho lembrava-se de ter ouvido dele, antes da abdicação, que "ele e o Miguel haviam de ser os últimos malcriados da família", querendo dizer, com a expressão, mal-educados. Após o regresso a Portugal, d. Pedro I ainda escreveria aos filhos deixados no Brasil, insistindo sempre em que se dedicassem aos estudos.

Assumindo o cargo, Itanhaém preparou um regulamento a ser seguido por todos os mestres ao pé da letra. D. Pedro devia levantar-se todos os dias às sete horas da manhã. O almoço era às oito, com a presença de um médico "para não comer muito". As irmãs não comiam com ele. A preocupação com a frugalidade devia-se sem dúvida à lembrança do avô, d. João VI, conhecido como grande garfo. Das nove às onze e meia devia estudar, e então divertir-se até a uma e meia. O jantar era às duas da tarde, novamente com a presença do médico, além da camarista e da camareira-mor. A conversa só poderia versar sobre assuntos científicos e de beneficência. Às quatro e meia, haveria passeio pelos jardins e leituras. Às oito da noite, oração, ceia às nove, e cama às nove e meia. O médico regulava os banhos e a temperatura da água. O imperador só podia ir aos aposentos das irmãs depois do almoço.

D. Pedro incorporou os hábitos de disciplina e pontualidade que lhe incutiram na infância. Ao longo da vida, sempre teve mania de estabelecer horários rígidos para tudo, onde quer que estivesse, em São Cristóvão, em Petrópolis, nas províncias, em viagens pelo exterior. Mas o tutor teve pouco êxito no ponto referente a não comer muito. A comida nos palácios do Rio de Janeiro e de Petrópolis era ruim, mas o imperador foi sempre um bom garfo, embora não um *gourmet*. O bom apetite, justificado em parte pelo físico avantajado, acompanhou-o por toda a vida. Nos diários, inclusive os do exílio, freqüentemente anotava "comi bem", "comi com apetite", "o jantar me soube". Em 1881, a condessa de Barral referiu-se a um desmaio que ele sofrera durante uma missa e pediu: "Pelo amor de Deus, não coma tanto nem tão depressa". Tinha um fraco por doces e canja de galinha. Frango era, por sinal, um dos pratos prediletos de d. João VI.

O tutor preparou ainda, seguramente com a colaboração de frei Pedro de Santa Mariana, instruções a ser observadas pelos mestres na educação literária e moral de seu pupilo. Eram uma mistura de iluminismo, humanismo e moralismo. Itanhaém queria formar um monarca humano, sábio, justo, honesto, constitucional, pacifista, tolerante. Isto é, um governante perfeito, dedicado integralmente a suas obrigações, acima das paixões políticas e dos interesses privados.

RECEITA DE IMPERADOR
TRECHOS DAS INSTRUÇÕES DO MARQUÊS DE ITANHAÉM (1838)

"[...] discernindo sempre do falso o verdadeiro, venha [o imperador] em último resultado a compreender bem o que é a dignidade da espécie humana, a qual o monarca é sempre homem sem diferença natural de qualquer outro indivíduo humano, posto que sua categoria civil o eleve acima de todas as condições sociais."

"[...] para que o imperador, conhecendo perfeitamente a força da natureza social, venha a sentir, sem o querer, aquela necessidade absoluta de ser um monarca bom, sábio e justo."

"Em seguimento, ensinarão os Mestres ao imperador que todos os deveres do Monarca se reduzem a sempre animar a Indústria, a Agricultura, o Comércio e as Artes; e que tudo isto só se pode conseguir estudando o mesmo imperador, de dia e de noite, as ciências todas, das quais o primeiro e principal objeto é sempre o corpo e a alma do homem."

"Eu quero que o meu Augusto Pupilo seja um sábio consumado e profundamente versado em todas as ciências e artes e até mesmo nos ofícios mecânicos, para que ele saiba amar o trabalho como princípio de todas as virtudes, e saiba igualmente honrar os homens laboriosos e úteis ao Estado. Mas não quererei decerto que Ele se faça um literato supersticioso para não gastar o tempo em discussões teológicas como o imperador Justiniano; nem que seja um político frenético para não prodigalizar o dinheiro e o sangue dos brasileiros em conquistas e guerras e construção de edifícios de luxo, como fazia Luís XIV na França, todo absorvido nas idéias de grandeza; pois bem pode ser um grande Monarca o Senhor D. Pedro II sendo justo, sábio, honrado e virtuoso e amante da felicidade de seus súditos, sem ter precisão alguma de vexar os povos com tiranias e violentas extorsões de dinheiro e sangue."

"Finalmente, não deixarão os mestres do imperador de lhe repetir todos os dias que um monarca, toda vez que não cuida seriamente dos deveres do trono, vem sempre a ser vítima dos erros, caprichos e iniqüidades dos seus ministros, cujos erros, caprichos e iniqüidades são sempre a origem das revoluções e guerras civis; e então paga o justo pelos pecadores, e o monarca é que padece, enquanto os seus ministros sempre ficam rindo-se de cheios de dinheiro e de toda a sorte de comodidades. Por isso cumpre absolutamente ao Monarca ler com atenção todos os jornais e periódicos da Corte e das Províncias e, além disto, receber com atenção todas as queixas e representações que qualquer pessoa lhe fizer contra os ministros de Estado, pois só tendo conhecimento da vida pública e privada de cada um dos seus ministros e agentes é que o monarca pode saber, se os deve conservar ou demiti-los imediatamente e nomear outros que melhor cumprirão seus deveres e façam a felicidade da Nação."

Frei Pedro de Santa Mariana foi nomeado pelo tutor aio e primeiro preceptor de d. Pedro. Era um sábio carmelita, formado no Seminário de Olinda. Tinha 51 anos em 1833, e ensinava matemática e geometria na Academia Militar. Era conhecido pela modéstia e pela severidade dos costumes. Foi encarregado de presidir sempre a todos os atos letivos e de fazer valer as instruções, pondo-se de acordo com os outros mestres para uniformizar a educação. Além de assistir às lições, frei Pedro devia acompanhar o imperador durante o dia e fazer relatórios diários. Devia comparecer às recepções para ensinar civilidade ao pupilo. Devia, por fim, ler para d. Pedro, durante uma hora por dia, textos de história e literatura e exigir que o aluno lesse para ele. O hábito da leitura e do estudo foi totalmente absorvido pelo pupilo. Mais do que hábito, leitura e estudo transformaram-se numa de suas paixões. Enfurnado no palácio, longe dos pais, educado por estranhos, à exceção de d. Mariana, fez dos livros um mundo à parte, em que podia isolar-se e proteger-se.

As orientações do tutor e a ação dos mestres marcaram para sempre a personalidade e os hábitos de d. Pedro. A observação vale, sobretudo, para a concepção da igualdade básica dos seres humanos, para a necessidade de buscar ser imparcial e justo, de não depender de áulicos, de fiscalizar os atos dos funcionários públicos, até mesmo dos ministros, de preocupar-se com o bem público. Vale igualmente para a importância do estudo das ciências e das artes, inclusive as mecânicas.

Os deputados acompanhavam de perto a educação do príncipe, examinando os relatórios do tutor e fazendo visitas de inspeção. O relatório de 1837 dizia que o imperador já falava e escrevia francês, lia e traduzia inglês. O deputado Rafael de Carvalho criticou, no entanto, a falta de exercícios e divertimento, reduzidos que estavam a remar em bote em água parada e a teatrinho em francês. O de 1838 mencionava que d. Pedro estudava com prodigioso afinco. "Nunca foi necessário chamá-lo para o estudo; talvez antes se julgasse algumas vezes prudente recomendar-lhe a abstenção de aplicação tão prolongada." Frei Pedro surpreendia-o às vezes, a altas horas, lendo na cama. Apagava as luzes, mas meia hora depois voltava a flagrá-lo na mesma atividade. Segundo o relatório de 1839, o aluno compunha e vertia latim sem erros, deixando as poucas brincadeiras para só ler e estudar.

O Arquivo Histórico do Museu Imperial conserva dezenas de cadernos e folhas de exercícios escolares de d. Pedro e de suas irmãs. Abrangem caligrafia, cópias, desenho, línguas, retórica, história, ciências naturais, matemática, astronomia. Mesmo nos aparentemente inocentes exercícios de caligrafia, os mestres introduziam lições de moral e política. Veja-se o texto deste exercício, em francês, de 1833, quando d. Pedro tinha oito anos: "Lei dos soberanos. O amor do povo o bem público o interesse geral da sociedade é a lei imutável e universal dos soberanos". Ou este outro, em português, de 1834: "Um rei não é digno de reinar nem ser feliz no seu poder senão enquanto o tem [o poder] subordinado a razão".

O menino tinha um espaço para se dedicar à jardinagem, mas pouco o freqüentava. O tutor e todos os que o conheciam eram unânimes em assinalar que era precoce, dócil e muito obediente. Mas não era uma criança feliz. Em 1840, transcreveu no diário um diálogo com o mordomo Paulo Barbosa em que este lhe lembrou que em certa época d. Pedro vivia chorando e nada lhe agradava. Sua grande timidez pode ter sido responsável por uma característica que o marcou pelo resto da vida. A voz não engrossou, não adquiriu o timbre masculino. Quando adulto, o contraste entre o físico avantajado e a voz fina causava surpresa aos interlocutores e, certamente, constrangimento a ele próprio. Muitos registraram o fato, mas o imperador nunca a ele se referiu.

Um dos raros momentos em que d. Pedro foi surpreendido comportando-se, aos 17 anos, como criança travessa foi registrado no diário do príncipe de Joinville, filho do rei Luís Felipe da França e marido de d. Francisca. O primeiro encontro de Joinville com a família imperial, em 1838, foi um desastre. O imperador, "figura miudinha, da altura da minha perna, empertigada, compenetrada, emproada", com a aparência de 40 anos, falava muito pouco e desse pouco quase nada se ouvia. Mas na terceira viagem, em 1843, o ambiente se descontraíra. Dias depois do casamento, Joinville ofereceu um almoço a bordo do navio Belle Poule. D. Pedro, já imperador, surpreendeu a todos ao dar início a uma guerra de migalhas de pão. Atacou com as bolinhas o cunhado, as irmãs, a aia. O tiroteio generalizou-se e os oficiais da marinha francesa viram-se envolvidos em um tipo de batalha naval que não tinham estudado em suas aulas de tática.

Seus poucos companheiros de brincadeiras eram filhos de pessoas próximas do paço, como Aureliano Coutinho Cândido José de Araújo Viana. Os mais chegados eram Luís e João, filhos de Luís Pedreira do Couto Ferraz; Capanema, filho de Roque Schüch, bibliotecário de d. Leopoldina, e Francisco Otaviano, filho do médico Almeida Rosa. José de Assis Mascarenhas, filho legitimado do mordomo-mor, marquês de São João da Palma, foi afastado do grupo por ter espancado o imperador. Todos se tornaram figuras relevantes no mundo político e científico do Segundo Reinado. O mais próximo amigo de toda a vida foi Luís Pedreira do Couto Ferraz, futuro visconde do Bom Retiro. Luís Pedreira foi ministro uma vez e depois, para manter a amizade, renunciou a posições de poder. Não queria ser acusado de se beneficiar do favor imperial. Ganhou fama de áulico. Inventou-se o seguinte diálogo entre os dois: "— Que horas são, Bom Retiro? — As que Vossa Majestade quiser". Outro companheiro constante foi o preto Rafael, veterano da Guerra da Cisplatina, que carregava d. Pedro nos ombros.

Entre os mestres, salientava-se, pelos conhecimentos, Félix Emílio Taunay, diretor da Academia Imperial de Belas Artes. Félix Emílio era filho de Nicolas Taunay, com quem viera para o Brasil como parte da missão artística de 1816, junto com o tio Auguste Taunay. Além de desenho, Taunay ensinava história universal e das artes, literatura antiga e grego. Mais tarde, em carta à condessa de Barral, d. Pedro reconheceria seu débito, chamando-o de seu verdadeiro mestre. Mantiveram amizade por toda a vida, prolongada, após a morte do pai, na figura do filho, o visconde de Taunay. O futuro marquês de Sapucaí, Cândido José de Araújo Viana, mineiro formado em Coimbra, ensinava literatura e ciências práticas. Foi também importante conselheiro político. Quando o cônego Pinto de Campos quis escrever a biografia do imperador, este mandou que falasse com Araújo Viana. O diretor de estudos, frei Pedro de Santa Mariana, ensinava latim, aritmética, geometria e religião. Continuou a morar no paço depois da maioridade. Com Araújo Viana, ajudou d. Pedro a se decidir quando consultado, em 1840, sobre a antecipação da maioridade.

Franceses também eram Luís Aleixo Boulanger, professor de escrita, caligrafia e geografia; Lourenço Lacombe, professor de dança, e o cônego Renato Pedro Boiret, um emigrado de 1789. Boiret era um remanescente da corte de Pedro I, companheiro de cavalgadas da imperatriz Leopoldina. Ensinava francês e geografia. Fortunato Maziotti, italiano, ensinava música; o britânico Nathaniel Lucas, inglês; o austríaco Roque Schüch, latim e alemão. O cientista Alexandre Antônio Vandelli, genro de José Bonifácio, era professor de ciências naturais. O coronel Luís Alves de Lima, futuro duque de Caxias, era mestre de esgrima.

As figuras mais importantes no paço, no entanto, desde

a abdicação até depois da maioridade, eram Aureliano Coutinho e o mordomo Paulo Barbosa da Silva. Aureliano colocou amigos no palácio, inclusive Paulo Barbosa. Pessoa inteligente e insinuante, e político hábil, conseguiu manter sua influência também após a maioridade. Foi feito visconde de Sepetiba em 1855 e morreu nesse mesmo ano. Paulo Barbosa era engenheiro de formação. Controlava a vida do paço e morava na Chácara da Joana, localizada dentro da Quinta da Boa Vista. Em 1845, julgou ter sofrido um atentado em Petrópolis. Assustado, pediu ao imperador que o mandasse servir na Europa como ministro do Brasil. Reassumiu a mordomia em 1855, sem exercer mais poder algum.

Além das crenças políticas e dos hábitos absorvidos dos mestres, d. Pedro II levou de sua traumática infância e solitária adolescência marcas mais profundas. Segundo os observadores, era um menino tímido, ensimesmado e, seguramente, muito carente de afeto. Timidez e carência foram traços de sua personalidade. A timidez, ele a escondeu, após a maioridade, atrás da máscara do poder. A posição de imperador obrigava todos a tratá-lo com respeito e reverência, o que lhe conferia autoridade e segurança. A carência afetiva, dadas as estritas regras que lhe impuseram, e que assimilou, de não manter favoritos e favoritas, ele procurava compensá-la na intensa atividade epistolar, com homens e mulheres, em busca de reconhecimento e carinho. Por trás das pompas da monarquia, da aparência de auto-suficiência, pode ter vivido um homem infeliz.

5. A corte mais triste do universo

Nesse período de confinamento em São Cristóvão, a cidade do Rio de Janeiro não oferecia muitos atrativos. Continha-se entre a praia do Caju ao norte e a de Botafogo, ao sul. Os ricos moravam em chácaras de Botafogo; os franceses, na Tijuca; os ingleses, no Flamengo, em Laranjeiras e Botafogo. As duas ruas principais eram a Direita, hoje Primeiro de Março, e a do Ouvidor. O único jardim apresentável era o do Passeio Público. O amplo Campo de Santana era tomado por lavadeiras, animais e tílburis. O melhor teatro era o de São Pedro de Alcântara, no largo do Rocio, hoje praça Tiradentes. A iluminação era a lampião de gás. As pessoas se transportavam em cavalos, liteiras carregadas por escravos, ou seges puxadas por cavalos. O primeiro ônibus apareceu em 1833. Havia poucos salões. Os mais importantes eram os do regente Araújo Lima, mais formal, e o de Aureliano Coutinho, mais festivo. Havia também o do visconde de Maranguape, cuja linda filha, sra. Guedes Pinto, atraiu mais tarde o interesse do imperador. A vida coletiva, passadas as agitações de rua, limitava-se a missas, procissões e entrudos.

A Regência foi com razão chamada de experiência republicana. Seus principais líderes, como Evaristo da Veiga, o regente Feijó, e mesmo Bernardo Pereira de Vasconcelos, que o reverendo Walsh flagrara comendo com as mãos, tinham lutado contra o absolutismo de d. Pedro I, e lutavam por eliminar todos os seus resíduos. Uma simplicidade republicana dominava a vida social, inclusive a do paço. Não havia festas em São Cristóvão, exceto por ocasião de visitas de príncipes europeus, como o príncipe de Joinville, filho do rei Luís Filipe da França e futuro marido de d. Francisca, irmã do imperador, que esteve no Rio de Janeiro em 1838. Não se notava o brilho que todas as cortes buscavam cultivar. As poucas pessoas que costumavam circular pelo palácio eram os empregados, os professores, os chamados "semanários", pessoas que eram escaladas semanalmente para servir a d. Pedro, algum diplomata ou outro eventual visitante. Ao visitar o paço, o conde de Suzannet, que esteve no Brasil no início do Segundo Reinado, observou que a corte brasileira era "incontestavelmente a mais triste do universo". O menino imperador não passava de uma sombra oculta no palácio, visível apenas em cerimônias oficiais.

Em virtude desse despojamento, causou grande escândalo a retomada do beija-mão pelo regente Araújo Lima em 1838. O beija-mão era uma velha e abominável prática portuguesa, já abandonada por outras cortes européias. Teófilo Otoni discursou na Câmara contra o resgate do que chamou de "costumes asiáticos". Mas o gesto do regente não fora acidental. Anunciava as mudanças que se aproximavam. Tratava-se, após sete anos agitados de governo regencial, de retomar a tradição monárquica. Com o gesto, Araújo Lima começou a puxar o imperador para o proscênio da política. Embora mantido até então em segundo plano, d. Pedro era uma carta política importante, que já podia ser jogada por qualquer uma das facções em luta.

6. Um imperador de catorze anos

O Ato Adicional de 1834 reformou a Constituição em sentido descentralizante. Criou as assembléias provinciais, concedendo mais poder às províncias, e aboliu o Conselho de Estado. À maior descentralização seguiu-se um recrudescimento dos conflitos e revoltas provinciais. Nunca houve período mais conturbado na história do Brasil. A morte de d. Pedro I em 1834 eliminou a ameaça de restauração, e uma combinação de repressão e cooptação reduziu o poder de fogo dos farroupilhas da corte. Mas nova divisão logo se fez sentir entre liberais e conservadores. Os liberais moderados, vitoriosos contra caramurus e farroupilhas, dividiram-se. Um grupo, com o apoio de antigos caramurus, criou o Partido Conservador. Outro, com a simpatia de ex-farroupilhas, fundou o Partido Liberal. Monarquistas constitucionais ambos, distinguiam-se pela maior ênfase que davam os liberais à descentralização do poder, tanto no que se referia às províncias como às atribuições do Poder Moderador. Com variações ao longo do período, essa divisão perdurou até o final do Império.

A nova clivagem começou quando o liberal moderado Bernardo Pereira de Vasconcelos, que fora o redator do projeto do Ato Adicional, abandonou os companheiros e iniciou o que ele próprio chamou de "regresso conservador". Vasconcelos achava que as reformas haviam ido longe demais e se fazia necessário parar o carro revolucionário. Sua luta dirigiu-se, sobretudo, contra o ex-aliado de 1831, o padre Diogo Feijó, eleito regente em 35. Queria a revisão das leis de descentralização, responsáveis, dizia, pela anarquização do país. Era também favorável à escravidão e não queria combate sério ao tráfico, apesar de ter sido ele já proibido por uma lei de 1831, votada em obediência a tratado feito com a Inglaterra em 26. A luta travou-se na Câmara dos Deputados, principal arena do combate político na época. O padre Feijó era liberal de idéias, mas autoritário de temperamento e fraco de saúde. Preferiu renunciar a enfrentar a batalha parlamentar e passou o governo, em 1837, ao conservador Araújo Lima, futuro marquês de Olinda, o mesmo que retomou o ritual do beija-mão. O primeiro ministério do novo regente tinha Vasconcelos como figura dominante.

A idéia da antecipação da maioridade foi levantada já na luta contra Feijó. Em 1835, Vasconcelos aventou a possibilidade da regência da princesa Januária, três anos mais velha do que d. Pedro. A idéia não foi adiante. Quando os regressistas subiram ao poder em 1837, foi a vez de os liberais hastearem a bandeira maiorista. Em 1839, o deputado Montezuma apresentou proposta de antecipação da maioridade de d. Pedro. Nascido em 1825, este só atingiria a maioridade constitucional aos dezoito anos, isto é, em dezembro de 43. A mudança de mãos da causa maiorista, dos conservadores para os liberais, era indicação de que os grupos políticos, ainda mal organizados em partidos, não tinham encontrado um mecanismo institucional de convivência. Com receio de que o adversário se perpetuasse no poder, decidiram recorrer ao trunfo do poder monárquico, mesmo que fosse necessário colocá-lo nas mãos de um rapazinho. A juventude e a inexperiência do imperador podiam até ser uma vantagem. Sem experiência, ele poderia ser manipulado por quem o levasse ao poder.

Em 1840, três importantes leis centralizadoras estavam em discussão na Câmara dominada pelos conservadores. Uma delas modificava o Ato Adicional, outra reformava o Código Criminal, uma terceira recriava o Conselho de Estado. As três visavam aumentar o poder do governo sobre a administração, justiça e polícia. Os liberais sentiram o perigo e decidiram agir rápido. Em abril, formaram um clube chamado Sociedade Promotora da Maioridade do imperador, o sr. d. Pedro II. A primeira reunião da Sociedade foi na casa do senador padre José Martiniano de Alencar, pai do futuro romancista de mesmo nome. Entre os principais conspiradores estavam os Andrada de São Paulo, Antônio Carlos e Martim Francisco, ambos deputados; os Cavalcanti de Pernambuco, Antônio Francisco e Francisco de Paula, ambos senadores; Teófilo Otoni e o padre Antônio Marinho, liberais históricos de Minas Gerais. Os conspiradores contavam com a conivência do mordomo do paço, Paulo Barbosa, em cuja residência, a Chácara da Joana, passaram a ser feitas as reuniões. Antônio Carlos foi encarregado de conseguir a anuência do imperador, a quem chamava de "rapazinho". O tutor, marquês de Itanhaém, teria dito que, consultado, d. Pedro concordara com a idéia.

O projeto de antecipação da maioridade, apresentado no Senado, foi derrotado por dezoito votos a dezesseis. Na Câmara conservadora, a discussão foi violenta. Derrotados de novo, os maioristas levaram a questão para a rua e mobilizaram a população para pressionar os deputados. No dia 17 de julho, na capela do palácio, alguém gritou um viva à maioridade na frente do imperador. No dia seguinte, apareceram cartazes nas ruas com a quadra:

Queremos Pedro Segundo,
Embora não tenha idade;
A nação dispensa a lei,
E viva a maioridade!

No dia 20, houve tumulto na Câmara. O deputado Antônio Navarro chamou o governo de "camarilha prostituída" e foi agarrado quando pareceu querer sacar um punhal. As galerias gritavam vivas estrondosos à maioridade. A sessão foi suspensa. Vasconcelos foi chamado com urgência ao ministério para, com sua reconhecida energia, parar um movimento revolucionário que não previra: as ruas clamando por um rei. Tomou logo a decisão de adiar as câmaras. Houve tumulto ainda maior na Câmara dos Deputados. Os Andrada gritavam que o regente era usurpador e traidor. Antônio Carlos bradou: "Quem é patriota e brasileiro siga comigo para o Senado. Abandonemos esta Câmara prostituída". Uma passeata de 3 mil pessoas dirigiu-se ao Senado, ainda localizado no Campo de Santana, e invadiu o recinto. Uma comissão foi enviada a São Cristóvão para consultar o jovem monarca. A comissão leu a representação e aguardou a resposta, tendo nesse meio-tempo chegado o regente. Enquanto isso, no Senado, o maiorista padre José Bento, abraçado a um busto do imperador numa das janelas do prédio, inflamava a multidão.

Há grande controvérsia histórica sobre o que então se passou. Alguns atribuem ao jovem imperador o precoce maquiavelismo de ter usado os maioristas para chegar mais rápido ao poder e de ter pronunciado um arrebatado "Quero já!" quando consultado pela comissão do Senado. O próprio monarca negou mais tarde, categoricamente, que tivesse pronunciado tal frase. No diário, por exemplo, afirmou que o "quero já" "não foi decerto pronunciado por mim", e que a aceitação da maioridade representara um sacrifício. Concordara com ela apenas depois de convencido por pessoas que o cercavam, entre as quais o tutor Itanhaém, o aio frei Pedro de Santa Mariana e o marquês de Sapucaí, de que ela era necessária para evitar as desordens que se anunciavam. Disse em outra ocasião que não se recordava de ter sido sondado antes pelos maioristas. Seu primeiro biógrafo, monsenhor Pinto de Campos, que o consultou e ao marquês de Sapucaí, registrou que, perguntado pelo regente se queria assumir o poder, d. Pedro teria respondido "sim". Perguntado, a seguir, se queria assumir já, respondera "já". Em vez do "quero já", teria havido um "sim, já".

Pelas atas da Sociedade Promotora deduz-se que dificilmente os maioristas teriam embarcado na aventura de um golpe de Estado sem alguma garantia da concordância do imperador. O mais provável é que tenha havido a sondagem e que d. Pedro, aconselhado pelos que o cercavam, tenha dado sua anuência. É o que se pode também deduzir de sua afirmação posterior de ter o partido maiorista se aproveitado da imaturidade dele. Era jovem demais e inexperiente demais, admitiu, para ter juízo e decisões próprias.

Ao ser anunciada no Senado, a notícia do assentimento provocou estrepitosos aplausos. Qualquer resistência da Regência foi logo inviabilizada pela adesão ao golpe do comandante de armas, Francisco de Paula Vasconcelos, e do comandante do corpo de estudantes da Escola Militar, que marchou para o Campo de Santana. No dia 23 de julho, a Assembléia Geral reunida num Senado cercado por 8 mil pessoas decretou formalmente a maioridade. O ato reeditava e completava o Sete de Abril. A praça era a mesma, o conteúdo era o mesmo, qual seja, a troca de governante feita sob pressão popular, o aclamado era o mesmo. D. Pedro II era plebiscitado uma segunda vez pela elite, pela tropa e pela rua. A diferença em relação a 1831 era que no primeiro caso o motivo principal era derrubar um rei, no segundo, entronizar outro. À tarde, d. Pedro II fez o juramento constitucional no mesmo local. Um cortejo popular levou-o até o paço da cidade. Não houve, dessa vez, o pânico e o pranto de 1831. Havia apenas um jovem tímido dividido entre a fascinação do poder e o temor diante do mundo novo que, inesperadamente, se abria para ele. As celebrações prolongaram-se pelo resto do dia, e, à noite, as ruas se iluminaram. Uma proclamação ao povo anunciava "uma nova era".

No dia 2 de dezembro, foi festejado o primeiro aniversário de d. Pedro como imperador, 15º de vida. No diário ele anotou as atividades do dia, iniciadas com o almoço de ovos e café com leite às sete horas da manhã, seguido da missa, à qual assistiu dentro de um uniforme que pesava oito libras, 3,6 quilos, "afora as ordens, a espada e a banda. Safa!". Depois, te-déum, beija-mão, e teatro às sete e quinze da noite. Fechou a entrada do diário com a observação "Agora, façam-me o favor de me deixarem dormir. Estou muito cansado, não é pequena a maçada". A manifestação de aborrecimento por cerimônias foi repetida no diário do dia do primeiro aniversário da maioridade, 23 de julho de 1841: "Quanto me custa um cortejo, como mói!". A sagração e a coroação realizaram-se em 18 de julho de 1841. O pintor Manuel de Araújo Porto Alegre, discípulo de Debret, desenhou as roupas de d. Pedro, construiu uma varanda no paço da cidade e depois esboçou um quadro da cerimônia. As festas rivalizaram com as de d. João VI e Pedro I. O barão Daiser, representante da Áustria, espantou-se com a exibição de luxo. Segundo ele, imensa multidão se apinhava no largo do Paço. Foram nove dias de celebração, que culminou com um baile para 1200 pessoas no mesmo paço. O imperador não dançou.

Passada a festa, era preciso governar. A tarefa não era fácil. A maioridade fizera-se exatamente por causa das dificuldades políticas. A Regência mostrara-se incapaz de prover um ambiente de convivência entre liberais e conservadores, gerando um clima propício a constantes revoltas. Essas revoltas ameaçavam a integridade do país. Pará e Bahia tinham proclamado sua independência em 1835 e 1837, respectivamente. Essas duas rebeliões haviam sido reprimidas, mas desde 1836 o Rio Grande do Sul era uma república independente. Estrangeiros que visitavam o Brasil prediziam a fragmentação do país em curto prazo. Foi o caso do príncipe de Joinville, que, tendo ido à corte e a Minas Gerais, concluiu que uma coisa era óbvia: "a impossibilidade de manter unido este imenso império". Um pouco mais tarde, o conde de Suzannet afirmou que a unidade da nação era mera aparência. São Paulo logo se separaria, imitando o Rio Grande do Sul, e todas as outras províncias aspiravam à independência.

Na frente externa, o país enfrentava a pressão militar do governo inglês para tornar efetiva a proibição do tráfico de escravos. O tráfico reduzira-se depois da lei de 1831, mas retornara com força após a vitória do regresso em 37. A partir de 1839, a marinha inglesa redobrou a apreensão e o julgamento de navios negreiros, criando situações constrangedoras para a soberania nacional. Além disso, o Brasil já vinha fazia algum tempo tentando, sem nenhum resultado, rever o tratado comercial de 1827, que dava à Inglaterra o privilégio de uma tarifa máxima de 15% sobre o valor das mercadorias importadas.

De positivo, havia no campo econômico a ascensão do café ao primeiro lugar nas exportações, desbancando o açúcar. No final da década de 1830, esse produto já atingia a metade da exportação. Como a produção cafeeira se concentrava na parte fluminense do Vale do Paraíba, o Rio de Janeiro assumia a posição de pólo dominante da economia nacional. Com isso, o esforço de centralização política e de manutenção da integridade do país ganhava um poderoso apoio na economia.

Do governo do jovem imperador esperava-se muito. A elite política esperava que a figura suprapartidária de d. Pedro II reduzisse os conflitos que a dividiam. Esperava, ainda, que a legitimidade centenária da monarquia congregasse a população do país. Em várias revoltas populares da Regência, ficara evidente essa legitimidade. Em 1832, a guerra dos Cabanos em Pernambuco e Alagoas reivindicara a volta de d. Pedro I. Em 1835, a Cabanagem, no Pará, tinha separado a província, mas os rebeldes gritavam vivas a Pedro II. Em 1837, a Sabinada, na Bahia, separara a província até que o monarca fosse declarado maior de idade. Na Balaiada, revolta popular maranhense, também se davam vivas ao imperador menor. As duas coisas, redução do conflito intra-elite e adesão popular, eram condição para a manutenção da ordem social e política e da integridade nacional.

7. Aprendendo a governar

Era muita coisa para um garoto de catorze anos, cujo aprendizado político tinha sido até então puramente teórico. O barão Daiser havia insistido com o regente Araújo Lima para que fosse dado a Pedro II acesso ao Conselho de Ministros, mas sua sugestão não fora aceita. O regente só lhe concedera provar o gosto do poder na cerimônia do beija-mão. Porém, era algo apenas simbólico. O imperador pode ter se sentido gratificado, mas pode também ter achado o ritual maçante como tantos outros. Mais tarde se livraria dele.

Os primeiros anos do Segundo Reinado foram necessariamente de muita insegurança para o jovem e inexperiente governante, que tinha de lidar com políticos calejados. Diplomatas que o visitaram nesse período registraram sua timidez, seu laconismo, seu quase-enfado. O conde de Suzannet anotou: "O imperador não fala nunca. Encara com olhar fixo e sem expressão. Cumprimenta ou responde apenas por um meneio de cabeça ou um movimento de mão. Deixa-nos uma impressão desagradável este príncipe de vinte anos [sic] que parece tão triste e tão infeliz". O laconismo e o aparente enfado eram, sem dúvida, recursos de que o rapaz fazia uso para acobertar a enorme insegurança.

Inexperiente e inseguro, inseguro porque inexperiente, d. Pedro teve de se escorar nos que lhe eram mais próximos. Recorreu, sobretudo, a Aureliano Coutinho, seu principal guia nos primeiros anos. Além de chefiar a facção áulica, e porque a chefiava, Aureliano sempre ocupara, desde a maioridade, algum ministério, fosse o gabinete liberal ou o conservador. Apoiara o golpe dos liberais, mas, ao caírem estes em menos de um ano, permaneceu no ministério no governo conservador. Continuou no poder quando os liberais de Minas e de São Paulo recorreram às armas em 1842. A força dele se fez sentir no que pareceu ter sido o primeiro ato de independência do jovem imperador. O monarca enfrentou, em 1843, o ministro da Justiça, Honório Hermeto Carneiro Leão, futuro marquês do Paraná. Honório era um dos políticos de maior prestígio na época, conhecido por sua independência e modos bruscos. Queria a demissão de um irmão de Aureliano, mas d. Pedro não concordou. Pediu demissão, e teria comentado que quem se mete com criança sai molhado. O imperador observou mais tarde que era importante não ceder para firmar sua autoridade. Foi isso seguramente que lhe deve ter soprado Aureliano, inclusive para salvar o emprego do irmão.

O ponto de inflexão política dessa fase de ajustamento se deu em 1844. Nesse ano, os liberais revoltosos de 1842 foram anistiados e chamados de volta ao poder. O fato demonstrou, pela primeira vez, que o Poder Moderador podia servir de árbitro para as lutas entre as facções políticas. Os conservadores, apesar de sua vitória, não se tinham encastelado no poder. O Poder Moderador era um resíduo absolutista enxertado na Constituição liberal de 1824. Dava ao chefe de Estado várias atribuições, sendo a principal delas nomear e demitir livremente os ministros. Com isso, contrariava a marca registrada do parlamentarismo inglês, que era a separação da chefia do Estado da chefia do governo. O imperador era chefe do Estado e, ao mesmo tempo, chefe do Poder Executivo. Era mais um presidente de república do que um rei constitucional. A faculdade de escolher os ministros permitia ao chefe de Estado promover o rodízio dos partidos, impedindo que um deles se perpetuasse no poder pela manipulação das eleições.

O desejo de todo partido é, naturalmente, conquistar e manter o poder. Os partidos da época não fugiam à regra. Mas as lutas regenciais tinham demonstrado que no Brasil essa pretensão era causa de permanente instabilidade. O fato de não serem os conflitos entre grupos dominantes marcados por diferenças de classe não os tornava menos freqüentes nem menos intensos. As revoltas populares da Regência tinham também demonstrado que conflitos entre grupos dominantes abriam caminho para revoltas populares, mais perigosas e mais violentas. A saída para o problema foi o estabelecimento de um contrato político não escrito das elites com a monarquia e com o Poder Moderador: ela e ele seriam aceitos na medida em que possibilitassem a convivência civilizada dos partidos e a paz social. Com o arranjo, a monarquia ganhava legitimidade, e as elites ganhavam tranqüilidade.

O gabinete de 1844, que tinha no Ministério da Fazenda Manuel Alves Branco, foi também o que enfrentou a Inglaterra e resistiu à renovação do tratado de comércio de 27. Esse tratado dava vantagens tarifárias aos ingleses, e expirara em 1842. Em represália, a Inglaterra aprovou, em 1845, a Lei Aberdeen, que dava direito à sua marinha de violar águas territoriais brasileiras em busca de navios suspeitos de tráfico de escravos, causando um problema ainda maior para o Brasil que o do tratado de comércio. A boa notícia do ano foi o fim da Revolta Farroupilha no Rio Grande do Sul. Depois de dez anos, a província voltava ao seio do Império, afastando de vez o fantasma da fragmentação.

Novo avanço institucional se deu em 1847, quando foi criada a presidência do Conselho de Ministros. Embora a Constituição de 1824 não fosse parlamentarista, houve, ao longo do Império, pressão constante no sentido de se adotar a prática parlamentarista segundo o modelo inglês. Um elemento relevante dessa prática era a figura do presidente do Conselho de Ministros, também chamado de primeiro-ministro. Francisco de Paula Sousa e Melo, um dos mais puros liberais da época, assinou o decreto de criação da presidência. A partir daí, o imperador passou a discutir a constituição dos ministérios com os presidentes do Conselho e a dirigir-se a eles preferencialmente para tratar assuntos de governo. O procedimento conferia maior coesão à política do governo e maior consistência aos partidos políticos. À medida que o sistema amadurecia, tornava-se cada vez mais parlamentarista, como era desejo de d. Pedro II.

Em 1848, o gabinete liberal demitiu-se, e o imperador operou a segunda mudança de partidos, chamando de volta os conservadores, agora sob o comando do ex-regente, então já visconde de Olinda. O fato de chamar o ex-regente, apelidado de "vice-rei", indicava que d. Pedro já controlava as rédeas do poder, pois não temia a competição da segunda pessoa mais importante na política do país. Tinha quase 23 anos, e se livrara também da influência do mordomo Paulo Barbosa, mandado para a Europa em 1846, e de Aureliano, afastado do paço.

Embora d. Pedro não tivesse interferido na queda do gabinete, a chamada dos conservadores despertou grande reação. Teófilo Otoni falou em estelionato político. A reação foi maior entre os liberais pernambucanos. Menos de dois meses depois da posse do novo ministério, mas em conseqüência de conflitos internos, que vinham do início da década, começou nessa província a Revolta da Praia, última grande rebelião da primeira metade do século. A luta de quatro meses terminou com a vitória do governo. Os liberais do Sul, escaldados com a derrota de 1842, não apoiaram os do Norte. Vencidos estes, os conservadores consolidaram seu poder.

O protesto final dos liberais foi retórico. Sales Torres Homem, talentoso jornalista liberal, filho de um padre e de uma quitandeira, educado na França, publicou em 1849, logo após a derrota dos praieiros, sob o pseudônimo de Timandro, um violento panfleto contra os Bragança intitulado O *libelo do povo*. A queda do rei francês Luís Filipe em 1848 lhe forneceu combustível adicional para atacar todas as monarquias. Timandro referiu-se à dinastia de Bragança como estirpe sinistra e atacou seus reis, um a um. Afonso VI era um crápula; Pedro II de Portugal, moedeiro falso; João V, um libidinoso; João VI, avô do imperador, refalsado, irresoluto, poltrão. Na conclusão do panfleto, anunciou a revolução que seria o triunfo do interesse brasileiro sobre o capricho dinástico. A catilinária provocou escândalo e grande reação, mas não teve maiores conseqüências. Nove anos mais tarde, o autor, arrependido e já conservador, foi nomeado ministro da Fazenda, com a aprovação do Bragança que governava o país.

O gabinete de 1848 foi um dos mais operosos do Império. Promulgou o Código Comercial, reformou a Guarda Nacional e, sobretudo, enfrentou dois problemas centrais do país, o da regulamentação da propriedade da terra e o do fim do tráfico de escravos. A Lei de Terras, de 1850, apesar de avançada para a época, teve pouco efeito prático em razão da resistência dos proprietários. Mas a lei que aboliu o tráfico, igualmente de 1850, chamada Lei de Eusébio de Queirós, conseguiu acabar com o comércio atlântico de escravos, cumprindo-se, afinal, os dispositivos da lei de 31. A pressão da marinha inglesa foi fundamental para a aprovação da lei, mas é também verdade que, pela primeira vez, o governo brasileiro se empenhou seriamente no combate ao comércio negreiro. O imperador apoiou a decisão e daí em diante não escondeu sua posição contrária à escravidão, embora nem sempre jogasse todo o seu peso político do lado dos abolicionistas.

8. "Enganaram-me, Dadama!"

Outro fator que contribuiu poderosamente para o amadurecimento de d. Pedro foi o casamento, realizado em 1843. Desde 1840, antes da maioridade, já se falava no assunto. A preocupação com o tema tinha uma razão dinástica: era preciso desde logo garantir a sucessão. Mas é possível que os homens da Regência se preocupassem também em evitar que o filho seguisse o mau exemplo do pai mulherengo. Esse perigo, no entanto, não parecia ser grande. Segundo informações de diplomatas, na época da maioridade o monarca não demonstrava muito interesse por mulheres. Pior ainda: o ministro da França, Ney, informou a seu governo que ele tinha desprezo pelas mulheres, atribuindo o fato à educação religiosa que recebera do austero frei Pedro de Santa Mariana. O ministro anterior, Saint-Georges, já dissera a mesma coisa: "Ostenta mesmo um desprezo e um indiferentismo singular pelas mulheres". O imperador corava quando o ministro austríaco, Daiser, lhe falava em casamento.

A decretação da maioridade apressou as negociações, que não foram fáceis. D. Pedro não era bom partido. A família imperial não era rica, o Brasil era um país distante, exótico, sem importância. E havia o mau precedente de d. Pedro I. As famílias reais européias se perguntavam, naturalmente, se o filho não teria puxado ao pai em matéria de relacionamento com as mulheres. Tentou-se primeiro casar o soberano e suas duas irmãs, Januária e Francisca, na casa da Áustria, chefiada então por Ferdinando I, tio dos três. O enviado brasileiro a Viena, Bento da Silva Lisboa, passou dois anos negociando com Ferdinando e seu chanceler, Metternich, sem nenhum resultado. Metternich tergiversava. A situação era constrangedora para o enviado e para o Brasil. Em desespero de causa, Silva Lisboa fez amizade com Vincenzo Ramirez, ministro do rei Fernando II das Duas Sicílias, e acabou negociando com ele o casamento do imperador com a irmã mais nova do rei, Teresa Cristina.

Houve desapontamento no Rio de Janeiro, onde não se conhecia a noiva nem o rei seu irmão. Trocara-se uma Habsburgo ou uma Hohenzollern por uma princesa oriunda de um dos ramos menos prestigiados dos Bourbon. Para piorar as coisas, Fernando II tinha fama de déspota. Mas, ao ver o retrato que lhe mandaram, d. Pedro achou a noiva "mui bela". Anotou no diário: "Das mãos de Aureliano tomo o retrato e corro ao quarto da Mana Januária. Elas já sabiam. Mostrei-lhes o retrato, de que gostaram muito". O casamento foi realizado por procuração em Nápoles, em 30 de maio de 1843. Foi necessário obter licença de Roma, porque os noivos eram primos.

Teresa Cristina chegou ao Rio em 3 de setembro. O primeiro encontro do casal, ainda a bordo da fragata *Constituição*, foi um desastre. A imperatriz confessaria mais tarde à filha Isabel que chorara julgando que o imperador não tivesse gostado dela. A percepção de Teresa Cristina era correta. D. Pedro decepcionou-se com o que viu ao vivo, muito diferente do que vira no retrato. A mulher que lhe tinham arrumado era quase quatro anos mais velha, de cultura modesta, baixinha, sem beleza, e manca. Sentiu-se enganado e queixou-se amargamente a Paulo Barbosa e d. Mariana. Chorou nos ombros do mordomo e reclamou da aia: "Enganaram-me, Dadama!". Os dois tiveram de lhe explicar que casamentos de reis e imperadores eram negócios de Estado, não assuntos do coração. O contrato estava assinado, não havia como voltar atrás. Tivesse o monarca paciência, e a afeição até poderia surgir. Definitivamente, d. Pedro não era um homem de sorte no que dizia respeito à vida doméstica. Mas a cidade, indiferente a mais um drama pessoal, celebrou as bodas durante nove dias.

Apesar da frustração inicial, o casamento contribuiu para dar segurança ao jovem de dezoito anos. O menino tímido e pouco falante, que impressionava mal os diplomatas, tornou-se mais confiante e mais expansivo nas funções oficiais e na vida social. A paternidade veio reforçar a mudança, embora envolta em novas tragédias familiares. O primeiro filho, Afonso, nasceu em 1845, mas morreu com pouco mais de dois anos de idade, confirmando a lenda de que os primogênitos dos Bragança não sobreviviam. Em 1846, nasceu Isabel, e, em 47, Leopoldina, que vingaram. Em 1848, veio outro filho, d. Pedro Afonso, que viveu ainda menos que o primogênito. Essa segunda morte abalou o imperador. A perda de outro filho homem era particularmente dolorosa. Dedicou a ele um soneto que, embora não seja uma jóia literária, não deixa de bem exprimir sua infelicidade. Os versos finais que o digam:

Tive o mais funesto dos destinos
Vi-me sem pai, sem mãe na infância linda,
E morrem-me os filhos pequeninos.

Mas cumprira sua tarefa de homem e seu dever de imperador. Como a tradição da casa real portuguesa, herdada pelo Brasil, não impedia o acesso de mulheres ao trono, a sucessão estava garantida. Porém, não sem antes passar por pequena turbulência. Um ano depois do casamento de Pedro II, a irmã mais velha, Januária, casou-se com um irmão da imperatriz, o conde d'Áquila. Foi instantânea a antipatia entre d. Pedro e o cunhado. Intrigas palacianas, aparentemente fomentadas por Paulo Barbosa, espalharam que o conde tramava com a irmã e com políticos derrubar o imperador. Era de temperamento alegre e aventureiro, o oposto de d. Pedro, e Januária era também uma princesa popular. Ainda muito inseguro, o monarca reagiu, e as relações com o casal azedaram-se. O conde pediu, então, permissão para deixar o país. Mas, como Januária era herdeira do trono, a licença só foi concedida após o nascimento do primeiro filho do casal imperial. No último gesto de desafio, o conde recusou o transporte em navio brasileiro e partiu com a mulher para a Europa em navio de guerra francês.

9. "O Paraná não se curvava"

O gabinete de 1848 foi um dos de maior duração do Império, três anos e sete meses. O domínio conservador veio acompanhado de uma sensação de que novos tempos se inauguravam, em parte como fruto das reformas realizadas. O fim do tráfico, por exemplo, liberara capitais que foram responsáveis por um primeiro surto de empreendimentos. Desaparecera o risco para a ordem social e para a unidade do país. Era tempo também de pôr um ponto final nos rancores políticos herdados da Regência.

Justiniano José da Rocha, jornalista conservador, interpretou magistralmente a nova realidade num panfleto de enorme impacto intitulado *Ação, reação, transação*. Justiniano era filho de pais desconhecidos, também educado na França, como Sales Torres Homem. Militando em campos opostos, os dois eram excelentes jornalistas e representavam à perfeição a ascensão social de mulatos de talento. No panfleto, argumentou que, ao avanço da liberdade, iniciado em 1834, sucedera a reação da ordem em 37. Agora chegara a vez da transação, da conciliação, da superação dos velhos antagonismos. A palavra *conciliação* começou a circular.

O imperador não só apoiava a idéia, como lhe foi atribuída sua iniciativa. A conciliação seria "pensamento augusto", como disse o marquês de Olinda. Para a difícil tarefa de pô-la em prática, d. Pedro chamou o mesmo homem com quem tivera o primeiro atrito político em 1843, Honório Hermeto, agora marquês de Paraná, que vivia a plenitude de seus cinqüenta anos. O marquês credenciara-se para a empreitada ao adotar posição moderada em Pernambuco, no final da Revolta da Praia. O antigo desentendimento não impedia que o imperador o admirasse. E ele admirava e respeitava, sobretudo, a independência de Honório. "O Paraná não se curvava", disse certa vez.

Paraná assumiu em setembro de 1853 e formou um ministério talhado para a inovação. Ao lado de dois senadores experientes, e de um general, colocou quatro jovens deputados, de quarenta anos ou menos. Na escolha desses jovens, mostrou grande argúcia. Dois deles seriam mais tarde presidentes do Conselho de Ministros, Paranhos, futuro visconde do Rio Branco, e João Maurício Wanderley, futuro barão de Cotejipe. O terceiro, Nabuco de Araújo, foi ministro mais de uma vez e tornou-se um dos políticos mais importantes do Segundo Reinado. Mereceu do filho, Joaquim Nabuco, a melhor biografia política já escrita no Brasil. O quarto estreante era o amigo de infância do imperador, Luís Pedreira do Couto Ferraz, já visconde do Bom Retiro.

A maturidade política de d. Pedro ficou evidente no fato de que pela primeira vez entregou a um presidente de Conselho, e logo ao maduro e independente Paraná, instruções contendo idéias de governo. Entre essas idéias, estavam a introdução da eleição direta acompanhada do sistema majoritário de votação, chamado na época de "círculos", a promoção da educação primária e secundária, a execução da Lei de Terras, a colonização, a repressão enérgica ao tráfico de escravos, o afastamento dos militares da política, a construção de estradas de ferro. Algumas desciam a detalhes e antecipavam em muito futuras reformas urbanas da cidade, como o arrasamento dos morros de Santo Antônio e do Castelo.

Anexou às instruções algumas *Idéias gerais* sobre o funcionamento do gabinete e sobre como deveriam ser as relações entre o chefe de Estado e o ministério. A primeira regra dizia que o ministro que jogasse a responsabilidade de sua ação sobre o imperador seria demitido. Nunca cumpriu a ameaça, apesar de se ter tornado comum a prática condenada. Em tese, sendo o Poder Moderador irresponsável, o ministro devia cobrir politicamente os atos da Coroa. Caso discordasse deles, deveria pedir demissão. O que acontecia com freqüência era que o ministro não concordava, não saía e responsabilizava, à boca pequena, d. Pedro. Outra regra, essa cumprida à risca, foi que as decisões seriam todas tomadas em despacho coletivo do ministério, ou do ministro individualmente com o imperador. Uma terceira diretriz tinha a ver com a não-interferência do governo nas eleições. Para o monarca, o segredo do bom funcionamento do sistema parlamentar de governo estava na realização de eleições confiáveis. Se os ministros manipulassem as eleições, a opinião nacional não se manifestava no Parlamento e o Poder Moderador era obrigado a promover, por conta própria, a rotação dos partidos no governo.

A relação de Pedro II com os ministros foi um ponto delicado até o final do Império. Tratava-se no fundo da relação entre o Poder Moderador e o Poder Executivo. A complicação começava na Constituição de 1824. Ela atribuía ao imperador, privativamente, o exercício do Poder Moderador, entre cujas prerrogativas estava nomear e demitir livremente os ministros de Estado. Além disso, fazia dele chefe do Poder Executivo, tarefa a ser exercida por intermédio dos ministros de Estado. Durante todo o reinado discutiu-se o que significava na prática chefiar um poder que era operado por outros. Como o imperador era irresponsável, quem se responsabilizava por seus atos? Como os ministros eram responsáveis, por que se responsabilizar por atos de outro? Qual seria, afinal, a natureza da relação entre o chefe do Poder Executivo e o presidente do Conselho de Ministros? O reinado terminou sem que se chegasse a um consenso sobre esse tema.

Nos papéis do imperador, há um documento em que ele explicita sua posição. A chefia, segundo ele, verificava-se apenas na livre escolha do ministério. Quanto ao resto, reduzia-se a uma supervisão das ações dos ministros, a qual não podia retirar-lhes a liberdade de se opor e, eventualmente, pedir demissão. No entanto, o monarca reconhecia que, na prática, a aplicação dos princípios constitucionais "dependia da consciência e bom juízo de quem tem de realizá-los". Isso significava que as relações entre o imperador e seus ministros acabavam variando de acordo com a personalidade destes últimos, sobretudo do presidente do Conselho, que tinha ligação muito mais próxima com o chefe de Estado. Mas havia duas regras básicas. A primeira era discutir tudo em conselho ou com os ministros individualmente, quando Pedro II podia ser derrotado. A segunda era o direito de fiscalização sobre a ação do ministério. O imperador informava-se sobre tudo o que acontecia, lendo os jornais, visitando repartições públicas, ouvindo reclamações em audiências semanais. A carruagem imperial era vista com freqüência cruzando aos solavancos as ruas mal calçadas da cidade a caminho de alguma repartição, escola, arsenal, hospital. Os ministros vingavam-se dessa fiscalização chamando d. Pedro de "gênio de bagatelas". Bem-humorado, Mendes Fradique diria mais tarde que o imperador fazia tudo, exceto a barba.

As reuniões ministeriais realizavam-se em São Cristóvão, em torno da grande mesa da sala de despachos, de início à noite, depois, a pedido de Caxias, pela manhã. No verão, quando a família imperial subia para Petrópolis, o imperador descia uma vez por semana, ou subiam os ministros. Falava primeiro com o presidente do Conselho, em seguida com todos juntos. Delegou cada vez mais poder aos presidentes, inclusive, em suas próprias palavras, para se acobertar de críticas. No despacho coletivo, chamado de "sabatina", ouvia todos os ministros e fazia anotações a lápis em tiras de papel. Os sete ministros falavam sobre todos os assuntos. D. Pedro discutia, às vezes convencia, às vezes era derrotado. Tomadas as decisões, cobrava deles sua implementação, bombardeando-os com telegramas e bilhetinhos, no estilo mais tarde adotado por Jânio Quadros. Só ao barão de Cotejipe endereçou duzentas cartas e bilhetes. Outros tantos foram dirigidos a Rio Branco, Zacarias de Góis e Vasconcelos, João Alfredo.

Com esses homens, quase todos formados em direito e com experiência no Legislativo, no Executivo, no Conselho de Estado e na administração de províncias, d. Pedro lidou durante seus 49 anos. Conhecia-os um a um, seus méritos e defeitos. Eles também o conheciam bem, suas idéias, seus métodos, suas manias. Dos dois lados, desenvolveu-se uma relação de respeito, mas não de amizade, salvo poucas exceções. De propósito, o imperador evitava intimidades, e os políticos também se mantinham a certa distância de São Cristóvão para evitar acusação de aulicismo.

Embora afirmasse tratar a todos os ministros igualmente, alguns mereciam dele tratamento mais igual. Era o caso, sobretudo, do marquês de Paraná, do visconde do Rio Branco, de Caxias, do marquês de São Vicente e de José Antônio Saraiva. Paraná era o que já se viu. Rio Branco agigantou-se na política durante a Guerra do Paraguai e conquistou de vez a simpatia de d. Pedro ao conseguir aprovar no Parlamento a Lei do Ventre Livre, contra a vontade de seu próprio partido. Realizou o mais longo e mais eficiente governo do Segundo Reinado, quatro anos e três meses, no decurso do qual fez aprovar várias reformas defendidas pelos liberais. Rio Branco foi sem dúvida o mais completo estadista da época, para o que contou com pequena ajuda da natureza, um belo físico, grandes dotes oratórios, uma energia inesgotável. Transitou do campo liberal para o conservador, distinguiu-se inicialmente na diplomacia e depois na grande política nacional. Transformou-se no reformador de confiança do imperador. Foi em suas mãos que este deixou o governo durante a primeira viagem à Europa, em 1871, decerto inseguro quanto à capacidade de Isabel em exercer a regência. Paraná e Rio Branco eram estadistas 24 horas por dia. À aproximação da morte, deliravam, imaginando-se na Câmara dos Deputados a fazer discursos.

Caxias era figura quase paterna. Conviveu com o imperador ao longo da vida, e lhe serviu sempre de conselheiro em matéria política e militar. O diário imperial registrava muitas vezes: "Veio o Caxias". Apesar de mau político, era garantia suprema da autoridade, da ordem interna, da integridade nacional. Foi a total confiança no general que levou o monarca a praticamente forçar o gabinete liberal de 1866 a nomeá-lo para o comando das tropas brasileiras no Paraguai. No final da guerra, iria cometer uma grande indisciplina, sem que isso abalasse a confiança imperial. D. Pedro lhe deu o título de duque e, assim como fizera com Rio Branco, deixou o governo em suas mãos durante a segunda viagem ao exterior, em 1876.

O marquês de São Vicente, José Antônio Pimenta Bueno, era o constitucionalista predileto e redator de projetos importantes, como o da libertação do ventre. Sua interpretação da Constituição, tema a que dedicou um livro, era a referência básica do imperador, sobretudo quando se tratava do espinhoso capítulo do Poder Moderador. Foi também a ele que d. Pedro pediu a primeira redação do projeto que se tornaria a Lei do Ventre Livre. Saraiva era o grande negociador, o homem para os momentos de impasse político, o analista arguto. A ele recorreria o monarca para fazer aprovar no Congresso as leis da eleição direta e dos Sexagenários, e a ele novamente retornaria em 1889, ao apagar das luzes do Império. Variava também a atitude dos ministros diante do imperador. Os mais próximos destacavam-se pela lealdade sem aulicismo, cujo melhor exemplo foi Paraná.

Outros não se entendiam com o chefe de Estado. José de Alencar esteve sempre às turras com ele, na literatura, na política, na questão da escravidão. Quando ministro, candidatou-se ao Senado, contra a recomendação de d. Pedro, que, coerentemente, não o escolheu na lista tríplice. As relações entre os dois azedaram de vez. Nabuco de Araújo foi ministro, e era o mais respeitado chefe liberal em sua época, mas nunca foi chamado à presidência do Conselho, sem que se saiba bem por que razão. Zacarias de Góis e Vasconcelos, três vezes presidente do Conselho, foi o centro da pior crise política do regime em 1868. Discordava da interpretação de Pimenta Bueno sobre o Poder Moderador, e não concordou com uma escolha de senador feita por d. Pedro. Demitiu-se e recusou-se a indicar sucessor, abrindo caminho para a chamada dos conservadores. Ressabiado, votou depois contra o projeto da Lei do Ventre Livre, que fora o primeiro a mencionar quando presidente do Conselho, e não aceitou nomeação para o Conselho de Estado.

Outros ainda, a maioria, mantinham posição ambígua. Buscavam o prestígio do poder, o calor do sol imperial, mas ressentiam-se do que consideravam excessiva intromissão do monarca nos negócios do governo. Não tinham a coragem de enfrentá-lo nos despachos, mas de longe espalhavam suas queixas e críticas, recorrendo muitas vezes a pseudônimos. Foi o caso de Antônio Ferreira Viana, conservador, ultramontano e monarquista convicto, que publicou em 1867 A *conferência dos divinos*, um dos mais corrosivos panfletos jamais escritos contra o Poder Moderador. Mais tarde, como Sales Torres Homem, arrependeu-se, foi ministro no último gabinete e visitou o imperador no exílio. João Maurício Wanderley, barão de Cotejipe, fez um tipo à parte. Ferrenho conservador, era dotado de extraordinária habilidade e perspicácia políticas. Negaceava e procrastinava sempre que d. Pedro ou Isabel pretendiam fazer aprovar leis abolicionistas. Feita a abolição, foi autor da famosa e profética resposta a Isabel, segundo a qual a princesa havia redimido uma raça mas perdera um trono.

As relações do imperador com os políticos e funcionários em geral mantinha o mesmo grau de ambigüidade: era procurado pelos benefícios e acusado pelos malefícios. Um exemplo disso é o do conselheiro Albino José Barbosa de Oliveira (1809-89), que chegou a presidente do Supremo Tribunal de Justiça. Após um julgamento no Tribunal do Comércio, em 1861, em que votou contra o barão de Mauá, Albino e mais dois desembargadores foram afastados pelo ministro da Justiça. Atribuiu o afastamento "à proteção cega e parcial que votava o imperador àquele patife [Mauá]". Achava, sem evidência, que Pedro II o via com maus olhos, que o excomungara. Mas procurou-o mais de uma vez para provar sua retidão. Nomeado mais tarde presidente do Supremo Tribunal de Justiça, concluiu, ainda sem nenhuma evidência, que o imperador reconhecera o próprio erro. Ficou feliz quando, como conseqüência da nomeação, ganhou a Grã-Cruz da Ordem de Cristo. Antes disso, já se julgara absolvido quando fora indicado para dançar de *vis-à-vis* da imperatriz num baile do clube.

10. Noites de Atenas e outras noites

Na metade do século, já no comando da política nacional, o imperador projetava a imagem pública de um homem cioso de sua autoridade, reservado, racional, insensível, imparcial, rezando em tudo pela cartilha que lhe tinham ensinado. Mas, exatamente quando aprendia a controlar a política, viu-se assaltado por uma segunda paixão, depois da que desenvolvera pelos livros na infância. D. Pedro caiu de amores pela condessa de Barral.

Antes da condessa, os mexericos da corte já registravam alguns amores fugazes, aventuras de juventude. Um deles, talvez o primeiro, do início da década de 1850, chamava-se Maria Eugênia Guedes Pinto, Mariquinhas Guedes, considerada uma das mulheres mais bonitas entre as que freqüentavam os salões do Rio de Janeiro. Filha do visconde de Maranguape, tinha 26 anos em 1852, um ano a menos que o imperador. Outra era a viúva Navarro, Maria Leopoldina, por quem um pretendente cortou o pescoço em desespero por não ter sido correspondido.

A própria condessa de Barral conta que a viúva teria agradado por algum tempo "a seu amo". Mais tarde, surgiriam outros amores, também ligeiros, posto que intensos.

A paixão por Barral, no entanto, foi diferente, ultrapassou a atração física, foi eterna, sem deixar de ser chama. Ela está registrada na correspondência entre os dois, sobretudo do imperador para a condessa. Contrariando instruções do remetente, Barral guardou muitas das cartas recebidas. D. Pedro teve muito mais cuidado, trancando as suas na gaveta antes de as despachar. Cerca de 820 delas chegaram até nós, cobrindo um período de 28 anos. A primeira é datada de outubro de 1859, a última, de 22 de fevereiro de 1887. A condessa morreu em janeiro de 1891.

Das cartas da condessa, restam nos Arquivo Grão Pará em Petrópolis cerca de 70, número a que se devem acrescentar 20 outras copiadas por Tobias Monteiro e que se encontram na Biblioteca Nacional. Elas se distribuem entre 1867 e 1890. O número é amostra muito pequena do total. Basta lembrar que houve períodos, como de 1878 a 1882, em que ela escreveu uma carta por semana. Projetada essa média para 26 anos, teríamos mais de mil. Mesmo considerando os anos de 1878 a 1882 como atípicos pela intensidade da comunicação, o número total de cartas deve ter sido pelo menos equivalente ao das enviadas pelo imperador.

A razão do desaparecimento de muitas das cartas da condessa é simples: o imperador as destruía. Mais de uma vez, ele a encorajou a ser mais expansiva em suas manifestações, garantindo-lhe que as cartas seriam queimadas. Em 7 de dezembro de 1879, por exemplo, queixou-se de que ela nem sempre dizia "tudo a quem é tão seu e queima logo suas cartas". Repetiu em 9 de agosto de 1880: "Queimo suas cartas depois de lidas". Não por acaso, as que não foram queimadas são pouco comprometedoras.

O primeiro contato de d. Pedro com a condessa verificou-se em 1856. Ele tinha, então, 31 anos, estava na plenitude do vigor físico. Sua tranqüilidade só era perturbada, como confessaria no diário de 1862, pela juventude do coração, maneira discreta de se queixar da insatisfação com as relações matrimoniais. Luísa Margarida Portugal de Barros era filha única de Domingos Borges de Barros, visconde de Pedra Branca, ou Pedra Parda, na versão maldosa de José Bonifácio. Nascera na Bahia em 1816. O pai era um rico senhor de engenho, formara-se em Coimbra em 1804 e poetava razoavelmente. Representou a Bahia nas Cortes de Lisboa, seguindo depois para a França, onde, proclamada a independência, foi nomeado plenipotenciário brasileiro, com a tarefa de conseguir reconhecimento para o novo país. Foi feito visconde de Pedra Branca e senador vitalício em 1826. Mas deixou-se ficar na França, só tomando posse no Senado em 1833, quando já enviuvara. Não esquentou a cadeira senatorial, regressando logo à Europa.

Luísa Margarida fora prometida em casamento a Miguel Calmon du Pin e Almeida, futuro marquês de Abrantes, vinte anos mais velho. Abrantes era outro abastado senhor de engenho, e foi uma das figuras mais destacadas da vida política e social no Segundo Reinado. Morava no palacete que fora de d. Carlota Joaquina, na esquina da praia de Botafogo com a rua que hoje leva seu nome. Nele mantinha um dos salões mais prestigiados da época. Contrariando os costumes reinantes, Luísa Margarida rejeitou o acordo, desprezou o excelente casamento e optou, em 1837, por Eugène de Barral, filho do conde de Barral.

O escolhido podia não ser tão rico quanto Miguel Calmon, mas tinha mais prosápia. Era primo de Eugênio de Beauharnais, que era pai de d. Amélia de Leuchtenberg, que era viúva de d. Pedro I. Essas ligações dinásticas logo renderam dividendos sociais para Luísa Margarida. D. Francisca, irmã de Pedro II, que era casada com o príncipe de Joinville, filho de Luís Filipe, rei de França, a levou para o paço real e conseguiu sua nomeação para dama de honra, com vencimentos e carruagem própria. A essa altura, com a morte do sogro, Luísa Margarida já era viscondessa de Barral. Em 1847, o casal veio ao Brasil, onde foi obrigado a permanecer por causa da revolução francesa de 48, que derrubou Luís Filipe. Em 1854, dezessete anos após o casamento, nasceu seu único filho, Horace-Dominique. No ano seguinte, perdeu o pai.

O contato dela com d. Pedro se deveu a d. Francisca, que a recomendou ao mordomo Paulo Barbosa para o cargo de tutora das princesas Isabel e Leopoldina. O convite lhe foi feito em 1856. Com a experiência de mulher de corte e de negócios, acertou cuidadamente as condições do acordo. Foi contratada por doze contos anuais, salário de ministro de Estado, mais aluguel, pensão vitalícia de 6 mil francos, tudo tirado da dotação do imperador. Em agosto daquele ano, já se achava na corte, com residência em casa situada no que é hoje a avenida Pedro II em São Cristóvão. O conde retirou-se para a Europa, deixando com ela o filho.

Em texto intitulado "Obrigações da aia", d. Pedro deu-lhe controle total sobre a educação das filhas: "Só ela poderá intervir direta ou indiretamente, na educação de minhas filhas". Reprimia assim os inevitáveis ciúmes das outras damas do paço da estranha que lhes vinha disputar poder e prestígio. Deu-lhes normas e horários rígidos, como lhe deram seus mestres. Tinham de se levantar às seis, assistir à missa, almoçar às oito, ler e estudar, jantar às duas, preparar lições, passear às cinco e meia, ler e estudar, cear às nove, dormir às nove e meia. A aia tinha de acompanhar as filhas desde as nove da manhã até as oito da noite. A instrução não devia distinguir-se da que era dada aos homens. O programa de estudos incluía aulas de francês, inglês, alemão, latim, história, química, geometria, botânica, desenho, geografia. Muitas vezes ele assistia às aulas, quando não as ministrava pessoalmente. Mais que da instrução, a aia devia cuidar do caráter das princesas: "O caráter de qualquer das princesas deve ser formado tal qual convém a senhoras que poderão ter que dirigir o governo constitucional d'um Império como o do Brasil".

Em 1856, Barral era mulher madura de quarenta anos. A beleza da juventude, sugerida em retrato feito por Vanacker, já se embaçara algum tanto, embora ela estivesse ainda longe da senhora idosa pintada por Winterhalter em 1870. Tinha educação apurada, vivacidade, conversação espirituosa, e era mestra da etiqueta, graças ao aprendizado na corte de Luís Filipe. Fascinou logo d. Pedro pela inteligência e pela cultura. Ao mesmo tempo, ofuscou a imperatriz, mulher de cultura modesta e destituída de atrativos físicos. Apesar de ela morar fora do palácio de São Cristóvão, seu contato com o imperador era intenso, pois passava o dia todo ali e d. Pedro tinha o costume de assistir às aulas das filhas, inclusive às ministradas pela tutora. Ficou registrada a deliciosa anedota segundo a qual a princesa Leopoldina perguntou um dia à imperatriz por que o pai pisava nos pés da condessa durante as aulas.

A convivência durou nove anos. Casadas as pupilas em 1864, a condessa, agora também de Pedra Branca, por concessão do imperador, voltou para a Europa no ano seguinte. Deixou marcas profundas em todos. Despertou a paixão de d. Pedro, a amizade das princesas e o ódio da imperatriz. As pupilas apegaram-se a ela, talvez mais do que à própria mãe. Sobretudo Isabel, que manteve com ela estreita relação de amizade e confiança, exigindo sua presença por ocasião dos partos, sempre problemáticos. A imperatriz a odiava, com toda a razão. Barral lhe tomara o marido e as filhas. Mas não perdeu a elegância. Há abundante correspondência perfeitamente educada entre ela e a rival.

A correspondência entre d. Pedro e a condessa começou em 1859. O imperador mandava-lhe também muitos presentes, livros, retratos, lembranças, flores. Ela se tornou sua agente informal na Europa. Entregava cartas, mandava livros, a que ele chamava de "gulodices literárias", acompanhava-o nas viagens, agendava encontros com escritores e artistas. O imperador mostrou sempre um carinho paternal por Horace-Dominique, filho de Barral. Financiou ainda a viagem de Koch, um judeu alemão, seu professor de hebraico e sânscrito, à França para ser mestre do menino.

A primeira carta é de 27 de outubro de 1859, quando a condessa ainda desempenhava o cargo de aia das princesas e vivia com o marido. O imperador fazia, em companhia da imperatriz, sua primeira viagem ao Norte do país. As 11 cartas escritas durante a viagem falam das muitas saudades, mas concentram-se em discutir a educação das filhas, reclamando d. Pedro da preguiça de Leopoldina. A correspondência foi retomada em 6 de abril de 1865. Até o fim do ano, foram mais 24. Entre 1865 e 1870, a Guerra do Paraguai dominou todas as preocupações dele. Mas não ao ponto de interromper o contato. Por ocasião da tomada de Humaitá, em 19 de fevereiro de 1868, quando a condessa se achava no Brasil, outras fortalezas, além da paraguaia, foram conquistadas. Mais de uma vez, Pedro II se referiria posteriormente a esse momento como um dos mais felizes de sua vida.

Em 1868, morreu o conde de Barral, e d. Pedro quis que a viúva se mudasse com o filho para o Brasil. Ela veio, mas regressou à França no ano seguinte. Enquanto esteve no Brasil, libertou os filhos nascituros de suas escravas, antecipando-se à Lei do Ventre Livre. Por recomendação dela, o conde de Gobineau veio ao Brasil nomeado ministro da França. Nele, o imperador encontrou um de seus mais apreciados interlocutores. O conde considerava a indicação para servir no país como um castigo, mas consolou-se ao descobrir em d. Pedro um interlocutor à altura. Mais tarde, viajaram juntos pela Europa e mantiveram uma correspondência de onze anos.

Até 1870, a correspondência é dominada por notícias da guerra, "um contínuo martírio para mim, quando só desejo paz para a felicidade de nossa pátria, embora digam o contrário os que não me têm podido conhecer", escreveu d. Pedro a 8 de outubro de 1868. Já começava a se queixar da visão e passara a usar óculos. A 23 de março de 1870, anunciou: "terminou a guerra gloriosa e completamente. Tudo é alegria por cá". A 5 de abril, lamentou a morte de López: "podiam tê-lo feito prisioneiro então, e lamento a alucinação de nossos soldados". Confessou estar fatigado pelo esforço desenvolvido durante a guerra e pensando em viajar à Europa.

O ano de 1870 foi duro para a condessa. Outra revolução francesa, agora mais radical, a Comuna de Paris, forçou muitos nobres, a ela inclusive, a fugir para a Inglaterra. Mas, derrotada a Comuna, já no ano seguinte Barral estava de volta a Paris, e pôde juntar-se à comitiva imperial na primeira viagem de d. Pedro à Europa. O diário referente a essa viagem seguramente se dirigia a ela, e substituía as cartas. Foi interrompido quando os dois se encontraram na França e retomado quando o monarca viajou para o Egito. Do Cairo, ele escreveu em 14 de novembro de 1871: "Adeus, cara amiga! Nada me interessa completamente longe de você". Em 1873, a condessa retornou novamente ao Brasil, acompanhando Isabel. Dessa vez não libertou ninguém, foi antes visitar dois presos, os bispos ultramontanos d. Vital e d. Macedo Costa, condenados pela justiça em decorrência do conflito que ficou conhecido como a Questão Religiosa, ou Questão dos Bispos. A atitude revelou seu temperamento independente e sua religiosidade quase ultramontana, motivo de várias discussões com o imperador, um conhecido regalista.

Em 1875, d. Pedro mandou 132 cartas a Barral. Muitas delas cobriam vários dias, eram bilhetes quase diários. No fim do ano, a condessa ainda estava no Brasil. Um sugestivo bilhete de 29 de dezembro avisava: "hoje não saio de noite. O coupé estará aí às 6½. Adeus! Até logo!". Em fevereiro de 1876, Barral já voltara à França. Desse ano nos chegaram 64 cartas. Elas começaram antes da partida do imperador para sua segunda viagem. Algumas são inequívocas quanto à natureza da relação entre os dois. A de 23 de fevereiro, por exemplo, diz, referindo-se a Petrópolis: "[...] olho sempre com imensas saudades para os quartinhos do anexo do hotel Leuenroth". O tratamento e a assinatura tornaram-se mais íntimos. Em vez de condessa, agora é "você", d. Pedro passou a ser apenas "Seu P.". Esse foi, no entanto, o limite da informalidade. A elegância do filho não lhe permitia recorrer a algo parecido com o "seu demonão" que o pai usava na correspondência com a marquesa de Santos.

Durante a visita aos Estados Unidos em 1876, o imperador achava sempre tempo para falar de saudades de Barral e suspirar pela chegada do mês de julho, quando a veria na França. Encontraram-se em Bruxelas. Barral não o quis acompanhar ao Egito e Oriente Médio, apesar da insistência dele. Recomeçaram, então, as cartas e as declarações de saudades. Pedro II escreveu de Berlim em 17 de abril, dois dias antes de se reencontrarem: "O que mais tenho sofrido é a ausência de Você". Às vezes eram manifestações de ciúmes, reclamações de amantes. Na mesma carta do dia 17, queixou-se de que a condessa parecia achar que ele não lhe queria mais como "nos tempos de que também me recordo *todos os dias*". E sublinhou "todos os dias".

A correspondência dos anos imediatos à viagem é das

mais carentes. As declarações de saudades repetem-se carta após carta. Em 29 de setembro de 1877 (carta do dia 21), d. Pedro escreveu: "Hei de trabalhar o mais que puder mesmo para consolar-me um pouco da ausência de quem você sabe". Além do trabalho, o estudo e a leitura eram os outros remédios para a saudade: "você sabe como seria minha vida agora tristíssima se não fosse meu gosto ou antes paixão pela leitura e pelo estudo" (carta de 8 de outubro de 1877). Nesse ano, começou a queixar-se de "tendência às vezes irresistível para o sono", primeiros efeitos do diabetes. E sonhava poder colocar as novas técnicas de comunicação a serviço de sua saudade. Em 12 de janeiro de 1878, mencionou seu contato com o telefone na exposição de Filadélfia em 1876 e as experiências que estava fazendo no Rio e em São Cristóvão, concluindo: "Espero que ainda havemos de conversar por meio do telefone". Meses depois tomava conhecimento do microfone e do fonógrafo. Em 9 de julho de 1878 escreveu: "Quem me dera poder mandar-lhe uma lâmina com minha fala!".

Do ano de 1879 sobreviveram 74 cartas. Muitas eram verdadeiros diários. No mês de novembro, há sete, mas com registros referentes a 28 dias, praticamente um para cada dia. D. Pedro escrevia antes de dormir, às vezes de madrugada. No verão, fazia-o suando em bicas, sem poder evitar que gotas de suor caíssem sobre o papel. As cartas de 1879 estão entre as mais saudosas e refletem lembranças vivas do encontro deles na Europa dois anos antes. O imperador despedia-se agora com "boas noites". Essas boas noites foram vividas em Atenas. Eram "boas noites atenienses", "boas noites das gregas", "boas noites áticas". Mas houve boas noites também em outros lugares. Em 8 de dezembro de 1879, carta do dia 7, reclamou: "Por que diz que Atenas foi o último lampejo? E a Suíça? E Portugal? Você é que está desmemoriada, e não pensa como eu no que às vezes me desespera de saudades".

Nesse ano de 1879, d. Pedro parecia totalmente dominado pelas saudades da amante. Em 15 de julho escreveu: "Cada vez lhe quero mais se é possível". Em 1º de agosto: "Nunca pensei que tivesse tantas saudades de Você". Em 15 de agosto: "Você nunca me quis, nem quer, nem quererá como eu a Você". Em 19 de agosto, afirmou que vivia afugentando o tempo "porque não posso *completar o meu viver* [sic]". Em 12 de setembro confessou ter ouvido o dueto do quarto ato dos *Huguenotes* "pensando em Você". O dueto dizia: "*Viens, viens*". Em 9 de novembro: "Fale-me de tudo lembrando-se do meu deserto em que só viceja o estudo no meio das urzes da saudade e de tantos dissabores". Quase nunca mencionava a imperatriz. Quando o fazia, dizia apenas "alguém", como em 14 de dezembro: "Fui com alguém a Niterói visitar o Asilo de Santa Leopoldina para meninas pobres".

O final do ano de 1879 e o início de 1880 foram marcados pela Revolta do Vintém, reação popular contra o aumento de vinte réis nas passagens de bonde. O imperador revelou à condessa seu grande abatimento por ter sido usada pela primeira vez no reinado dele a força policial contra o povo. Passado o pesadelo, no entanto, voltaram as reiteradas manifestações de saudade e os desejos de boas noites atenienses. Além do anexo do Hotel Leuenroth, outro local de gratas recordações era o Chalé Miranda, residência de Barral em Petrópolis, situado na rua Bourbon. Em 22 de janeiro de 1880, suspirou: "Quanto olhei para o chalé Miranda!". Haveria talvez outros, como indica a carta do dia 31: "Você sabe que nem sempre o imperador pode mostrar com quem quer amizade e lembre-se do modo por que a procurava em Petrópolis". Em 1º de janeiro de 1881, confessou: "Você sabe quem foi que ocupou completamente meu coração". E introduziu uma hierarquia em suas paixões: "Não há leitura, não há estudo que supra a falta de certas frases de suas cartas". Barral, porém, se mostrava nessa época muito menos entusiasmada, declarando-se uma triste velha de 64 anos. Curiosamente, as cartas de 1880 não falam da alforria concedida por ela a todos os escravos de seu engenho.

Os anos de 1882 e 1883 foram os piores para os dois. A causa dos aborrecimentos foi o roubo das jóias imperiais. De 17 para 18 de março de 1882, jóias da imperatriz e da princesa Isabel, avaliadas em quatrocentos contos, foram furtadas do palácio de São Cristóvão. Foram rapidamente achadas e devolvidas a d. Pedro. Mas o caso virou escândalo, o único durante todo o reinado a envolver a família imperial. O principal suspeito do furto era Manuel de Paiva, ex-empregado do paço, que foi solto logo após o encontro das jóias. Tirando vantagem da grande liberdade de imprensa então vigente, quase licença graças ao anonimato, os pasquins e os jornais republicanos exploraram ao máximo o fato. Atribuiu-se a soltura de Manuel de Paiva a interferência pessoal do imperador. Não interessaria a este, acusava-se, que as investigações prosseguissem. Pasquins como *O Mequetrefe* sustentavam que Pedro II era refém do ex-empregado, que teria sido seu alcoviteiro e o acompanharia em aventuras amorosas noturnas. Os alvos de tais aventuras seriam a condessa de Barral, Mariquinhas Guedes, a viúva Navarro e mocinhas púberes. *O Mequetrefe* afirmou, grosseiramente, que o monarca era "doido por um caldinho de franga".

Na seqüência dos acontecimentos, Raul Pompéia publicou um conto na *Gazeta de Notícias* com o título "As jóias da Coroa". José do Patrocínio, então republicano, incluiu em sua *Gazeta da Tarde* outro conto, "A ponte do Catete", e a *Gazetinha* de Raul Pompéia imprimiu uma peça de teatro, em estilo parecido com o de Artur Azevedo, intitulada *Um roubo no Olimpo*. No conto de Patrocínio, havia referência explícita ao romance de d. Pedro com Barral e à função de alcoviteiro de Manuel de Paiva.

A condessa comentou os episódios em várias cartas, sem

esconder sua grande irritação com o descaso da segurança do palácio, com a liberdade de imprensa, que julgava excessiva, e com a tolerância, ainda mais excessiva, do imperador. Já com dificuldade de leitura por conta de uma catarata que lhe tomava o olho direito, ficou particularmente alarmada quando recebeu o *feuilleton* do Catete. Em 5 de maio, carta do dia 4, perguntou: "Que virá ainda?". E fez a mais dura crítica a d. Pedro, pedindo-lhe para "modificar seu modo de vida porque na mocidade desculpa-se muita coisa, mas na velhice nada, e V. M. deve dar o exemplo".

Lamentou ainda o desrespeito ao soberano e terminou, catastrófica: "E vai-me parecendo que breve teremos mais uma República na América do Sul. Sei que V. M. por si não se importaria, mas é seu dever cuidar de sua dinastia e fazer respeitar a pessoa do soberano". Em outra carta do início de maio desabafou: "Já tardava que minha vez não chegasse, pois que a liberdade da imprensa de nossa terra não respeita a ninguém". O *feuilleton* do Catete enfureceu-a. Abomináveis calúnias, disse. Era esse o triste e amargo fruto de amizade de vinte anos. Acusava d. Pedro de deixar pairar suspeita sobre o caráter dele. Se não fosse punido o libelista do *feuilleton*, Barral não sabia onde iria parar a realeza e a sociedade brasileira.

Hesitou muito em regressar ao Brasil em 1883 para assistir ao casamento de seu filho, Dominique, com Maria Francisca, filha do visconde de Paranaguá, então presidente do Conselho de Ministros. Foi necessário que d. Pedro insistisse muito, ao longo de várias cartas. Em 14 de janeiro fez um apelo dramático: "Venha! Venha! Dê essa alegria ao seu e sempre seu P." A condessa afinal cedeu e veio. Já estava muito envelhecida e quase cega. É possível que se tenha arrependido da decisão pois os pasquins não lhe deram trégua. Apulco de Castro não teve qualquer escrúpulo em publicar no *Corsário*:

Não é por certo
Boa moral
Trair a esposa
Com a Barral.

E chamou d. Pedro de Rei Bobeche. José do Patrocínio, na *Gazeta da Tarde*, criticou a presença da família imperial no casamento, e acusou o monarca de querer desse modo fortalecer o gabinete liberal. Era um crime contra a Constituição. Foi buscar o exemplo de Luís XIV e de sua amante, mme. Maintenon, aia dos príncipes, para insinuar a natureza da relação do imperador com a condessa de Barral, também aia das princesas.

A condessa voltou à França no mesmo ano, sem dúvida acabrunhada, apesar da festa de casamento do filho. Ainda acompanhou d. Pedro na terceira viagem à Europa, quando ele esteve à beira da morte em Milão. Por ocasião do golpe que derrubou o Império, escreveu à imperatriz: "Mal posso acreditar em tamanha ingratidão! Para mim não há mais pátria, perdi-lhe todo o amor que lhe tinha e cubro-me de vergonha quando me falam no Brasil". Hospedou o imperador exilado em seu castelo de Voiron em julho de 1890, quando tiveram oportunidade de conversar longamente. Ao partir, Pedro II anotou no diário: "Deixo Voiron e, com que saudades, os prazeres de uma amizade de quase meio século". Na realidade, eram 34 anos. A morte de Barral, em 13 de janeiro de 1891, aos 74 anos, foi comentada assim no diário do dia 14: "O mérito dela só o aquilatou quem a conheceu como eu". No dia 15, compôs-lhe um soneto dizendo que a vida dos dois parecia uma só existência a que nem a morte poria fim. A última referência foi feita no dia 12 de julho de 1891: "Nunca conheci inteligência assim e sempre a mesma durante quase 50 anos. Estou deveras no vácuo".

Barral foi a paixão duradoura de d. Pedro. Ela o conquistou pela inteligência e pelo coração. Com a imperatriz, ele teve relação completamente diferente. Após o desapontamento inicial, parece ter sido aos poucos cativado pela simplicidade e dedicação da esposa. Mas, seguramente, ela não foi a mulher de sua vida. Não era pessoa com quem pudesse conversar sobre a infinidade de assuntos que sua curiosidade inesgotável levantava. Não era também capaz de satisfazer seus desejos masculinos. Por ocasião da morte dela, chamou-a de "minha santa", expressão que correspondia bem à imagem pública de Teresa Cristina, a mulher modesta, humilde, caridosa, a "mãe dos brasileiros".

Houve outras mulheres na vida do imperador. Algumas já foram mencionadas. Mas a maior surpresa veio do descobrimento da correspondência amorosa guardada na Biblioteca Nacional. Há originais de cartas de Barral, Eponine Otaviano, Clair d'Azy, condessas de Villeneuve e de La Tour, e Anne de Baligand. Clair d'Azy discute política e livros, Anne de Baligand agradece uma carta, acompanhada de foto e pulseira, presentes "de um imperador que adoro" e a quem dedica devotamento profundo. A condessa de La Tour era amante de Gobineau e servia de intermediária entre os dois homens.

Bem diferentes são as cartas de Eponine e de Villeneuve. A primeira era mulher de Francisco Otaviano, companheiro de infância do imperador, jornalista de renome e político do Partido Liberal. Suas cinco cartas foram escritas em papel enfeitado de florzinhas, com letra miúda e redondinha, e começam sempre com um "Meu amorzinho" ou "Meu queridinho". Numa delas, diz que reza pela recuperação do monarca, pois o quer ver "bom e forte para o meu prazer". Despede-se por este modo: "Adeus, meu querido, amor de outras, mesmo assim eu te quero muitíssimo. Aceite mil beijos amorosos e o abraço de tua sempre tua. E.". Em outra carta, mostra-se ciumenta, revelando outros amores do imperador: "Vejo com prazer que ainda podes namorar a Vera e a Amellot!". E suplica um pouco para ela também. Restabelecido d. Pedro, não ousa visitá-lo com receio de que os jornalistas publiquem seu nome e alguém (sic) não goste. Pede que marque um sábado à noite para lhe dar um beijo e um abraço. Eponine era uma coquete, e suas declarações de amor tinham um toque oportunista. Nas cinco cartas, fez dois pedidos de emprego, um para o filho, outro para o cunhado.

A condessa Ana de Villeneuve era mulher de Júlio Constâncio de Villeneuve, conde de mesmo nome, proprietário do *Jornal do Commercio*. Nascida em 1834, Ana Maria Cavalcanti de Albuquerque era nove anos mais nova do que d. Pedro. Ela inicia as cartas com "*Cher aimé*", ou "*Mon bien aimé chéri*". Numa delas, sem data, responde a outra do imperador e diz: "Cada uma de tuas expressões tão apaixonadas me fazem estremecer de amor". Acrescenta: "Ao lhe escrever isso, meu coração bate mais forte e sinto o poder que teria sobre minha natureza o contato contigo". Manda foto com vestido decotado, como ele lhe pedira. Despede-se: "Eu te amo e sou tua de toda a minha alma. Eu te ......braço tão ardentemente [sic] como tu desejas".

A maior surpresa, no entanto, são as cartas de d. Pedro para Villeneuve, escritas em francês e muito mais ousadas do que as que endereçava a Barral. Datadas da década de 1880, nelas o erotismo é explícito, há amor, paixão, desejo, seios, lábios, corpos entrançados, carícias ardentes, êxtases de prazer, delírios, loucura. Na carta de 13 de maio de 1884, d. Pedro fantasia, diante da foto da condessa, uma tórrida cena de amor no sofá da casa dela, imaginando corpos entrelaçados, desfalecendo de prazer. Mais adiante, afirma que gostaria de dizer tudo o que fez pensando nela, mas não pode, e prossegue: "Tu dirás que é loucura, mas não posso te amar de outro modo". Em 7 de maio: "Que loucuras cometemos na cama de dois travesseiros!". Nessa mesma carta, depois de declarações de amor, atinge o clímax: "Não consigo mais segurar a pena, ardo de desejo de te cobrir de carícias".

É um d. Pedro quase irreconhecível, tomado por paixão violenta quase aos sessenta anos de idade. A linguagem lembra a do pai em plena juventude. Diante dessa paixão, o amor por Barral aparece sob nova luz. Ele, seguramente, não tinha o fogo despertado por Villeneuve e, quem sabe, pelas outras mulheres. O segredo da condessa estava em ter prendido inicialmente o imperador pelo desejo e pela mente. Com o passar do tempo, mais velha que d. Pedro, teria mantido o fascínio mais pelo brilho da mente do que pela força do desejo.

11. Auto-retrato

O imperador escreveu 5500 páginas de diário, registradas a lápis em 43 cadernos. As anotações começam em 2 de dezembro de 1840, primeiro aniversário após a maioridade, e terminam em 1º de dezembro de 1891, um dia antes do aniversário, quatro dias antes da morte. Há algumas longas interrupções, cujas causas são ignoradas, como entre 1842 e 1859, entre 1863 e 1871, entre 1881 e 1887. Mesmo com as falhas, seu diário só encontra paralelo, entre os governantes brasileiros, no de Getúlio Vargas.

Mas quem procurar nele confissões, revelações, indiscrições, grandes reflexões, ficará desapontado. É quase todo dedicado ao registro de atividades diárias, conversas, despachos, visitas, teatros, leituras. Os de viagem, então, são muito detalhistas, informam horários, distâncias, temperatura, altitudes. Os do exílio, quando o tempo disponível e a disposição psicológica eram propícios a maiores expansões, trazem vários registros de banalidades do tipo "comi bem", "fui dormir", "li bastante", "vou ler e depois dormir", "li e estudei", "fui à banca" ou "conversei com a comadre" (foi ao banheiro). Apenas esporadicamente brota uma anotação menos técnica, uma observação aguda, um comentário interessante, uma expressão de sentimento. A exceção é o caderno IX, que se inicia em 31 de dezembro de 1861 e termina em 5 de janeiro de 1863, em plena crise do rompimento de relações diplomáticas com a Inglaterra. D. Pedro tinha então 37 anos e mais de vinte de governo, e acumulara muita experiência de vida e de administração. Entre 1859 e 1861, só havia escrito diários de viagens. No final do ano de 1861, por alguma razão não revelada, decidiu fazer algo diferente, mais pessoal, mais autobiográfico, mais opinativo, embora sem abandonar a discrição. Disse mesmo ter queimado apontamentos anteriores e prometeu ser resumido em seus registros. A parte pública de sua vida, argumentou, estava nos periódicos, a particular era monótona. Pela excepcionalidade, as anotações merecem citação mais extensa, sobretudo as referentes ao dia 31 de dezembro de 1861. Elas começam com um esboço de auto-retrato:

> Pouco direi do indivíduo. Tenho espírito justiceiro, e entendo que o amor deve seguir estes graus de preferência: Deus, humanidade, pátria, família e indivíduo. Sou dotado de algum talento; mas o que sei devo-o sobretudo à minha aplicação, sendo o estudo, a leitura e a educação de minhas filhas, que amo extremosamente, meus principais divertimentos. Louvam minha liberalidade; mas não sei por quê; com pouco me contento, e tenho oitocentos contos por ano.
>
> Nasci para consagrar-me às letras e às ciências, e, a ocupar posição política, preferiria a de presidente da República ou ministro à de imperador. Se ao menos meu Pai imperasse ainda estaria eu há 11 anos com assento no Senado e teria viajado pelo mundo.

Prosseguem enunciando um breve credo político, em que o imperador repete algumas idéias já expostas no documento entregue ao marquês de Paraná:

> Jurei a Constituição; mas ainda que não a jurasse seria ela para mim uma segunda religião.
>
> Procuro cumprir meus deveres de monarca constitucional, e regulo meu procedimento pelos princípios seguintes: os atos do poder moderador não admitem responsabilidade legal; mas, carecendo às vezes de defesa, os ministros que entenderem não poder fazê-lo têm direito de retirar-se. Estes atos não têm referenda obrigada.
>
> Sobre os atos do poder executivo tem o imperador, como chefe desse poder, inteira inspeção, podendo manifestar sempre a sua opinião com toda a liberdade de exigir dos ministros. Deve ter todo o escrúpulo em insistir em sua opinião para evitar os males da subserviência e desgostos da parte dos ministros. Cumpre ao monarca ser franco para com os ministros; mas fora das ocasiões em que se resolvam os negócios, deve ser o mais reservado possível, ouvindo contudo a todos, e procurando esclarecer por todos os modos convenientes o seu juízo. A respeito do conceito, que forme o monarca dos indivíduos, todo o escrúpulo é pouco, e deve lembrar-se sempre de que os ministros desculpam-se as mais vezes com a opinião dele, ou que lhe imputam, quando se acham empenhados interesses individuais.
>
> Não sou de nenhum dos partidos para que todos apóiem nossas instituições; apenas os modero, como permitem as circunstâncias, julgando-os até indispensáveis para o regular andamento do sistema constitucional, quando, como verdadeiros partidos e não facções, respeitam o que é justo.

Passam para princípios éticos e regras de comportamento:

Não tenho tido, nem tenho validos, caprichando mesmo em evitar qualquer acusação a tal respeito, sobretudo quanto a validas. Dizem que por esse nímio escrúpulo não poderei criar amigos; melhor, não os terei falsos quando os haja granjeado.

Não posso admitir favor diferente de justiça; pois que a não ser injustiça é ignorância de justiça; a balança da justiça não se pode conservar tão ouro-fio que não penda mais para um lado. Também entendo que despesa inútil é furto à Nação, e só o poder legislativo é competente para decidir dessa utilidade. A nossa principal necessidade política é a liberdade de eleição; sem esta e a de imprensa não há sistema constitucional na realidade, e o ministério que transgride ou consente na transgressão deste princípio é o maior inimigo do Estado e da monarquia. Minhas idéias a respeito das eleições e da imprensa do governo acham-se num papel que tem o Presidente do Conselho.

Leio constantemente todos os periódicos da Corte e das províncias os que, pelos extratos que deles se fazem, me parecem mais interessantes. A tribuna e a imprensa são os melhores informantes do monarca.

Acho muito prejudicial ao serviço da Nação a mudança repetida de ministros; o que sempre procuro evitar, e menos se daria se as eleições fossem feitas como desejo; a opinião se firmaria, e o procedimento dos ministros seria mais conforme a seus deveres, reputando eu um dos nossos grandes males a falta geral de responsabilidade efetiva.

Sobre grande número das leis promulgadas, e de que se tem falado como necessárias, existe a minha opinião escrita em papéis, que tem o Presidente do Conselho; mas sempre direi aqui que fui sempre partidário da eleição por círculos, e me opus fortemente aos círculos de mais de um; que igual oposição fiz à lei relativa à nacionalidade dos filhos menores de estrangeiros, sendo aqueles nascidos no Brasil; que não aprovei a lei sobre o casamento dos católicos, mas a proposta do governo, e que entendo ser indispensável a dispensa do serviço ativo da Guarda Nacional. Menor centralização administrativa também é urgente, assim como melhor divisão das rendas geral, provincial e municipal, convindo vigorar este último elemento.

Nunca entendi a conciliação como a quiseram deturpar; a minha política sempre foi a da justiça em toda a latitude da palavra, isto é, da razão livre de paixões, tanto quanto os homens a podem alcançar.

E terminam com uma tímida confissão pessoal concernente às relações com a imperatriz:

> Confesso que em 21 anos muito mais se poderia ter feito; mas sempre tive o prazer de ver os efeitos benéficos de 11 anos de paz interna devidos à boa índole dos brasileiros, e viveria inteiramente tranqüilo em minha consciência se meu coração já fosse um pouco mais velho do que eu; contudo respeito e estimo sinceramente minha mulher; cujas qualidades constitutivas do caráter individual são excelentes.

Essa auto-imagem foi reiterada e complementada na correspondência particular e em conversas informais. Revelava com clareza o conflito entre duas identidades, as de d. Pedro II e de Pedro d'Alcântara. Este tinha paixão pelos livros, leituras, conversas com sábios, considerava o ofício de imperador um destino ingrato, uma pesada cruz, e os rituais do poder uma grande maçada. Era o Pedro que emergia com força assim que o monarca transpunha as fronteiras do país, transmutado num viajante comum. O outro, d. Pedro II, dizia que, uma vez que o destino lhe reservara o papel de imperador, ele o cumpriria rigorosamente, de acordo com a Constituição e com as leis do país. Era a identidade que predominava dentro do Brasil, onde era visto como um governante cioso de suas obrigações e de sua autoridade, ao ponto de concentrar excessivamente o poder e ofuscar todos ao redor. A imagem de imperador era reforçada pelo recurso a meios de exaltação de sua figura pública, como rituais, cerimônias, retratos, fotos, quadros, bustos.

Um dos exemplos mais conhecidos desse esforço de realçar a imagem pública do imperador é o quadro de Pedro Américo intitulado *D. Pedro na abertura da Assembléia Geral*, pintado em 1872. A abertura e o encerramento das sessões das câmaras eram sempre solenes. O monarca exibia então toda a pompa da realeza, manto forrado com papos de galo-da-serra, cetro, coroa, mão de justiça, e lia perante deputados e senadores a Fala do Trono, isto é, o programa do governo. Pedro Américo colocou d. Pedro no centro do quadro, imponente, a própria encarnação do poder monárquico. Sintomaticamente, no entanto, o quadro não foi encomendado nem sugerido pelo imperador. A encomenda foi do visconde de Abaeté, presidente do Senado durante treze anos. O visconde aparece, com destaque, naturalmente, no meio do pequeno grupo de políticos incluídos na obra.

A necessidade de cumprir o dever apesar do desgosto aparece na resposta que deu a seu biógrafo, monsenhor Pinto de Campos, que lhe observara não ter ele nada a temer do Partido Conservador. Retrucou que não temia nenhum partido, justificando:

> Que medo poderia eu ter? De que me tirassem o governo? Muito melhores reis do que eu o têm perdido, e eu não lhe acho senão o peso duma cruz que carrego por dever. Tenho ambição de servir a meu país, mas quem sabe não o serviria melhor noutra posição? Em todo o caso, jamais deixarei de cumprir meus deveres de cidadão brasileiro.

A mesma idéia foi reiterada a Gobineau mais de uma vez. Em carta ao conde, dez anos mais tarde, em 23 de julho de 1873, escreveu: "A política não é para mim senão o duro cumprimento do dever" e "Há 33 anos que carrego a minha cruz".

A idéia que o imperador fazia da natureza da política conflitava com a dos ministros. D. Pedro não a via como conquista e manutenção do poder. Tinham lhe ensinado alguns princípios de bom governo e os deveres do bom governante, mas não lhe falaram sobre a natureza concreta da luta política, sobre o peso dos interesses, sobre a arte da política. Certamente, Maquiavel não estava entre os autores que lhe recomendaram, e, apesar de ser leitor voraz, não consta que tenha lido *O príncipe*. Para ele, a política devia ser uma atividade "da razão livre de paixões, tanto quanto os homens a podem alcançar". A racionalidade da política limitava-se à busca do bem coletivo, em preferência ao interesse individual. Era um republicano clássico da escola de Cícero e Montesquieu. Ou talvez, mais provavelmente, dada sua educação, um seguidor das idéias de Santo Tomás de Aquino sobre a natureza da monarquia e sobre as obrigações dos governantes. Em discussão com seu amigo próximo, Luís Pedreira do Couto Ferraz, declarou-lhe que só considerava "duas classes de homens, a dos que querem concorrer comigo de consciência para o bem do país, e a dos que não procedem assim".

Não se conformava com o fato, absolutamente normal, de os ministros se guiarem por motivações político-partidárias. Essa política lhe causava enjôo, como declarou a Barral em carta de 9 de agosto de 1880. Outras anotações do caderno IX insistem em que sua política, a da justiça, não era a dos partidos. Para ele, os políticos não tinham noção de dever: "A falta de zelo, a falta de sentimento do dever é o nosso primeiro defeito moral". Ou ainda: "É preciso trabalhar, e vejo que não se fala quase senão em política que é as mais das vezes guerra entre interesses individuais". Condenava sempre o que julgava serem métodos desonestos de fazer oposição. Os políticos

> gritam que não se pode chegar ao poder senão fazendo oposição como a fazem; mas quando no poder não sofrem do mal que fomentaram? A imprensa é inteiramente livre, como julgo deve ser, e na Câmara e no Senado a opinião tem representantes; mas que fazem estes pela maior parte?

Durante todo o reinado lutou uma batalha inglória pela adoção do critério do mérito e da moralidade na escolha de funcionários, sobretudo de presidentes de província. Mas queixava-se de que os ministros se preocupavam mais em premiar correligionários. Era famosa sua fiscalização sobre a escolha de funcionários públicos, exercida com a ajuda do "lápis fatídico". Com tal visão idealizada da política, não surpreende que não tenha entendido as razões do Quinze de Novembro. Para ele, estavam todos malucos. Só podia ser maluco quem não reconhecesse que ele passara 49 anos trabalhando intensamente pelo progresso do país.

Na ânsia de fazer as coisas, impacientava-se com a morosidade da burocracia: "Tudo o que não é rotina encontra mil tropeços entre nós", com a ineficiência do Parlamento e com a corrupção do Judiciário. Perguntando-lhe o presidente da Câmara, visconde de Camaragibe, como se poderia obter mais trabalho de sua Casa, respondeu que "trabalhassem como outros faziam, oito e mais horas por dia, de manhã e à tarde". Sobre a magistratura, disse a Sinimbu: "A primeira necessidade da magistratura é a responsabilidade eficaz, e que enquanto alguns magistrados não forem para a cadeia, como, por exemplo, certos prevaricadores muito conhecidos do Supremo Tribunal de Justiça, não se conseguiria esse fim".

Apesar das críticas aos políticos e partidos, e de ter sido

acusado, sobretudo por Ferreira Viana n'*A conferência dos divinos*, de ter desmoralizado os partidos, achava que não podiam ser dispensados, inclusive para proteger o Poder Moderador. Quando Caxias lhe sugeriu que a falta de partidos organizados era positiva, respondeu que era ruim porque, nesse caso, todas as acusações caíam sobre ele. O próprio duque reconheceu que os ministros tinham receio de contrariar o imperador nas reuniões ministeriais, mas, ao saírem do palácio, queixavam-se de imposição da vontade do chefe de Estado. Estava sempre mais bem informado do que os ministros, mesmo sobre questões de menor relevância. Mas dizia agir como um oitavo ministro. "Se não convencia, deixava que os ministros fizessem como melhor entendessem." Para ele, dar opinião nas reuniões e supervisionar o trabalho dos ministros era parte do cumprimento do dever constitucional de chefe do Poder Executivo.

Retomou no diário de 1862 alguns dos temas prediletos, como o da liberdade das eleições e da imprensa. Sobre a imprensa, sua posição foi sempre a mesma e se expressava de maneira simples, como disse a Caxias: "A imprensa se combate com a imprensa". Essa postura foi mantida ao longo de todo o reinado. Durante a guerra contra o Paraguai, o jornal *Ba-ta-clan*, publicado em francês no Rio de Janeiro por Charles Berry, ridicularizava os chefes militares brasileiros. D. Pedro impediu que fosse fechado, e protestava sempre que alguma violência era exercida contra jornais.

Somando-se essa postura do imperador com a vigência do anonimato, pode-se dizer que a imprensa nunca foi tão livre no Brasil como em seu reinado. Os ataques pessoais em geral vinham nas seções de "a pedidos", também chamados de "ineditoriais". Os "a pedidos" eram pagos e serviam igualmente para veicular reclamações contra o governo, polícia, devedores. Até o circunspeto *Jornal do Commercio* publicava "a pedidos". Era a atração dos leitores. Quando ninguém os encomendava, os próprios jornalistas se encarregavam de os inventar. Chegava-se ao ponto de haver pessoas especializadas em assumir a autoria de ataques pessoais. O jornalista Ferreira de Araújo, editor por 25 anos da *Gazeta de Notícias*, informa que o testa-de-ferro "faz do ofício de estar preso um modo de vida". Não havia honra que estivesse a salvo dos pasquins da época, nem mesmo a do monarca. O mais famoso desses pasquins, *O Corsário*, apenas exagerava um pouco mais. Seu redator, Apulco de Castro, dizia quase tudo sobre todos, inclusive sobre o imperador. O único freio a esse tipo de abuso era a reação pessoal. Apulco foi assassinado por militares a quem ofendera.

A defesa intransigente da liberdade de imprensa tinha alto custo para d. Pedro. Ele, Isabel e o conde d'Eu eram vítimas constantes de ataques de jornais como A *República* e da *Revista Illustrada* de Ângelo Agostini. Satirizavam o físico do monarca, chamando-o Rei Caju, por causa do queixo projetado para a frente, criticavam-lhe as viagens, ridicularizavam sua mania de sábio e os títulos que recebia. José do Patrocínio não dava trégua na *Gazeta da Tarde*. A princesa Isabel, a quem mais tarde exaltaria como a Redentora, era acusada por ele de não ter postura nem classe, de ser ignorante e beata. Agostini representou-a numa de suas atividades mais criticadas: descalça, lavando uma igreja de Petrópolis. Para injetar mais veneno, caracterizou a varredura como penitência imposta pelo núncio papal. Os ataques atingiram o auge durante o episódio do roubo das jóias. Mas não arrefeceram nem mesmo durante a doença do imperador nos três últimos anos do reinado. Nesse período, em que o diabetes se agravara e lhe causava sonolência, os caricaturistas, Agostini à frente, se deliciavam em representá-lo dormindo em reuniões ministeriais ou em sessões do Instituto Histórico e Geográfico Brasileiro. Se anteriormente ele era criticado pelo excesso de poder pessoal, agora se tornara o Pedro Banana.

Diplomatas europeus e outros observadores estranhavam a liberdade dos jornais brasileiros. Schreiner, ministro da Áustria, afirmou que o imperador era atacado pessoalmente na imprensa de modo que "causaria ao autor de tais artigos, em toda a Europa, e até mesmo na Inglaterra, onde se tolera uma dose bastante forte de liberdade, um processo de alta traição". O ministro da França, Amelot, também registrou em 1887 que havia no Brasil uma liberdade ilimitada de imprensa e um "parlamentarismo exagerado".

Uma das razões pelas quais o imperador defendia a liberdade de imprensa era o fato de considerar a imprensa, ao lado da tribuna, as duas principais fontes de informação para o governante. O *Jornal do Commercio* tinha mesmo uma seção intitulada "Para sua majestade o imperador", em que se publicavam queixas e reclamações. A partir de 1854, d. Pedro mandou que se fizessem resumos da imprensa provincial, que também lia, para desespero dos ministros mal informados. Marcava com uma cruz os assuntos de interesse ou rabiscava comentários. Os ministros costumavam ainda comprar jornalistas, até os melhores, para defenderem suas políticas. O monarca condenava a prática e pregava a criação de um jornal oficial, no que nunca foi atendido.

12. Receita de governante

O caderno IX revelava como d. Pedro concebia sua ação de governo. Dez anos mais tarde, ele completou suas idéias dizendo como a filha deveria governar. Preparava-se para viajar para o exterior. Os políticos não confiavam muito em Isabel como regente. O imperador lhe dera uma educação semelhante à que ele mesmo recebera, sem dúvida bem mais plena do que a que recebiam as mulheres da época. Mas, como tinham feito com ele, não a introduzira no segredo dos negócios públicos, não a deixara participar da vida política. Talvez tivesse agido assim por não admitir interferência de ninguém em seu trabalho. Mas também não há indicação, pelo menos até os últimos anos da monarquia, de que Isabel fizesse muita questão de se envolver em política. As principais preocupações dela pareciam ser a família e a religião. Seja como for, para remediar a falha, d. Pedro, antes de viajar, escreveu os *Conselhos à regente*, em que reiterava e explicitava sua posição em relação a vários assuntos, e dava conselhos sobre como lidar com os ministros. Os conselhos são auto-explicativos, e basta reproduzir alguns para ter uma idéia mais completa a respeito de sua filosofia de governo.

CONSELHOS À REGENTE, 3 DE MAIO DE 1871

SOBRE A OPINIÃO PÚBLICA:

"O sistema político do Brasil funda-se na opinião nacional, que, muitas vez[es] não é manifestada pela opinião que se apregoa como pública. Cumpre [ao] imperador estudar constantemente aquela para obedecer-lhe. Dificílimo estu[do], com efeito, por causa do modo por que se fazem as eleições."

"[...] é indispensável que o imperador [...] procure ouvir, mas com discr[ição e] reserva das opiniões próprias, as pessoas honestas e mais inteligentes de todos [os] partidos, e informar-se cabalmente de tudo o que disser a imprensa de tod[o o] Brasil, e nas Câmaras legislativas da Assembléia, geral e provinciais."

SOBRE ELEIÇÕES:

"Sem bastante educação popular não haverá eleições como todos, e sobretud[o o] imperador, primeiro representante da nação, e, por isso, primeiro interessado [em] que ela seja legitimamente representada, devemos querer."

SOBRE A ADMINISTRAÇÃO:

"Depende, sobretudo, da nomeação de empregados honestos e aptos para [os] empregos. Os interesses eleitorais contrariam, no estado atual, direta ou [in]diretamente, o acerto dessa nomeação. Cumpre procurar conhecer os in[di]víduos, o que é muito difícil, e não precipitar a anuência."

SOBRE A EDUCAÇÃO PÚBLICA:

"É a principal necessidade do povo brasileiro. [...] A instrução primária deve ser obrigatória, e generalizada por todos os modos."

SOBRE A EMANCIPAÇÃO:

"[...] uma das reformas mais úteis à moralização e à liberdade política dos brasileiros."

SOBRE AS RELAÇÕES COM O MINISTÉRIO:

"Todos os negócios, que sejam importantes, por influírem diretamente na política, e na marcha da administração, não devem ser resolvidos, sem serem primeiro examinados em conferência dos ministros, e depois em despacho com o imperador. [...] Este deve sempre dizer, com a maior franqueza, o que pense aos ministros sobre os negócios apresentados."

SOBRE A TROCA DE MINISTÉRIOS:

"Desde 1840 que só para a retirada de três ministérios tenho concorrido voluntariamente."

SOBRE FAVORES:

"Cumpre não indicar pessoas para cargos ou graças aos ministros exceto em circunstâncias muito especiais de maior proveito público em proceder de modo contrário; porém deve opor-se [...] a qualquer indicação de pessoa feita por ministro, apresentando francamente as razões em contrário, quando o exigir o bem público. Não se criam assim facilmente amigos, porém os obtidos de outra forma são pouco seguros, e muito prejudicam os validos."

SOBRE A IMPRENSA:

"Entendo que se deve permitir toda a liberdade nestas manifestações [...] pois as doutrinas expendidas nessas manifestações pacíficas ou se combatem por seu excesso, ou por meios semelhantes, menos no excesso. Os ataques ao imperador [...] não devem ser considerados pessoais, mas apenas manejo ou desabafo partidário."

13. Monarquia sem corte

D. Pedro aprendera a governar, incorporara plenamente o papel de imperador constitucional, já se sentia em condições de dar aulas de governo à filha. Mas negligenciava por inteiro um aspecto importante das monarquias. A legitimação desses regimes depende em boa parte da existência de uma corte atuante e, se possível, brilhante. As cortes tradicionalmente atraíam e congregavam as elites sociais, e distribuíam títulos e benesses. Eram focos de sociabilidade, acercavam os reis da elite e fortaleciam as lealdades sociais. No Brasil, apenas uma corte se aproximou desse modelo, a de d. João VI, o único verdadeiro monarca nos trópicos. O filho, d. Pedro I, mal tinha tempo para cuidar dos problemas políticos e das amantes. A Regência, por razões óbvias, eliminou quase totalmente a vida de corte.

Nos primeiros anos do Segundo Reinado, a vida social teve algum impulso. As festas da coroação, em 1841, e dos casamentos do imperador e da irmã Francisca, em 43, e de Januária, em 44, forneceram pretexto para grandes bailes. Dançava-se quadrilha, contradança, polca. A valsa começava a aparecer. O jovem monarca, ainda tímido em política, adquiria desembaraço social. Chegou a dançar doze quadrilhas numa noite. As princesas dançavam só com mulheres ou com príncipes estrangeiros. Os barões do açúcar e do café também ofereciam grandes festas em suas mansões fora do Rio de Janeiro, às quais Pedro II costumava comparecer.

Esse esboço de uma sociedade de corte durou pouco. O último grande baile oferecido pelo imperador no paço da cidade foi em 31 de agosto de 1852, no encerramento das câmaras. Compareceram 548 senhoras e 962 cavalheiros, uma parte significativa da sociedade fluminense. Os bailarinos enfrentaram dezenove contradanças, vinte quadrilhas, seis valsas, quatro Schottisches, em festa que terminou às cinco horas da manhã. A imperatriz dançava com dificuldade por puxar de uma perna. Liberado, d. Pedro dançou com várias damas, inclusive com Maria Eugênia Guedes Pinto, Mariquinhas Guedes.

Mesmo esse baile, que marcou época, só foi organizado por insistência de Francisca, que da Europa alertava o mordomo Paulo Barbosa de que nada ia bem na corte brasileira, sem bailes, saraus, viagens. Em vez de dar festas, o imperador preferia ir aos bailes do Cassino Fluminense. "Tudo isso é de um efeito péssimo", dizia Francisca, "pode fazer mal ao prestígio social da monarquia. Se ele nos foge estamos perdidos sem dúvida nenhuma." Na década de 1850, ainda vieram ao Brasil várias cantoras e cantores de ópera europeus, como Augusta Candiani, Ângelo Mazziani, o baixo Arcângelo Fiorito e Rosina Stoltz. Os sobrenomes desses estrangeiros causavam às vezes algum constrangimento. Foi o caso do tenor Domenico Labocetta. Mas, afinal, até o sobrenome do conde d'Eu era alvo da malícia popular.

Depois desse baile, a família imperial se recolheu. A corte deixou de participar da vida elegante da capital. Em 1882, a educadora alemã Ina von Binzer, que morava na cidade, observou: "Vida social praticamente não existe, fora dos limites do corpo diplomático; o imperador não dá recepções". É possível que uma das razões para o isolamento tenha sido a preocupação em seguir o conselho do tutor de não ter validos. O mais provável, no entanto, é que se devesse ao fato de que o imperador só se interessava de verdade por discutir assuntos políticos e intelectuais. Festas palacianas não eram o local mais adequado para tais conversas, que aborreceriam qualquer convidado. Com o tempo, d. Pedro passou a queixar-se até mesmo dos bailes do Cassino Fluminense aos quais era obrigado a comparecer. "Felizmente não se repetem provas semelhantes", escreveu a Barral em 1867, depois de voltar de um desses bailes, em homenagem ao duque de Edimburgo. Em 1880, falando de outro baile do Cassino, reclamou: "Que maçada!". No fim do reinado, retraía-se cada vez mais à solidão de Petrópolis, para onde ia no final das sessões legislativas. Subia no início do verão e regressava ao Rio de Janeiro antes da Semana Santa, descendo uma vez por semana para despachar com ministros.

A família imperial possuía três palácios, o da cidade, o de São Cristóvão e o de Petrópolis. Mais tarde, Isabel ganhou o seu, o atual Guanabara, e Leopoldina tinha outro em São Cristóvão. O da cidade fora construído no século XVIII, e era utilizado apenas para cerimônias oficiais. O engenheiro André Rebouças, muito próximo da família imperial, observou em 1875 que seu estado era de ruína e imundície. O de São Cristóvão, que vinha de d. João VI e Pedro I, era usado como residência. Lá nasceu e morou d. Pedro. O de Petrópolis foi erigido no início do Segundo Reinado. Todos eram menos confortáveis que as residências de alguns particulares, como as do marquês de Abrantes e do conde de Nova Friburgo. A última transformou-se na República em palácio do Catete.

O paço de São Cristóvão, segundo o almirante finlandês Kraemer, que o visitou em 1872, era "mobiliado pobremente e malconservado". Verschuur achou-o parecido com hotel de província. O visconde de Taunay considerava-o triste e severo. Gustave Aimard conta que um dia entrou pelo palácio sem que ninguém o incomodasse. Perguntou por d. Pedro. "Em frente, na segunda porta à esquerda", respondeu um camarista. Experiência semelhante teve Gobineau em 1869. Chegando ao palácio para uma entrevista, só encontrou um guarda e um velho criado, que o levou ao imperador. Quando ele saiu, o guarda dormia. Elizabeth Agassiz também lá esteve com o marido, e registrou no livro de viagem a "simplicidade e franqueza republicanas do casal imperial". A sala em que ministros aguardavam as reuniões de gabinete não contava até 1878 com nenhum móvel. Foi necessário que o general Osório, ferido de guerra, reivindicasse algumas cadeiras. Com o tempo, a situação só fez piorar. O representante argentino, Vicente Quesada, que serviu no Brasil na última década da monarquia, viu um palácio mal iluminado, sem funcionários, sem a mais elementar etiqueta. O descuido com a segurança ficou patente na época do roubo das jóias da Coroa. De grandioso, só havia em São Cristóvão os jardins de Glaziou, construídos nos anos 1860.

Não se davam bailes nesse palácio, e eram poucas as recepções. Os jantares eram uma calamidade. O almirante Kraemer reclamou de um deles, oferecido ao duque Aléxis, filho do imperador Alexandre II da Rússia. A comida era ruim, estava fria, e foi mal servida por empregados malvestidos. O jantar durou vinte minutos. D. Pedro fez o brinde e passou ao salão ao lado. Alguns ministros e dignitários voltaram à mesa para pegar as sobras e até mesmo embolsar alguns pedaços mais atraentes. A mania de comer depressa infernizava a vida de empregados e ajudantes. O camarista, visconde de Itapagipe, costumava levar comida no bolso por não ter tempo suficiente para comer. Os cadetes que, depois do almoço, tinham de acompanhar o monarca em visitas a repartições também comiam às pressas.

Nos primeiros sábados do mês, o imperador recebia formalmente o corpo diplomático. Nos outros sábados, havia audiência pública das cinco às sete da tarde. Qualquer um podia entrar, até "o mais humilde negro, em chinelos ou pés descalços", como anotou Mossé. O conde d'Ursel, diplomata belga, que presenciou uma audiência dessas, disse a mesma coisa. Pedro II estendia a mão e conversava com todos. Escragnolle Dória relata que uma senhora negra deixou cair papéis no chão. O imperador abaixou-se para os apanhar e devolver. O soberano ouvia queixas e reclamações, anotava-as e as passava aos ministros.

Recepções de grande gala, só nas datas oficiais e no paço da cidade. O cortejo vinha de São Cristóvão em carruagens da época de d. João VI, escoltadas por regimento de cavalaria. O imperador usava na ocasião uniforme de marechal-de-exército. Enfrentou sempre com enfado tais cerimônias. A palavra típica que empregava para descrevê-las era *maçada*. Em 1872, ao regressar da primeira viagem à Europa, aboliu a prática do beija-mão.

Preferia receber privadamente pessoas com quem tivesse alguma intimidade, que eram poucas, ou com quem gostasse de conversar. No último caso, estava o conde de Gobineau, em cuja companhia passava até quatro horas aos domingos no palácio de São Cristóvão, conversando e lendo à luz de uma lâmpada de óleo que não funcionava nunca. A lembrança dos "domingos de São Cristóvão" manteve-se viva na correspondência trocada entre os dois até a morte de Gobineau em 1882. Outros interlocutores podiam ser o ministro da Áustria, Schreiner, que também era seu professor de árabe, e o argentino Vicente Quesada.

O imperador na abertura da Assembléia Geral, quadro conhecido como
Fala do Trono. Na tribuna, d. Teresa Cristina, a princesa Isabel e o conde d'Eu.
Óleo sobre tela de Pedro Américo de Figueiredo e Melo, 1872.
[ACERVO MUSEU IMPERIAL DE PETRÓPOLIS]

D. Pedro II no paço, óleo atribuído a Debret. Em destaque, a representação do futuro imperador, cercado de alegorias do reino.
[ACERVO MUSEU HISTÓRICO NACIONAL/ IBRAM/ MINISTÉRIO DA CULTURA]

D. Pedro com suas irmãs no Palácio de São Cristóvão. Desenho de Félix Emílio Taunay, c. 1837.
[ACERVO MUSEU MARIANO PROCÓPIO]

Coroação e sagração de d. Pedro II no largo do Paço, 1841.
Óleo sobre tela de Bouvelot e Moreau.
[ACERVO ICONOGRAPHIA]

A coroa de d. Pedro II, feita a partir do desmonte da coroa de seu pai.
[ACERVO MUSEU IMPERIAL DE PETRÓPOLIS]

Mão da justiça, a mão do imperador, esculpida em bronze por Marc Ferrez, foi distribuída aos súditos na época da maioridade.
[COLEÇÃO PEDRO CORRÊA DO LAGO]

O mordomo-mor, e grande influência política no paço, Paulo Barbosa da Silva.
[ACERVO MUSEU IMPERIAL DE PETRÓPOLIS]

Consagração e coroação de d. Pedro II.
Imagem distribuída a jornais nacionais e estrangeiros.
[ACERVO ICONOGRAPHIA]

Retrato de Teresa Cristina que o imperador recebeu por ocasião de seu contrato de casamento. Nele, os atributos físicos da noiva foram evidentemente valorizados.
[ACERVO MUSEU IMPERIAL DE PETRÓPOLIS]

Detalhe: d. Teresa usa um colar com o retrato do imperador que lhe fora enviado.
[ACERVO FUNDAÇÃO MARIA LUÍSA E OSCAR AMERICANO]

Imagem mais realista da imperatriz, que era baixa e manca.
[ACERVO MUSEU MARIANO PROCÓPIO]

As princesas Isabel e Leopoldina, óleo de Sébastien Auguste Sisson.
[ACERVO MUSEU MARIANO PROCÓPIO]

D. Pedro II em uniforme militar, no início da Guerra do Paraguai.
O monarca aparece, na época, como voluntário número um.
[ACERVO MUSEU IMPERIAL DE PETRÓPOLIS]

Solano López, o presidente
do Paraguai, em charge de Ângelo
Agostini. A legenda diz: "O Nero
do século XIX — Projeto de
monumento que os paraguaios
reconhecidos pretendem erigir
a Francisco Solano Lopes".
[A VIDA FLUMINENSE, 12 DE JUNHO DE 1869.
ACERVO ICONOGRAPHIA]

Na imprensa paraguaia,
o Brasil vai à guerra com um
exército de macacos.
[EL CABICHUÍ E EL CENTINELLA. COLEÇÃO
ANDRÉ DE TORAL]

Valongo, mercado de escravos. RJ, c. 1830. Johann Moritz Rugendas.
[ACERVO ICONOGRAPHIA]

Inauguração da Estrada de Ferro D. Pedro II, em 20 de março de 1858.
O Império associa-se à imagem de progresso.
[*UNIVERSO ILUSTRADO*, Nº 11. ACERVO CIA. DA MEMÓRIA]

Condessa de Villeneuve, com quem d. Pedro trocou cartas apaixonadas
[ACERVO FUNDAÇÃO BIBLIOTECA NACIONAL — COLEÇÃO TOBIAS MONTEIRO]

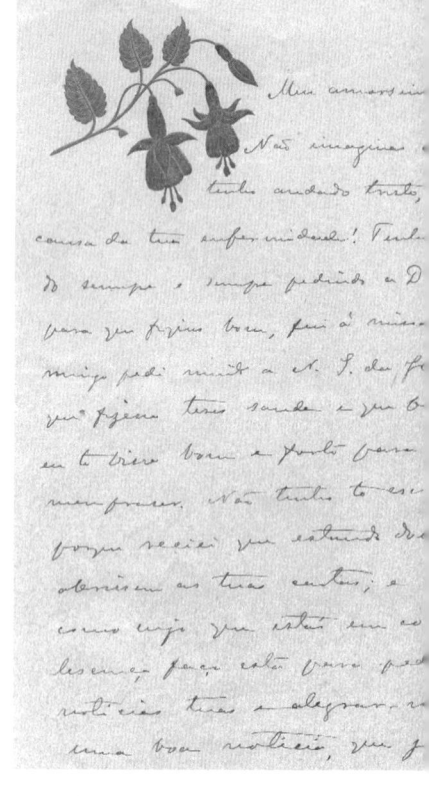

Carta de Eponina Otaviano.
[ACERVO FUNDAÇÃO BIBLIOTECA NACIONAL — COLEÇÃO TOBIAS MONTEIRO]

Honório Hermeto Carneiro Leão, o marquês de Paraná. Retrato de Sisson.
[ACERVO ICONOGRAPHIA]

Marechal Luís Alves de Lima e Silva, o duque de Caxias. Retrato de Sisson.
[ACERVO ICONOGRAPHIA]

O senador José Tomás Nabuco de Araújo.
[ACERVO ICONOGRAPHIA]

José Maria da Silva Paranhos, o visconde de Rio Branco.
[ACERVO ICONOGRAPHIA]

Princesa Isabel. Retrato de Edouard Vienot.
[ACERVO MUSEU IMPERIAL DE PETRÓPOLIS]

A condessa de Barral, preceptora dos filhos de d. Pedro e sua companheira a vida toda.
[ACERVO FUNDAÇÃO MARIA LUÍSA E OSCAR AMERICANO]

Crítica à visita de d. Pedro a Pio IX, depois de o imperador ter tomado posição firme na Questão Religiosa. Charge de Rafael Bordalo Pinheiro.
[*O MOSQUITO*, 15 DE ABRIL DE 1877. ACERVO INSTITUTO HISTÓRICO E GEOGRÁFICO BRASILEIRO]

O Brasil apóia o imperador na luta contra o clericalismo. Charge de Cândido Aragonês de Faria.
[*MEPHISTÓPHELES*, 13 DE MARÇO DE 1875. ACERVO FUNDAÇÃO CASA RUI BARBOSA]

"A coroa e o barrete", charge. Batalha de imagens no final do Império.
[COLEÇÃO EMANOEL ARAÚJO]

Viagem de d. Pedro II ao Egito, em 1872.
O imperador conhece o mundo, que para ele só existia nos livros.
[ACERVO FUNDAÇÃO BIBLIOTECA NACIONAL]

D. Pedro II aparece ao lado de livros em diversas fotografias.
Cunhava-se a imagem do imperador mecenas e cidadão.
[ACERVO FUNDAÇÃO BIBLIOTECA NACIONAL]

Imagens de d. Pedro divulgadas
na década de 70 e início da de 80.
[ACERVO FUNDAÇÃO BIBLIOTECA NACIONAL]

Foto de d. Pedro, tirada no dia
16 de novembro de 1889, revista
O Século.
[ACERVO DO AUTOR]

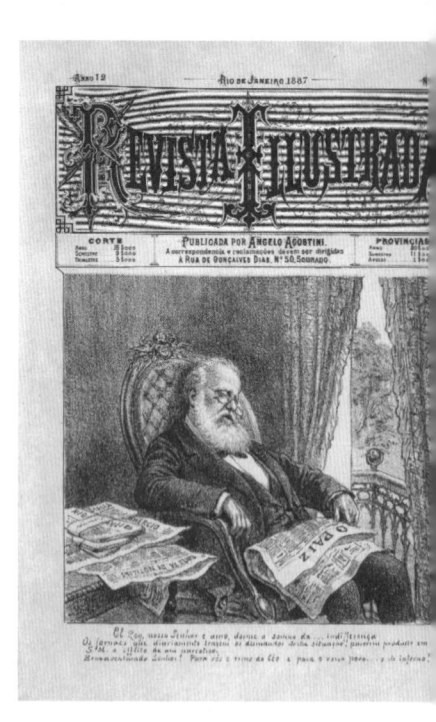

O sono do imperador, de Ângelo Agostini.
Uma das conseqüências da doença do imperador
em 1887 foi a sonolência. Agostini não perdeu
a oportunidade de a registrar.
[*REVISTA ILUSTRADA* Nº 450, 1887. ACERVO ICONOGRAPHIA]

Funeral de d. Pedro II
[COLEÇÃO PEDRO CORRÊA DO LAGO]

Convite para as exéquias de d. Pedro II.
[COLEÇÃO PEDRO CORRÊA DO LAGO]

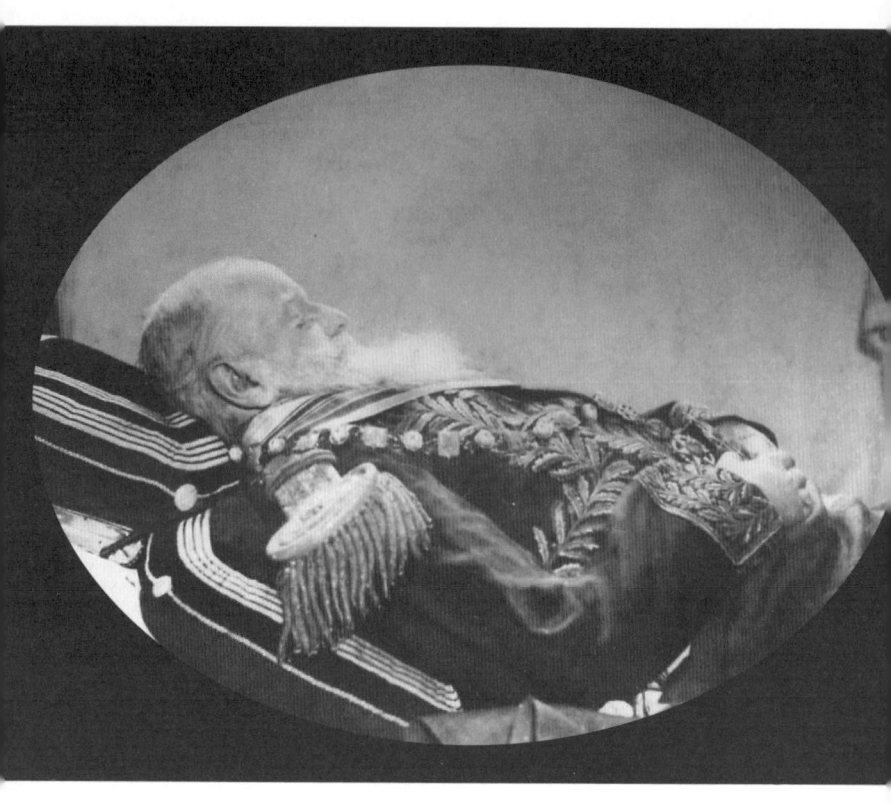

Retrato de d. Pedro II morto, tirado por Paul Nadar. Em destaque, a barba branca e armada com cola e a almofada apoiada num livro sobre o Brasil.
[COLEÇÃO PEDRO CORRÊA DO LAGO]

Abaixo, a rubrica do imperador.

Isabel injetava um pouco mais de vida em seu palácio. Até o casamento não tinha ido a baile ou teatro. A princesa e o conde promoviam algumas festas, recepções, bailes, saraus, a que os imperadores geralmente compareciam. Ela própria tocava piano e violino, e cantava. Costumava dançar quadrilhas com o abolicionista André Rebouças. Mas, à medida que passavam os anos, também ia diminuindo a vida social.

O paço de Petrópolis era mais alegre, posto que igualmente despojado. Foi erguido pelo mordomo Paulo Barbosa e inaugurado em 1859. Teve decoração do pintor Araújo Porto Alegre, protegido de Barbosa. De início, a viagem para Petrópolis levava dois dias. A construção da estrada de ferro em 1854 por Mauá reduziu o tempo a quatro horas. Ia-se de barco até o porto de Mauá, daí de trem até a raiz da serra e depois de diligência até Petrópolis. Mais tarde, a linha férrea foi estendida até a cidade.

Desde 1847, a família imperial e os diplomatas estrangeiros habituaram-se a subir a serra no verão para fugir do calor e das febres que assolavam o Rio de Janeiro. Os ministros sentiam-se aliviados quando d. Pedro subia, pois ficavam livres da fiscalização. Em Petrópolis, o imperador parecia um cidadão comum. Vestido de casaca preta, chapéu alto, insígnia do Tosão de Ouro na lapela, passeava pela cidade, colhia flores nos jardins, ia a exposições no palácio de Cristal, freqüentava as duchas. As crianças às vezes o cercavam. Cumprimentava as pessoas com largos gestos, conversava, trocava idéias com André Rebouças, visitava algum diplomata amigo, como o uruguaio Andrés Lamas. À tarde, misturava-se com o grupo que ia à estação da estrada de ferro para esperar o "trem dos maridos", isto é, o que trazia de volta quem descia à cidade para trabalhar durante o dia. Um costume não abandonava nem mesmo na tranqüilidade serrana, o de obedecer a horários e programas rígidos. No diário de 1862, registra seu cotidiano:

acordar às seis; estudar grego ou hebraico até sete, passear até oito; de novo, grego ou hebraico até dez, quando almoçava. Do meio-dia às quatro da tarde, exame de negócios ou estudo; jantar às quatro, passeio às cinco e meia; escrita do diário das nove às onze, quando ia dormir.

Mas nem em Petrópolis oferecia recepções e bailes. Ocasionalmente, ia a algum baile no Hotel Bragança, quando conversava com todos, sem dançar. Vicente Quesada via-o com freqüência na última década do reinado. Apesar de republicano, não gostava do excesso de informalidade. Achava que ele tirava os prestígios exteriores da monarquia. Tudo se transformava num burguesismo sem etiqueta, dizia, era o domínio da *basse-cour*, da *petite étiquette*. Era a mesma crítica feita por Francisca nos anos 1850. O descaso pelo ritual reproduzia-se nas viagens que d. Pedro fazia pelo país. Ina von Binzer, conhecedora das práticas das cortes européias, escandalizou-se ao ser apresentada ao imperador em São João del Rei em 1881. Escreveu à amiga Grete: "Você não faz idéia do que sentia! Era tudo tão horrivelmente simples. Não havia nada de impressionante".

O escritor português Ramalho Ortigão observou com agudeza que d. Pedro II não cumpria sua missão de dirigir a organização dos costumes na arte, gosto, moda, maneiras, convenções, em tudo de que resulta a civilização de uma sociedade. A monarquia brasileira não produziu uma sociedade de corte que pudesse atrair a si mesmo que fosse apenas nossa pobre nobreza honorífica e transmitir seus valores e etiquetas a outros setores da sociedade. Esse descaso constituiu um fator de isolamento social que veio aliar-se ao isolamento político da monarquia em relação à elite.

14. O bolsinho imperial

A manutenção de uma corte luxuosa no Brasil seria inviável até mesmo por causa da modesta dotação da família imperial, a lista civil. Ela era de oitocentos contos por ano. No início do reinado, isso representava apenas 3% da despesa do governo central. No final, os oitocentos contos estavam reduzidos a 0,5%. Ao longo dos 49 anos de reinado, o imperador nunca aceitou aumento da dotação, apesar de várias propostas nesse sentido feitas no Parlamento. Além de não ter os hábitos perdulários das grandes cortes, d. Pedro não buscava acumular dinheiro. Anotou no diário: "Nada devo, e quando contraio uma dívida, cuido logo de pagá-la, e a escrituração de todas as despesas de minha casa pode ser examinada a qualquer hora. Não ajunto dinheiro". Com a dotação, a mordomia da Casa Imperial, isto é, sua gerência, tinha de manter os palácios e financiar todos os gastos, inclusive os de viagens dentro do país. As viagens ao exterior eram custeadas com empréstimos porque d. Pedro se recusava a usar dinheiro público. Com o passar dos anos, foi reduzindo os gastos dos palácios. Cortou cargos inúteis, como os da Guarda Imperial, criada por d. Pedro I e que a República restabeleceu com o nome de Dragões da Independência, os de mordomo-mor, camareiro-mor, estribeiro-mor e menor, sumilher da cortina, rei de armas, e toda a classe dos guarda-roupas.

Além de não aceitar aumento de dotação, d. Pedro às vezes doava parte dela ao Tesouro. Em 1867, mandou descontar 25% de sua dotação como contribuição às finanças da guerra contra o Paraguai. A imperatriz seguiu-lhe o exemplo. As viagens às províncias causavam rombos em suas finanças, tantas eram as doações feitas. Só a de 1859 ao norte do Brasil custou mais de duzentos contos, um quarto da dotação. Grande parte dos gastos normais do bolsinho imperial, como se dizia, ia para esmolas, doações a entidades beneficentes e científicas, pensões. Muitos pobres de São Cristóvão eram sustentados por esmolas, que recebiam aos sábados, uma espécie de bolsa-família em pequena escala. No ano de 1857, foram gastos noventa contos com esmolas, muito mais do que os vencimentos anuais de todos os seis ministros. No mesmo ano, pensões e aposentadorias consumiram cinqüenta contos.

Boa parcela das pensões correspondia ao que hoje se chama de bolsa de estudos. Muitos brasileiros estudaram no país e no exterior à custa do bolsinho imperial. D. Pedro fazia o que hoje fazem os órgãos do governo que financiam bolsas de estudo, como o Conselho Nacional de Desenvolvimento Científico e Tecnológico. Durante o Segundo Reinado, 151 bolsistas obtiveram pensões, 41 deles para estudar no exterior. No Brasil, foram 65 os pensionistas do ensino básico e médio, dos quais quinze eram mulheres. Os pensionistas no exterior recebiam ajuda para viagem, livros e enxoval. Em contrapartida, tinham de prestar contas trimestrais de seu aproveitamento e assumir o compromisso de regressar ao país no final dos estudos. Agentes diplomáticos brasileiros eram encarregados de fazer os pagamentos e acompanhar o aproveitamento dos beneficiados.

As pensões para o ensino superior cobriam diversas especialidades, com predominância da pintura, música, engenharia, advocacia e medicina. Destacaram-se entre os beneficiados o advogado Perdigão Malheiros, que escreveu um importante livro sobre a escravidão no Brasil, o pintor Pedro Américo, que sempre arrumava um meio de prolongar sua estada na Europa, e o engenheiro Guilherme Schüch Capanema, filho de Roque Schüch, professor de alemão e italiano do monarca. Como falava alemão, Capanema foi mandado para a Áustria. Tinha relação quase fraternal com d. Pedro, de quem fora amigo de infância, e exerceu papel relevante na promoção da ciência brasileira. Mas deu grandes prejuízos a seu protetor pela incapacidade de controlar gastos. As dívidas dele com a mordomia chegaram a duzentos contos. Na pintura, salientaram-se ainda o excelente Almeida Júnior e Pedro Weingartner; na música, Henrique Oswald. Houve duas bolsistas mulheres. Uma delas, Maria Augusta Generoso Estrela, foi enviada a Nova York para estudar medicina. Não se sabe se regressou ao país, como queria o imperador.

Dois dos pensionistas eram figuras curiosas, o primeiro por razões históricas, o segundo, pela especialização. Pedro de Alcântara Brasileiro recebeu bolsa para estudar num liceu parisiense. Vinha a ser um irmão por parte de pai de d. Pedro, filho de Pedro I com uma de suas amantes, a francesa Clémence Saisset. Nascido em 1828, Pedro Brasileiro era fruto de uma relação mantida enquanto se negociava o segundo casamento do primeiro imperador. Júlio César Ribeiro de Sousa era paraense, ex-voluntário da pátria. Em 1885, ganhou passagem e mesada para estudar dirigibilidade de balões na Escola de Aeronautas de Paris e mais quinhentos mil-réis para testar seu invento. Foi o primeiro engenheiro aeronáutico do país.

As dificuldades financeiras da Casa Imperial explicam os 24 empréstimos levantados durante o reinado. A maioria deles foi feita com banqueiros brasileiros a juros de mercado de 6%. Emprestaram à mordomia o conde de Bonfim, o visconde de Tocantins, o barão de Mesquita, Jerônimo José de Mesquita, e a Casa Alves Souto, famosa por sua quebra em 1864. As três viagens ao exterior custaram 50 mil libras cada uma e foram todas financiadas com empréstimos. O descaso do imperador por dinheiro é bem ilustrado pela decisão de distribuir aos pobres os lucros, parcos, é verdade, da Fazenda de Santa Cruz, de propriedade da Coroa. Ele justificava a medida com o argumento de não querer que se dissesse que "estava entesourando". Por não entesourar, ao ser exilado teve de continuar a pedir empréstimos, que ainda não estavam pagos por ocasião de sua morte.

15. A paixão pelo Brasil

Havia uma paixão que dominava tanto d. Pedro II como Pedro d'Alcântara e soldava os lados conflitantes do homem, a paixão pelo Brasil. Era um amor surpreendente em quem foi mantido isolado da terra e da gente do país até a adolescência, convivendo apenas com os mestres, os serviçais e alguns políticos. Mas não há como dele duvidar, tantas foram suas manifestações em palavras, escritos e atitudes. Foi como se, na ausência da figura paterna, de um modelo em que se espelhar e em que firmar sua identidade, o imperador adolescente tivesse escolhido o próprio país como referência. Talvez amasse o Brasil como um modo de amar a si mesmo. Porém, certamente não se tratava de uma identificação absolutista com o poder do Estado, à maneira de Luís XIV. Era antes uma devoção ao país e à defesa de seus interesses, sobretudo de sua honra. Essa paixão revelou-se acima de tudo nos conflitos internacionais em que o Brasil se viu envolvido.

JUAN MANUEL DE ROSAS, DA ARGENTINA

A primeira exibição de ciúmes nacionais verificou-se em 1852, no âmbito do que se chamava a Questão Platina, isto é, as relações entre o Brasil e seus vizinhos sulinos, Argentina, Uruguai e Paraguai. As disputas geopolíticas no Prata vinham dos tempos coloniais, e, pode-se dizer, continuam até hoje, embora com objetivos e táticas distintos. D. João VI tinha incorporado a província Cisplatina ao império luso-brasileiro. D. Pedro I perdeu a guerra pela independência da província, que se transformou no Uruguai.

Na década de 1840, o conflito reacendeu em virtude da política de Juan Manuel de Rosas, presidente da Confederação Argentina. Em 1845, o Brasil rompeu relações com Rosas por causa de uma divergência sobre a livre navegação na bacia do rio da Prata. Além disso, Rosas interveio no Uruguai a favor de Oribe, e juntos montaram um cerco à cidade de Montevidéu contra o presidente Rivera. O representante de Rosas no Rio de Janeiro, Tomás Guido, reclamava sempre do fato de o Brasil ter reconhecido a independência do Uruguai e do Paraguai. Para ele, e para a política da Confederação Argentina, pelo menos na visão do Brasil, Uruguai e Paraguai deveriam fazer parte de uma reconstituição do Vice-Reinado do Prata, sob a liderança argentina. Como complicação adicional, Oribe passou a desapropriar sem indenização propriedades dos milhares de brasileiros que viviam no Uruguai. Os proprietários gaúchos começaram a fazer grande pressão por uma intervenção do Império em defesa de seus interesses.

O presidente do Conselho de Ministros na época, marquês de Olinda, era amigo de Tomás Guido e opunha-se ao uso da força. Os outros ministros discordavam. D. Pedro tomou o partido deles. No diário, se disse favorável à neutralidade do Brasil no Prata, ressalvando, no entanto, os interesses e a honra nacional, que no caso via ameaçados. Sugeriu a substituição do ex-regente na presidência do Conselho e no comando do Ministério dos Estrangeiros, que ele acumulava. Para a presidência, escolheu o visconde de Monte Alegre e, nos Estrangeiros, colocou Paulino José Soares de Sousa. Esse ministro definiu pela primeira vez e com clareza a política platina do país: não conquistar nada e não deixar a Argentina conquistar nada, isto é, manter o *status quo*. Ato contínuo, preparou-se para enfrentar Rosas militarmente. O Brasil interveio no Uruguai contra Oribe e aliou-se aos governadores das províncias argentinas de Entre Ríos e Corrientes, Urquiza e Virasoro, ambos rivais de Rosas. O desfecho se deu na Batalha de Monte Caseros, em 1852, na qual Urquiza, apoiado por tropas brasileiras, derrotou Rosas. Paulino ganhou o título de visconde do Uruguai e o respeito do imperador.

DOUGLAS CHRISTIE, DA INGLATERRA

Duas outras oportunidades de manifestações de patriotismo surgiram na década de 1860. A primeira verificou-se por ocasião dos conflitos provocados pela arrogância de Douglas Christie, representante inglês no Rio de Janeiro. O caso era mais sério que o de Rosas, porque dessa vez o inimigo era nada menos que a grande potência imperialista da época e o enfrentamento se dava na capital do Império. Desde 1861, Christie vinha atazanando o governo brasileiro. Nesse ano, houvera saque dos restos da fragata inglesa *Prince of Wales*, que naufragara no litoral do Rio Grande do Sul. Em 1862, houve outro incidente no Rio de Janeiro, quando três oficiais ingleses pertencentes à tripulação da fragata *Fort* foram presos na Tijuca por desacato à polícia. Um deles era um capelão beberrão e de maus costumes.

Christie primeiro exigiu reparações imediatas do saque da

carga da *Prince of Wales* e satisfações pela prisão dos marinheiros bêbados. Nem o monarca, que dizia de Christie que "brigava com todos", nem o governo queriam conflito. Mas d. Pedro anotou no diário: "Não podemos anuir com decoro" às exigências do inglês. Ambas foram negadas. O truculento diplomata ameaçou, então, entregar o assunto ao almirante inglês, reeditando a política da época do Bill Aberdeen. Imperador e ministério decidiram que nenhum navio de guerra brasileiro, se atacado, arriaria a bandeira, indo de preferência ao fundo. A Marinha entrou em prontidão. No dia 31 de dezembro, doze navios mercantes foram apreendidos fora da baía, um insulto, embora menos grave do que se fosse à vista da cidade.

O imperador desceu de São Cristóvão para o paço da cidade a fim de encorajar a resistência. Teve a primeira experiência de contato direto com as ruas desde a maioridade. Foi aplaudido no largo do Paço por uma multidão que ameaçava depredar os estabelecimentos ingleses. À frente da massa popular achava-se ninguém menos do que o lendário Teófilo Otoni. Nesse meio-tempo, Mauá, que tinha negócios com os ingleses, e a quem, portanto, não interessava o conflito, tomara por conta própria a iniciativa de propor mediação, no que fora apoiado pelo marquês de Abrantes, ministro dos Estrangeiros. Pedro II irritou-se com Mauá e desautorizou o ministro. Aliás, já se indispusera com o empresário nos primeiros anos de governo, por ter Mauá apoiado a Revolução Farroupilha e abrigado rebeldes gaúchos, seus conterrâneos, em sua casa do Rio de Janeiro. Decidiu-se no ministério que, se as presas fossem trazidas para dentro da baía, os fortes e os navios de guerra entrariam em ação. Christie exigiu pagamento de indenização como condição para liberar os navios. O imperador só admitia negociar depois da liberação deles.

Enquanto isso, jornais incitavam a população e havia agitação na praça do comércio, onde muitos comerciantes ingleses tinham negócios. Falava-se em organizar corpos de voluntários para resistir à agressão. Até mesmo o discreto e comedido Machado de Assis se exaltou e produziu versos patrióticos:

> *Brasileiros! Haja um brado*
> *Nesta terra do Brasil:*
> *Antes a morte de honrado*
> *Do que a vida infame e vil!*

O Conselho de Estado reuniu-se no dia 5 de janeiro. As opiniões variaram, mas concordou-se em não negociar sem a liberação dos navios. No dia 6, o imperador foi novamente aclamado nas ruas quando de carruagem se dirigia a uma igreja. Garantiu à multidão que o governo só admitiria uma saída que fosse honrosa para o país. Diante dessa reação, da ameaça de represálias da população, e pressionado pelos próprios comerciantes ingleses e sem apoio claro de Londres, o arrogante e intratável Christie cedeu, liberou os navios e aceitou o arbitramento para o caso dos marinheiros, tendo o governo pago, sob protesto, a indenização pelo saque. A gravidade da crise obrigou o monarca a interromper o diário em que vinha anotando a escalada dos acontecimentos.

O ministro inglês não foi mais recebido em palácio em caráter particular. Seu governo o substituiu pelo secretário da legação, contrário aos métodos dele. O ministro brasileiro na Inglaterra, Carvalho Moreira, pediu os passaportes e voltou com toda a legação, ao mesmo tempo que no Rio de Janeiro se entregavam os passaportes a Christie. As relações diplomáticas entre os dois países foram rompidas. No final do ano, o rei Leopoldo da Bélgica, escolhido como árbitro, deu ganho de causa ao Brasil. Em 1865, quando o imperador estava em Uruguaiana, envolvido numa guerra maior, o novo enviado inglês, Edward Thornton, ofereceu as desculpas de seu governo pelas violências contra os navios brasileiros, e foram reatadas as relações diplomáticas, ao som de "God save the queen". A "*queen*", no caso, era a rainha Vitória.

SOLANO LÓPEZ, DO PARAGUAI

O verdadeiro teste da paixão do imperador pelo Brasil veio três anos depois, quando o país se viu envolvido na Guerra da Tríplice Aliança contra o Paraguai. Foi uma guerra que o Brasil não queria, sobretudo porque era feita contra o inimigo errado, o Paraguai, e em parceria com o aliado errado, a Argentina. A grande rivalidade no Prata era entre Brasil e Argentina. Os dois países haviam herdado das mães-pátrias uma história de conflito. Após a independência, guerrearam-se em 1828 e em 1852. Além da disputa geopolítica, separavam-se pela cultura, pelo sistema de governo e pela imagem que tinham um do outro.

Para os governantes argentinos, o Brasil era um império escravista e expansionista, fator de perturbação na política das repúblicas platinas. Para os governantes brasileiros, a Argentina e seus vizinhos eram repúblicas instáveis e não confiáveis, governadas por caudilhos bárbaros. O papel do Brasil na região era conter o expansionismo argentino e dar um exemplo de civilização. Ao lembrar mais tarde a Batalha do Riachuelo, quando já no exílio, o imperador deixou claro esse ponto. Com a vitória, escreveu no diário: "Firmava-se a civilização na bacia do Prata e tudo devido ao meu Brasil". Seriam necessários 150 anos para que a aliança entre Brasil e Argentina se tornasse um fato natural, embora ainda não de todo isento de rusgas.

Com o Paraguai, o Brasil tinha problemas de fronteira, mas os diplomatas brasileiros achavam que tudo se poderia resolver sem guerra. O próprio Paranhos, futuro visconde do Rio Branco, julgava que, por ser mais fraco, o país não recorreria a meios bélicos. No entanto, as coisas haviam mudado no Paraguai desde a posse de Francisco Solano López na presidência em 1862, sem que a diplomacia brasileira percebesse. López, general do exército desde os dezenove anos, decidiu adotar política mais agressiva e ambiciosa em relação à Argentina e ao Brasil, e preparou-se para a guerra. Sua ambição era tornar o Paraguai uma potência regional. Apesar de contar com uma população de pouco mais de 1 milhão de pessoas, chegou a mobilizar 100 mil soldados, ao passo que, no início da guerra, o Brasil contava apenas com 16 mil, a Argentina com 8 mil, o Uruguai com 2 mil.

A guerra começou no Uruguai, em 1864. O presidente Berro indispusera-se com a Argentina e com o Brasil. Pertencia ao Partido Blanco, rival dos colorados, que haviam sido apoiados pelo Brasil em 1852. Com a Argentina, entrou em conflito ao se aliar ao rival do presidente Mitre, o governador Urquiza de Entre Ríos. Indispôs-se com o Brasil quando feriu os interesses dos estancieiros gaúchos que tinham propriedades no país. Passou a cobrar imposto sobre o gado exportado para o Rio Grande do Sul e proibiu o uso de escravos por brasileiros dentro de seu país. Cerca de 40 mil brasileiros viviam no Uruguai, mais de um quinto da população, e lá possuíam ao redor de 1 milhão de cabeças de gado. Repetindo 1852, os gaúchos fizeram grande pressão sobre o governo imperial, pedindo intervenção. Chegavam a ameaçar nova separação: se o Império não servia para os defender, para que servia? O general Sousa Neto, líder farroupilha e grande proprietário de terras no Uruguai, foi à corte expor suas queixas ao governo. O gabinete progressista de Zacarias de Góis hesitava sobre o curso de ação a seguir. A reclamação dos gaúchos era favorecida pela temperatura da opinião pública na capital, ainda estomagada com os insultos de Christie. O governo progressista sentiu-se forçado a assumir posição mais agressiva para não ser acusado de fraqueza.

A política de Berro, feita no berro, gerou uma situação bastante improvável: a aproximação entre Brasil e Argentina, cujos interesses no Uruguai passaram a coincidir. A aliança foi facilitada porque, excepcionalmente, governava a Argentina o general Mitre, simpático ao Brasil e mesmo às instituições brasileiras. Mais tarde, ele se referiria ao sistema político do país como uma democracia coroada, expressão que fez fortuna e virou título de livro no Brasil. Estendia a simpatia e amizade ao imperador, como o prova o fato de ter sido o único ex-chefe de Estado a visitá-lo no exílio. Mitre tinha de lidar com uma delicada situação interna causada pela oposição dos governadores das províncias de Corrientes e Entre Ríos, hostis ao Brasil e simpáticos ao Paraguai. Uma aliança desses governadores com o Uruguai e o Paraguai lhe seria muito desvantajosa. Pressionado de dois lados, Berro aproximou-se do Paraguai, dando a López a oportunidade que buscava para se fazer ouvir na política do Rio da Prata. Nesse meio-tempo, o general Venancio Flores, do Partido Colorado, invadiu o país para derrubar o governo dos *blancos*, chefiado já então pelo sucessor de Berro, Atanasio Aguirre. Brasil e Argentina o apoiaram.

José Antônio Saraiva foi enviado ao Uruguai para tentar um acordo sobre a situação dos brasileiros no país, o que fez com o apoio da Argentina e da Inglaterra. Aguirre assinou um protocolo de entendimento, mas não o cumpriu, obrigando o representante brasileiro a lhe apresentar um ultimato que dava ao governo seis dias para cumprir o ajuste. Aguirre devolveu o ultimato. Houve ataques à legação brasileira em Montevidéu, os textos dos tratados com o Brasil foram queimados, e a bandeira brasileira foi arrastada pelas ruas. Saraiva ordenou ao almirante Tamandaré e ao general Mena Barreto que começassem as hostilidades. Enviado para ocupar o lugar de Saraiva, Paranhos fez um acordo com Aguirre e Flores que não incluía atendimento às reclamações do Brasil. O imperador mandou substituí-lo, pois não admitia acordo naquelas condições e após os insultos à bandeira nacional. Com auxílio do Brasil, Flores chegou ao poder em fevereiro de 1865, resolvendo, para o Brasil, o problema do Uruguai. Os proprietários gaúchos foram indenizados das perdas sofridas.

A aproximação entre Uruguai e Paraguai era uma aliança de dois Davis contra dois Golias, mas López a via como a oportunidade de acabar com a supremacia argentino-brasileira na região. Contava com o grande trunfo do apoio do governador Urquiza, inimigo de Mitre. As peças do quebra-cabeça se ajustavam. Formava-se uma aliança entre Aguirre, do Uruguai, López, do Paraguai, e Urquiza, de Entre Ríos, contra o Brasil e a Argentina. López contava também com a tradicional rivalidade entre esses países para evitar uma aliança dos dois contra ele. Por seu lado, Brasil e Argentina não acreditavam que o Paraguai fosse além de protestos verbais contra a política deles no Uruguai. Em sua visão, ou ilusão, o país não tinha cacife militar para enfrentar uma guerra.

Todos os cálculos saíram errados. Brasil e Argentina entenderam-se em relação a uma intervenção no Uruguai contra os *blancos*. López protestou alegando que a intervenção atentava contra o equilíbrio da política do Prata. A seguir, sem declarar guerra, aprisionou o vapor *Marquês de Olinda*, que passava por Assunção a caminho de Mato Grosso. Logo depois anunciou formalmente guerra ao Brasil e invadiu Mato Grosso em fins de dezembro. Dando seqüência à política agressiva que adotara, pediu permissão a Mitre para passar por território argentino a fim de penetrar no sul do Brasil. Negada a permissão, cometeu o grande erro de invadir a província de Corrientes, provocando a guerra com a Argentina. Ao fazê-lo, inviabilizou também o apoio do presidente da província de Entre Ríos, o general Urquiza, e ficou sozinho na guerra. Com a subida de Flores no Uruguai, montou-se a Tríplice Aliança de

Brasil, Argentina e Uruguai contra um Paraguai agora isolado. O tratado foi assinado em 1º de maio de 1865.

Embora não se tivesse previsto um conflito armado com o Paraguai e o Brasil estivesse completamente despreparado para a guerra, a opinião pública, sobretudo no Rio de Janeiro, belicosa desde a Questão Christie, reagiu de imediato à invasão do território nacional, e o governo se dispôs a atuar com energia. Recordando-se sem dúvida do aplauso das ruas por ocasião da Questão Christie, o imperador não hesitou em assumir de novo a liderança do esforço de guerra. E o fez com tal decisão e tal empenho que passou os cinco anos que durou o combate totalmente dedicado à causa de ganhá-lo de maneira honrosa para o Brasil. A expressão "honra do Brasil" tornou-se um bordão em suas declarações, verbais e escritas, públicas e privadas.

Sua primeira decisão foi dirigir-se à frente de batalha, isto é, ao Rio Grande do Sul, invadido pelos paraguaios. Os ministros julgaram a decisão uma temeridade. O assunto foi ao Conselho de Estado, cujos membros foram postos contra a parede por d. Pedro: ou concediam permissão para a viagem do imperador, ou ele abdicaria o trono e partiria como o primeiro voluntário da pátria. A permissão foi dada. Na verdade, a viagem ao Sul apresentava diversas vantagens para a política nacional e monárquica. A principal, naturalmente, era o incentivo ao voluntariado. O Brasil era muito maior que o Paraguai, mas dispunha de um exército de apenas 16 mil homens. A Guarda Nacional era numerosa, mas não tinha treinamento militar. O voluntariado era indispensável. Ele de fato acabou fornecendo 55 mil do total de 135 mil soldados que lutaram na guerra.

A segunda vantagem era fortalecer a Tríplice Aliança. Resultante de acordo entre dois rivais tradicionais, forçosamente ela seria marcada por desconfianças mútuas em relação às intenções dos parceiros e por rivalidades pessoais entre os chefes militares. A presença do imperador na frente de batalha, ao lado de Mitre, comandante das forças aliadas, e de Flores, seria uma importante demonstração de união. Tal demonstração era imprescindível diante das repúblicas sul-americanas, naturalmente predispostas contra o Império e a favor do Paraguai. Apesar do erro inicial de cálculo, o próprio López nunca perdeu, ao longo da guerra, a esperança de provocar um afastamento entre Brasil e Argentina. Depois da derrota aliada em Curupaiti, tentou convencer Mitre a abandonar a aliança em nome da solidariedade republicana contra o Império. Mais uma vez, o presidente argentino agiu com absoluta correção, reafirmando os termos do tratado.

A terceira vantagem tinha a ver também com a política interna. Fazia apenas vinte anos que terminara a Revolução Farroupilha, durante a qual o Rio Grande do Sul estivera separado do Brasil sob um sistema republicano de governo. No mesmo ano do fim da revolução, em 1845, d. Pedro visitara a província num esforço de conciliar os gaúchos com o governo nacional e monárquico. Porém, as complicações da política do Prata envolviam sempre os estancieiros rio-grandenses, que recorriam ao governo para resguardar seus interesses. A proteção desses interesses era um grande peso para o país, mas, por outro lado, a manutenção do Rio Grande do Sul como parte integrante do território nacional era indispensável para a defesa da fronteira. Além disso, dada a posição geográfica da província, era inevitável que seus habitantes arcassem com parcela desproporcional do esforço bélico. A presença do imperador era essencial para garantir a lealdade dos gaúchos e estimular sua disposição para a luta.

Concedida a licença pelo Congresso, d. Pedro enfrentou a longa e penosa viagem. Vestido de casaca e boné da Marinha, partiu do Rio de Janeiro em 10 de julho de 1865, saudado por pequena multidão reunida no cais. Levava na comitiva o ministro da Guerra, Ângelo Ferraz, o genro, duque de Saxe, e

Caxias, seu conselheiro militar. Mais tarde, o outro genro, o conde d'Eu, que regressara de lua-de-mel na Europa, incorporou-se ao grupo. Passou por Porto Alegre e se dirigiu a São Gabriel. A viagem por terra era desconfortável, feita a cavalo e em carretilhas. O monarca dormia nas carretilhas, comia em barracas e conversava ao pé do fogo com os oficiais. Para desespero do ministro da Guerra, intrometia-se em todos os assuntos e se expunha temerariamente, correndo o risco de dar de frente com tropas inimigas. Certo dia, afastando-se da escolta de trezentos soldados, seu grupo se perdeu em meio a uma chuva torrencial, como contou o conde d'Eu, que escreveu um relato da viagem. Ferraz também não gostava da presença de Caxias. Enciumava-se com as atenções que o imperador concedia ao militar em diminuição do ministro.

A caminho, Pedro II visitou o Campo de Ituzaingó, de triste memória para o país. Lá, em 1827, as tropas brasileiras tinham abandonado o campo de batalha na guerra contra o exército das Províncias Unidas do Rio da Prata. Deve ter passado por sua cabeça a idéia de recuperar o prestígio militar do Brasil na região. Em São Gabriel, teve longa conversa com um tenente paraguaio feito prisioneiro. Sobre guerra? Não, sobre o guarani falado no Paraguai, que achou muito semelhante ao brasileiro. No final da conversa, ofereceu ao jovem oficial a possibilidade de regressar a seu país. A oferta não foi aceita, porque, segundo o tenente, se regressasse, seria morto por se ter deixado aprisionar.

O diálogo foi despretensioso, mas é rico de conteúdo. Revela, em primeiro lugar, a mania de erudição do imperador. Em plena frente de batalha, d. Pedro confraterniza com um oficial inimigo e discute com ele um de seus temas prediletos de estudo, a língua guarani. Falava aí o homem que dizia ter nascido para o cultivo das ciências e das artes, e que detestava guerra e violências. Esse mesmo homem deve ter ficado horrorizado com o receio do prisioneiro de ser morto ao regressar. A imagem de barbárie ligada ao regime paraguaio, sempre enfatizada pelos aliados durante a guerra, deve ter se consolidado na cabeça do monarca. Essa convicção pode ajudar a explicar a intransigência dele em relação ao destino de López. Uma pessoa que exerça tal controle sobre seus militares e sobre a população não poderia continuar no país após a guerra, sob pena de tudo volver ao ponto de partida.

Nesse meio-tempo, o coronel Estigarribia, seguindo ordens de López, tinha invadido o Rio Grande do Sul, saqueado várias cidades e ocupado Uruguaiana. A guarnição fugira vergonhosamente, sem opor resistência, e os habitantes, em torno de 6 mil, também abandonaram a cidade. Mas o coronel paraguaio cometeu o erro de permanecer em Uruguaiana e foi logo cercado por tropas aliadas. Em 11 de setembro, houve nos arredores da cidade o encontro histórico dos três chefes de Estado dos países aliados. Chegaram os três a cavalo, encontraram-se em frente à barraca do general brasileiro conde de Porto Alegre e se cumprimentaram. D. Pedro contava quarenta anos, esbanjava energia num físico imponente e comportava-se com a fineza de um aristocrata. Mitre contava apenas cinco anos a mais, era educado, alto, elegante, de cabelos negros soltos ao vento. Venancio Flores era o mais velho, com 57 anos, baixo, rude, feio, e tinha unhas sujas. Era o tipo tosco de caudilho platino por quem o imperador e, com ele, a elite brasileira não tinham simpatia alguma.

Apesar dos esforços oficiais em contrário, as rivalidades entre os aliados já se tinham manifestado antes da vinda do imperador, sobretudo entre argentinos e brasileiros. O almirante Tamandaré e o general Porto Alegre haviam se desentendido com o general Mitre. Pelo tratado, Mitre era comandante-geral das forças aliadas. Mas, quando o presidente argentino apareceu em Uruguaiana, Porto Alegre recusou-se a lhe passar o comando, alegando que, também pelo tratado, o comando, em território brasileiro, seria brasileiro. A chegada de Pedro II evitou problemas maiores. Adotou-se solução salomônica. Porto Alegre ficou com o comando das tropas brasileiras, e Mitre, com o das outras. Cinco mil e quinhentos paraguaios achavam-se cercados por 17 mil aliados. Depois de oito dias de sítio, estes decidiram atacar. Porém, antes disso, Estigarribia, sem outra opção além do inútil sacrifício de suas tropas, resolveu render-se. Sintomaticamente, fez questão de o fazer ao imperador do Brasil, em quem tinha mais confiança do que em seus colegas republicanos. Os derrotados desfilaram em frente aos três chefes de Estado, que então entraram na cidade destruída e saqueada. No dia seguinte, houve te-déum, e o monarca ofereceu um jantar aos chefes aliados.

Após a rendição de Uruguaiana e a saída de López da província argentina de Corrientes, a crença geral era que a guerra não iria durar muito. O ministério suspendeu o envio de voluntários. D. Pedro participou da ilusão. Um mês depois da rendição, escrevia à condessa de Barral: "Espero que até março esteja terminada a guerra como convém ao Brasil". O que se seguiu, no entanto, foi uma terrível agonia de mais de quatro anos, marcada por derrotas, crises políticas, conflitos entre chefes militares, desânimo da tropa. Em meio a tanta confusão, só o imperador não desistia do propósito de levar a guerra a um final honroso. A pior crise militar foi causada pela derrota em Curupaiti, em setembro de 1866, na qual pereceram milhares de aliados. Houve acusações mútuas entre comandantes argentinos e brasileiros, e entre os próprios brasileiros, sobre a responsabilidade pelo fracasso. O governo argentino quis negociar a paz e mudar o tratado. Outros países fizeram ofertas de mediação.

Mas o imperador não admitia negociação, nem mediação. "Meu brasileirismo aumenta com as dificuldades", escreveu a Barral em dezembro de 1866, e insistiu em maio de 67: a vitória "é questão de honra, e eu não transijo". A paz proposta seria "uma paz que nossa honra não nos permite". O tratado devia ser cumprido ao pé da letra: López tinha de ser deposto e expulso do país. Qualquer outra solução seria ofensiva aos brios nacionais. Pacifista radical por educação e convicção, d. Pedro se comportava como um beligerante radical. A justificativa para a intransigência, exposta em público e em particular, era sempre a honra do Brasil. O episódio do tenente paraguaio e a percepção generalizada sobre a natureza do governo de López podem ter contribuído para isso. Em janeiro de 1869, o monarca dizia a Paranhos:

> López e sua influência representam um sistema de governo com o qual não podemos ter segurança, ao menos enquanto os anos não operarem uma mudança. Cumpre, pois, destruir completamente essa influência, direta ou indireta, capturando ou expelindo López, por meio do emprego da força, do território paraguaio.

Um governo que combinava repressão e fanatismo só poderia ser destruído se seu chefe saísse do país. Mas, seja qual for a explicação, a dureza da posição do imperador permanece até hoje algo enigmática.

Divulgou-se, como explicação alternativa ou adicional, a versão de que haveria uma antipatia mútua entre d. Pedro e López. Este voltara de Paris encantado com Napoleão III, de quem recebera manifestações de apreço. Voltara também encantado com mais alguém, mme. Elisa Lynch, mulher irlandesa do francês Xavier de Quatrefages. Napoleão teria enfiado na cabeça do ambicioso López a idéia de criar outros impérios na América, além do brasileiro. Já enviara, aliás, tropas francesas para invadir o México e impor o príncipe Maximiliano como imperador do país. Segundo a versão, López teria ficado empolgado com a perspectiva de se transformar num imperador do Prata. Há algumas evidências que tornam a hipótese plausível.

Mas a continuação da história é menos plausível. Como parte do sonho imperial, López teria concebido a idéia de se casar com uma das princesas brasileiras, mais precisamente com a herdeira do trono, Isabel. Sua pretensão não teria merecido boa acolhida em São Cristóvão. Na mesma Fala do Trono de 1865, em que d. Pedro anunciou a guerra contra o Paraguai, participou ainda ao Congresso o casamento das duas princesas com nobres europeus. López teria ficado ofendido com a rejeição. Esse pedaço da versão, desenvolvido por um biógrafo americano de Elisa Lynch em livro de 1938, não tem sustentação documental alguma. Não há nada nos arquivos do Brasil que confirmem o desejo de López e a recusa brasileira. No entanto, é preciso reconhecer que, se a história não é vera, é *bene trovata*. Em conseqüência do desastre de Curupaiti, d. Pedro sugeriu ao presidente do Conselho de Ministros, Zacarias de Góis e Vasconcelos, a nomeação de Caxias para o comando brasileiro. Acontece que, na época, muitos chefes militares eram também chefes políticos ou, se não chefes, pelo menos ligados aos dois partidos. Na Marinha, por exemplo, o almirante Joaquim José Inácio, visconde de Inhaúma, era conservador, Tamandaré era liberal. No Exército, o general Osório era ligado aos liberais e, depois da guerra, fez parte de um ministério liberal. Caxias pertencia ao núcleo central do Partido Conservador, a "pequena igrejinha", como dizia, e já presidira a um ministério conservador. Zacarias chefiava um gabinete de progressistas e liberais, a quem repugnava a nomeação do general conservador. Além disso, o ministro da Guerra, Ferraz, tornara-se inimigo pessoal de Caxias durante a viagem do imperador a Uruguaiana. Ângelo Muniz da Silva Ferraz foi, aliás, uma figura curiosa entre os políticos imperiais. De temperamento expansivo, bastante eficiente, era tido, porém, como um tanto destrambelhado. Sobre ele se dizia: "Ângelo Muniz não sabe o que diz; da Silva Ferraz não sabe o que faz". Mas soube muito bem que tinha de sair do ministério para abrir espaço para o inimigo.

Nem assim a convivência do general com o gabinete foi pacífica. Na frente de batalha, como comandante primeiramente das tropas brasileiras, depois das forças aliadas, Caxias foi obrigado a uma longa interrupção da campanha para reorganizar os exércitos, redefinir a estratégia, montar a logística. Em abril de 1867, d. Pedro reconhecia em carta a Barral que "o entusiasmo vai arrefecendo". Mas logo em maio insistia que acabar a guerra "é questão de honra, e eu não transijo". Em dezembro, mandou a Zacarias autorização para que o Tesouro Nacional descontasse a quarta parte de sua dotação como contribuição às finanças da guerra, o mesmo fazendo a imperatriz.

Em 1868, teve algumas alegrias. Em fevereiro, por ocasião da passagem de Humaitá, escreveu à condessa: "Não faz idéia do contentamento, que eu diviso com tamanho prazer, em todos os rostos, quando ando pela cidade". Em julho, a tomada da fortaleza de Humaitá e a presença de Barral, já viúva, no Rio de Janeiro operaram a junção de duas de suas paixões, o Brasil e a condessa. Dez anos mais tarde, ainda se lembraria desse momento em carta à amante: "Que bom tempo o da tomada de Humaitá! Nunca fui tão feliz como então".

As escaramuças entre Caxias e o gabinete desaguaram na mais grave crise política do Império, verificada em julho de 1868. Jornais da corte, inclusive alguns ligados ao governo ou por este subsidiados, alfinetavam Caxias culpando-o pela lentidão da guerra. O general queixou-se das críticas e ainda reclamou do presidente do Conselho de Ministros por passar por cima de sua autoridade. Julgando que já não contava com a confiança do gabinete, condição que estabelecera para aceitar o cargo, e dizendo-se enojado da "guerra de alfinete" que lhe moviam, pediu demissão. O presidente do Conselho fez a mesma coisa, criando um impasse que foi levado ao Conselho de Estado. Numa primeira rodada de discussão, a maioria sugeriu que se tentasse uma conciliação entre os dois. D. Pedro perguntou, então, qual, não havendo conciliação, seria o mal menor, a saída do general ou a renúncia do ministério. Os conselheiros dividiram-se em partes iguais entre as alternativas. Apelos feitos a Caxias e a Zacarias conseguiram adiar a crise. Mas em julho, contra a vontade do monarca, Zacarias, alegando razões alheias à guerra, referentes à escolha de um senador, demitiu-se com todo o ministério. Contrariando prática estabelecida, não indicou ao chefe de Estado um sucessor. O gesto era maldoso, típico de Zacarias, um inimigo declarado do Poder Moderador. Deixou ao imperador a responsabilidade exclusiva da escolha do novo ministério. Sendo voz comum que d. Pedro queria a mudança de partido, a maldade tinha efeito garantido.

Foi o que aconteceu. Preocupado com o andamento da guerra e usando sua prerrogativa constitucional, Pedro II chamou os conservadores, terminando uma exclusão que durava desde 1862. Eles eram correligionários de Caxias, e dariam todo o apoio ao general, ao passo que tanto liberais históricos como progressistas queriam substituí-lo pelo conde d'Eu. Embora constitucional, a decisão provocou enorme celeuma. Os liberais acusaram o imperador de dar um golpe, e o Poder Moderador sofreu seu maior desgaste em todo o reinado. Mas para a condução da guerra a decisão foi positiva.

Contando agora com um ministério entrosado com Caxias, d. Pedro continuou sua incansável atuação. Já tinha dito a Barral em 6 de janeiro de 1868: "Como deve prever não tenho quase momento de meu". O calor do verão do Rio de Janeiro, já naquela época insuportável, não era estorvo à atividade dele: "Não me privo de trabalhar ainda que suando em bica". Sua correspondência com Cotejipe, novo ministro da Marinha, é uma coleção de bilhetes em que dá ordens, sugere e cobra medidas, pede informações, intromete-se em todos os assuntos da guerra, mesmo os mais miúdos. Exasperado, o ministro queixou-se em carta a Tavares Bastos: "S. M. o imperador constantemente me quebra a cabeça". Em dezembro, as tropas aliadas lançaram-se em fulminante ofensiva e derrotaram os paraguaios em três grandes batalhas. Em janeiro de 1869, estavam em Assunção.

Foi grande a euforia causada pelo feito, a do imperador maior que todas. Mas ela foi logo substituída por enorme desapontamento quando chegou a notícia de que Caxias decidira declarar a guerra terminada, abandonar o comando aliado e regressar ao Brasil. O general alegava que do ponto de vista militar a guerra já estava vencida, acrescentando razões de saúde. "Não lhe dou o direito de adoecer", escreveu-lhe irritado d. Pedro. Ao presidente do Conselho, Itaboraí, afirmou ser inconveniente o fim da guerra. López podia reunir mil homens e forçar o Brasil a negociar com ele "depois da afronta que ele nos fez e crueldades que praticou contra tantos brasileiros". Em carta particular a Osório, Caxias deu outras razões para seu comportamento: "Já estou safo do comando do Exército", e assinalou que não achava digno dele "dar caça ao López". O que restava era, de fato, isso: perseguir López em sua fuga com o que sobrara de suas tropas e capturá-lo. No entanto, a tarefa revelou-se muito mais difícil do que o próprio Caxias podia imaginar.

A saída do general provocou grande irritação em todo o governo, imperador e ministros. O aborrecimento não impediu que o marquês fosse premiado com o título de duque, o único dado no Brasil a pessoa não ligada à família real. Mas o dano fora feito. Houve um início de debandada de comandantes. Todos queriam vir embora. D. Pedro teve de mandar o genro, o conde d'Eu, para terminar a guerra. Falava em favor do conde o fato de ter tido experiência militar na Europa e por várias vezes já ter pedido permissão para ir ao Paraguai. Quem não gostou da idéia foi a princesa Isabel, preocupada com a saúde do marido. Escreveu ao pai: "Pelo amor de Deus, não me mande meu Gaston para o Sul, pois Papai sabe que [...] tem uma bronquite crônica. Meu Papaizinho, tenha dó de mim!". A caça a López prorrogou a guerra por mais de um ano, até março de 1870. O governo teve dificuldades com o próprio conde, que, a certa altura, quis voltar ao Brasil à frente dos batalhões vitoriosos, faturando o êxito em seu proveito. O imperador precisou intervir chamando-o à responsabilidade: "Estou certo", escreveu-lhe, "de que você não me abandonará nesta empresa de honra". Ao ministro da Guerra, apontou o grande mal que faria a retirada do conde. Já bastavam os prejuízos causados pela saída de Caxias.

As tropas brasileiras continuaram a caçada a López, que agora contava com apenas uns trezentos soldados válidos. Seu filho Panchito, de quinze anos, fora nomeado chefe de estado-maior. Na fuga, arrastava todos que podia para impedir que caíssem em mãos do inimigo. Mandava fuzilar ou lancear os que tentavam desertar e os que não podiam prosseguir na marcha, inclusive mulheres e crianças. Outros foram mortos acusados de participar de suposta conspiração para envenenar o generalíssimo. Entre os suspeitos estavam o irmão Venancio López, duas irmãs, Inocência e Rafaela, e a própria mãe, Juana Carrillo. Venancio, depois de açoitado e despido, foi arrastado até morrer de exaustão. As irmãs foram torturadas para revelar os participantes da conspiração. A mãe foi presa e sujeita a maus-tratos. Um voluntário brasileiro anotou em seu diário a situação dramática em que se achava a população do país. Milhares de mulheres e crianças escondiam-se nas matas para não ser forçadas a acompanhar López em sua fuga. Seminuas, recebiam os soldados brasileiros com festas. Ganhavam roupas e comida, e se juntavam à tropa.

Em 1º de março de 1870, a tropa do general Câmara encontrou o acampamento do inimigo. Após breve luta, López fugiu a cavalo. Foi alcançado e lanceado no ventre pelo cabo gaúcho José Francisco de Lacerda. Arrastou-se até as margens do riacho Aquidabanigui. O general ordenou-lhe que se rendesse. Respondeu: "Morro com a minha espada e pela minha pátria". Foi desarmado por um soldado, mas, sem ordem do general, outro soldado lhe deu um tiro fatal. Pedro II não gostou do desfecho. Parecia execução. Achava que López poderia ter sido feito prisioneiro, não lhe desejava a morte. Depois de levar o país à ruína com seus loucos sonhos de grandeza e lutar com obstinação, López morreu com dignidade e bravura, dando talvez razão ao imperador em sua percepção de que, enquanto permanecesse no Paraguai, ou enquanto fosse vivo, seria capaz de manter acesa a chama do combate.

Houve, naturalmente, grandes celebrações no Rio de Janeiro assim que chegou a notícia da morte de López. O imperador sentiu de novo o calor do aplauso popular ao percorrer as ruas da cidade apinhadas de gente. Era um imenso alívio. Apostara tudo numa vitória que fosse honrosa para o país e para ele próprio. Trabalhara obsessivamente, interviera no jogo partidário a um alto custo para a legitimidade do Poder Moderador, lutara contra o desânimo de aliados e de brasileiros, tivera de mediar conflitos entre generais brasileiros, entre ministros, entre generais e ministros. E realizara tudo isso para fazer algo que detestava, a guerra.

É o caso de se perguntar se não se teria arrependido da insistência no cumprimento literal do Tratado da Tríplice Aliança. Não há indicações de que isso tenha acontecido. Certamente não o fez logo após a guerra. Na Fala do Trono de 1870, lida perante a Assembléia Geral em 6 de maio, declarou aos deputados: "A história atestará em todos os tempos que a geração atual mostrou-se constante e inabalável no pensamento unânime de desagravar a honra do Brasil". Não parece também se ter arrependido ao longo do resto da vida. Já no exílio, anotou no diário do dia 11 de junho de 1891, aniversário da Batalha do Riachuelo: "Firmava-se [com a vitória] a civilização na bacia do Prata e tudo devido ao meu Brasil". E acrescentou: "Vivi durante esses quase cinco anos quase o duplo; o triplo quereria eu sempre viver para servi-lo, esteja onde estiver". No ano anterior, a propósito do aniversário do fim da guerra, escrevera ao marquês de Paranaguá dizendo que tinha sido a melhor época de sua vida, cheia de glória para o Brasil, embora desejasse que não tivesse sido tão gravosa para o país.

Mas recusou sempre qualquer homenagem pessoal relacionada com a guerra. Não aceitou a espada de López e outros objetos que lhe tinham mandado. Quando a Câmara votou 36 contos para a construção de um monumento em sua homenagem, rejeitou a proposta. Não aceitou oferta semelhante feita pelos comerciantes da praça do Rio de Janeiro, de arrecadar dinheiro para lhe erigir uma estátua eqüestre em uniforme e postura militar. Sugeriu que os recursos eventualmente arrecadados fossem destinados à construção de escolas. De fato, nada lhe seria mais constrangedor do que ter a imagem perenizada como herói militar. Tal imagem convinha a seu pai, cuja estátua inaugurara em 1862. A honra ficaria agora reservada a Caxias, Osório e Tamandaré, cujas estátuas, erguidas mais tarde, povoam as ruas da antiga corte.

Testemunho inequívoco do patriotismo do imperador, a guerra serviu também como poderoso instrumento de construção da identidade brasileira. Antes dela, nenhum episódio havia unido tanto tantos brasileiros contra um inimigo comum. Calcula-se que 135 mil soldados, vindos de todas as províncias, participaram da guerra. As lutas da independência, marcadas por forte antilusitanismo, tinham se restringido a cidades costeiras, onde os portugueses controlavam cargos e comércio. As grandes revoltas da Regência eram, na maioria, separatistas. O ódio aos ingleses das primeiras décadas do Segundo Reinado era insuflado por traficantes e proprietários de escravos. A Questão Christie deveu-se a um criador de caso e durou pouco.

Na guerra contra o Paraguai não havia ambigüidade, enfrentava-se um inimigo que invadira o país em duas províncias e cometera atrocidades contra brasileiros e brasileiras. A ofensa era ao Brasil inteiro. Quando se fez o apelo ao voluntariado, em 1865, a resposta veio de todas as províncias e de todas as classes. No Rio de Janeiro, um parente dos riquíssimos Breves se apresentou. No Piauí, a cearense Jovita Feitosa cortou o cabelo, vestiu-se de homem e procurou o serviço de recrutamento, alegando que queria lutar contra os monstros paraguaios que tantas ofensas tinham feito a suas irmãs brasileiras durante a invasão de Mato Grosso. Foi chamada de Joana d'Arc brasileira.

Na Bahia, um negro livre, Cândido Fonseca Galvão, inspirado, segundo alegou, "pelo sacrossanto amor do patriotismo", reuniu trinta voluntários e com eles se apresentou para "defender a honra da pátria tão vilmente difamada". Ao regressar da guerra como alferes honorário, passou a viver no Rio de Janeiro, intitulando-se Príncipe Obá II d'África, e nessa condição misturava-se aos diplomatas que iam a São Cristóvão para as audiências com o imperador. Em Pitangui, interior de Minas, uma jovem vestida de índia entregou a bandeira nacional a um grupo de voluntários formado de filhos de famílias de boa posição social.

Os símbolos nacionais, bandeira e hino, foram valorizados. O hino era tocado por ocasião do embarque de tropas, a bandeira auriverde tremulava à frente dos batalhões e nos mastros dos navios. O fervor patriótico manifestou-se de modo particular em 1869, quando o compositor americano Louis Moreau Gottschalk, em visita ao Rio de Janeiro, compôs a "Marcha solene brasileira", nela incluindo o *Hino nacional*. Para executá-la, organizou um concerto-monstro de 650 músicos. O palco do Teatro Lírico, cujo pano de fundo era formado pelas bandeiras do Brasil e dos Estados Unidos, não comportou a multidão tomada de entusiasmo cívico. Na platéia estava, naturalmente, o imperador. Como na Questão Christie, no transcorrer da guerra a figura do chefe de Estado foi identificada com a nação. As revistas ilustradas registravam, mas também induziam, essa percepção, ao representá-lo como um índio, símbolo da nacionalidade.

Nada disso impediu que a guerra, à medida que se prolongava além de todas as expectativas, despertasse dúvidas e reações negativas na população e na elite. Os voluntários escasseavam, e o ministro Cotejipe desabafou em carta ao visconde do Rio Branco: "Que guerra bárbara e impolítica!". O impacto do conflito sobre o país foi imenso. Além de afetar as finanças públicas pelo aumento da dívida externa, levou à crise política de 1868, deslanchou a questão da abolição, provocou o corporativismo militar e deu forças ao republicanismo. Abolição, militarismo e republicanismo foram três dos principais fatores da queda da monarquia. O custo físico para o imperador foi visível. O enorme esforço despendido durante o conflito fez com que, no final da guerra, aos 45 anos, ele parecesse um velho. As barbas e os cabelos louros tinham embranquecido, o rosto já trazia os sinais precoces do ancião que o marcariam nos últimos anos do regime.

Sem traço algum de belicosidade, antes saturada de sentimento, foi a manifestação de amor ao Brasil exibida pelo imperador após a deposição. Em nenhum lugar, a nenhum propósito, ele permitiu que se criticassem o novo governo e o país. Estoicismo e patriotismo caracterizaram então sua postura. Num dos inúmeros sonetos que escreveu nessa época, declarou nos dois últimos versos, lembrando o poeta clássico português Antônio Ferreira:

> *E só aspiro a dizer, como ninguém*
> *à minha pátria amei e à minha gente.*

O amor à pátria lhe foi reconhecido por todos, amigos e inimigos, por ocasião da morte. A encomenda que fez de um punhado de terra brasileira sobre o qual descansar a cabeça depois de morto não resultou de demagogia, nem de sentimentalismo barato. Era pobre consolo por ser obrigado a morrer e ser enterrado longe da pátria. Ironicamente, escrevera a Barral a 29 de outubro de 1877 sobre "nossa pátria que amo cada vez mais talvez mesmo por causa dos defeitos de nossa gente".

16. Um fantasma: o Manifesto Republicano

Mal terminara a guerra externa, clarins de uma guerra interna se fizeram ouvir. Uma das conseqüências da mudança de gabinete de 1868 foi provocar forte reação dos progressistas e liberais históricos. Os dois grupos se deram uma trégua e se uniram contra o novo ministério vermelho, isto é, de conservadores ortodoxos. A primeira coisa que fizeram foi não participar da eleição seguinte. A segunda foi criar um Centro Liberal, inaugurado com a publicação de um longo manifesto, em março de 1869. Entre os signatários, salientavam-se, pelo lado progressista, o senador Nabuco de Araújo, principal redator do texto, e, pelos liberais históricos, Teófilo Otoni. O manifesto tachava a mudança de 1868 de golpe de Estado e acusava o novo ministério de exercer uma ditadura, sob a proteção do Poder Moderador. O programa, divulgado logo a seguir, listava várias reformas julgadas indispensáveis. Entre elas, a eleitoral, com voto direto nas cidades de mais de 10 mil habitantes; a judiciária, para separar as funções judiciárias das policiais;

a abolição do recrutamento e da Guarda Nacional; e o início do processo de abolição pela libertação do ventre. O manifesto concluía com a disjuntiva um tanto bombástica: "Ou a reforma, ou a revolução: a reforma para conjurar a revolução".

Paralelamente, um grupo mais radical editava desde 1866 um jornal intitulado *Opinião Liberal*. Após a crise de 1868, o grupo, que era formado em boa parte por uma nova geração de bacharéis, evoluiu para a criação de um Clube Radical e começou a publicar jornais como o *Correio Nacional* no Rio de Janeiro e o *Radical Paulistano* em São Paulo. Os radicais tomaram também uma interessante iniciativa, palestras públicas chamadas de Conferências Radicais. Houve conferências na capital, em São Paulo e no Recife. A lista de reformas desse grupo era extensa, incluindo a abolição do Poder Moderador, do Conselho de Estado, do Senado vitalício e da escravidão, bem como a introdução da eleição direta, até mesmo dos presidentes de província. Foi a proposta de reforma mais radical apresentada durante o Segundo Reinado.

Em dezembro de 1870, o Clube Radical decidiu transformar-se em Clube Republicano. No dia 3 desse mês, apareceu o jornal A *República*, que continha o manifesto do novo partido. O documento fazia uma extensa retrospectiva do que julgava ser as mazelas do regime monárquico, incorporando as críticas dos liberais e dos radicais. Usava declarações dos monarquistas contra o poder pessoal do imperador, mas ia além, declarando o próprio sistema monárquico incompatível com a democracia, entendida essa como eleição dos governantes. Como contribuição específica, incluía uma longa seção sobre o federalismo. Não falava em abolição da escravidão, e propunha a convocação de uma Assembléia Constituinte para proclamar o novo regime. A disjuntiva agora era: centralização, desmembramento; descentralização, unidade. Assinaram o manifesto 57 pessoas, a maioria profissionais liberais desconhecidos no mundo político. Apenas oito tinham sido deputados gerais ou presidentes de província.

A partir da publicação do manifesto, clubes radicais de outras províncias também aderiram ao republicanismo. O movimento teve maior desenvolvimento em São Paulo, onde realizou, em abril de 1873, uma convenção na cidade de Itu e, logo a seguir, um congresso na capital. Muito mais pragmáticos do que os republicanos do Rio de Janeiro, os paulistas já organizaram o congresso em bases federativas e não lançaram manifesto, fizeram logo um projeto de Constituição para São Paulo. Mas tentaram justificar a decisão de não tomar posição em face do problema da abolição. Disseram que se tratava de questão que, antes de tudo, devia ser resolvida pelos partidos monárquicos. Se, eventualmente, coubesse aos republicanos enfrentá-la, isso seria feito federativamente, por província, e com base no princípio da indenização. A cautela era compreensível, pois boa parte dos 29 membros do congresso era composta de fazendeiros proprietários de escravos, como era o caso do futuro presidente da República, Campos Sales, representante de Campinas. A partir da fundação dos clubes e jornais republicanos o movimento teve evolução lenta e irregular, concentrada nas províncias ao sul da Bahia. Em 1878, um duro golpe atingiu o movimento quando um dos signatários do manifesto de 70, Lafaiete Rodrigues Pereira, aceitou a presidência do Conselho de Ministros.

O imperador não deu muita importância ao manifesto e ao movimento. O presidente do Conselho na época, marquês de São Vicente, lembrou-lhe que, tendo em vista a publicação do documento, devia-se adotar a norma de não nomear republicanos para empregos públicos. Nenhum país, argumentou, nem mesmo a Inglaterra, admitia no serviço público inimigos das instituições. D. Pedro respondeu que o país devia governar-se como achasse melhor. São Vicente insistiu, alegando que a monarquia era dogma da Constituição que o monarca jurara manter. D. Pedro não se deu por achado: "Se os brasileiros não me quiserem para seu imperador, irei ser professor". Durante o ministério Rio Branco, houve assalto à tipografia do jornal *A República*, suspeitando-se de conivência da polícia. Como sempre fazia nesses casos, o imperador condenou o ato e exigiu o castigo dos criminosos. Sua posição em relação ao regime republicano até o final do reinado foi de estranha simpatia. Talvez mais do que simpatia. Segundo Rebouças, ele teria dito a Antônio Prado: "Eu sou republicano. Todos o sabem. Se fosse egoísta, proclamava a república para ter as glórias de Washington".

17. O cancro social

Uma das heranças da guerra foi a inauguração de nova fase na luta abolicionista. A escravidão, como a definiu José Bonifácio, era o cancro que roía as entranhas da sociedade brasileira. A imagem era apropriada. A escravidão, além de sustentar a produção agrícola e os serviços urbanos, perpassava a vida social de alto a baixo. Não havia no Brasil território livre de escravidão, como havia nos Estados Unidos. Norte e Sul, Leste e Oeste, cidade e campo, eram escravistas. E, como escreveu Joaquim Nabuco, a escravidão não tinha preconceito de cor. Até mesmo libertos costumavam possuir escravos, e houve casos de escravos donos de escravos. Testemunho da força da escravidão é o fato de que nenhuma das muitas revoltas regenciais propôs sua abolição geral. Quando os malês se rebelaram em 1835, buscavam a liberdade apenas para os irmãos de fé muçulmana.

Tocar no assunto era quase tabu. José Bonifácio foi dos poucos homens públicos, até a década de 1850, que teve a coragem de atacar diretamente o regime escravista. Sua representação à Assembléia Geral Constituinte, escrita em 1823 mas só publicada em Paris em 1825 por causa da dissolução da Assembléia, honra a memória dele. No texto, que se tornou um clássico de nosso pensamento social, argumentava que a escravidão era incompatível com o cristianismo, apesar de praticada pelo clero católico, com a justiça, com o direito natural, com a defesa nacional, enfim, com a construção de uma nação. Salientou, particularmente, a incompatibilidade entre escravidão e a formação de um exército e de uma armada poderosos.

As primeiras medidas contra o tráfico foram tomadas sob pressão direta da Inglaterra. Foi o caso do tratado de abolição do tráfico assinado com esse país em 1826, do qual resultou a lei de 31, que abolia o comércio negreiro. O governo da Regência não se empenhou na aplicação da lei. Em represália, a Inglaterra voltou a pressionar o Brasil, agora com recurso a métodos violentos. Em 1845, um ato legislativo, o Bill Aberdeen, autorizou a marinha inglesa a apreender navios suspeitos de tráfico, mesmo que fosse em águas territoriais brasileiras. Foi por essa época que d. Pedro II começou a tomar posição em relação ao problema. Quando o ministério conservador, sob a liderança de Eusébio de Queirós, decidiu, afinal, acabar com o tráfico, ele o apoiou. A luta era particularmente difícil, porque traficantes e proprietários utilizavam a intervenção inglesa para excitar os brios nacionais.

Por ocasião do último desembarque, feito em Serinhaém, Pernambuco, em 1855, d. Pedro apoiou as medidas drásticas adotadas pelo ministro da Justiça, Nabuco de Araújo. O ministro mudou o presidente da província, mandou invadir engenhos e processar seus donos, e afastou três desembargadores da Relação de Pernambuco que tinham votado pela absolvição dos acusados. Fora do campo da política, sua antipatia pelos traficantes manifestava-se no fato de se recusar a lhes conceder títulos de nobreza. Em meio às dezenas de barões do café do Rio de Janeiro, não há um Breves, reconhecidamente envolvidos no tráfico e os maiores proprietários de escravos da província.

Iniciativas mais enérgicas começaram no final da Guerra de Secessão. Em janeiro de 1864, d. Pedro mandou instruções ao presidente do Conselho, Zacarias de Góis, dizendo-se preocupado com o que se passava nos Estados Unidos e sugerindo que o Brasil iniciasse o processo abolicionista com uma lei de libertação do ventre. No ano seguinte, a irmã d. Francisca insistiu no tema, escrevendo da Europa e afirmando que esse era também o pensamento da condessa de Barral. Ainda nesse ano, em conversa particular com Louis e Elizabeth Agassiz, o monarca declarou enfaticamente: "A escravidão é uma terrível maldição sobre qualquer nação, mas ela deve, e irá, desaparecer entre nós". A imperatriz falou no mesmo sentido. Os Agassiz anotaram no diário de viagem: "Se o seu poder igualasse a sua vontade, a escravidão desaparecia do Império de um só golpe". A superveniência da Guerra da Tríplice Aliança no fim desse ano adiou a discussão. Mas essa mesma guerra reforçou a postura abolicionista do imperador. Em carta a Barral, de 23 de novembro de 1866, anunciou a partida para a guerra de 260 forros e acrescentou: "Tomara que já se possam libertar todos os escravos da nação, e providenciar a respeito da emancipação dos outros. Há de se lá chegar e grande será minha satisfação".

Solicitou, então, a seu constitucionalista preferido, o senador Pimenta Bueno, na época visconde de São Vicente, que redigisse projetos de lei abolicionistas. São Vicente apresentou-lhe em janeiro de 1866 cinco projetos que se tornaram a base para a futura lei da libertação do ventre escravo. Foram levados ao Conselho de Ministros, cujo presidente, o marquês de Olinda, era visceralmente contra a discussão do tema, e não tomou providências. Nesse mesmo ano, quinze membros do

Comitê para a Abolição da Escravidão fizeram um apelo ao imperador pela libertação dos escravos, desejando que o Brasil deixasse de ser em breve "a última terra cristã manchada pela servidão". Entre os signatários estavam grandes nomes da Academia Francesa, como o conde de Montalembert e Albert de Broglie, e do Instituto de França, como Augustin Cochin e François Guizot, este também presidente de honra do Comitê. D. Pedro redigiu a resposta, a qual foi assinada por Martim Francisco, ministro dos Negócios Estrangeiros do ministério de Zacarias de Góis, que sucedera ao de Olinda. O texto da resposta dizia, em resumo, que a abolição era questão de forma e de oportunidade, e que, passada a guerra, seria prioridade do governo. O efeito, segundo Joaquim Nabuco, foi o de um raio em céu sem nuvens. A muitos soou como um sacrilégio histórico, uma loucura dinástica, um suicídio nacional.

O Conselho de Estado foi chamado a opinar. Apenas um conselheiro não julgou a medida inoportuna por causa da guerra. Houve críticas diretas ao imperador pela precipitação da iniciativa. O mesmo Rio Branco que quatro anos depois faria aprovar a Lei do Ventre Livre afirmou: "Não há entre nós um partido que tomasse a peito a abolição da escravidão. Ninguém supunha essa medida tão próxima". Nem os mais afoitos, acrescentou, agitariam a questão em situação de guerra, se não fosse pela iniciativa imperial. Ao dizer isso, pediu vênia: "Vossa Majestade Imperial permitir-me-á essa franqueza".

O ataque mais elaborado ao imperador e a mais explícita defesa da escravidão vieram da pena do romancista José de Alencar. Alencar publicou em 1867 uma série de cartas sob o título *Ao imperador. Novas cartas políticas de Erasmo*. Três delas foram dedicadas ao problema da escravidão e à crítica da iniciativa imperial. O monarca, segundo o autor de *Iracema*, queria agradar aos filantropos europeus à custa dos interesses nacionais. A escravidão, argumentava, era um fenômeno histórico que não podia ser resolvido a golpes de lei. Ela desempenhou sempre na história um papel civilizador e desapareceu quando essa função foi cumprida. No Brasil ainda constituía fator indispensável de nossa civilização. Quando se tornasse desnecessária, desapareceria por si. Os países europeus não tinham moral para nos criticar, pois mantiveram a escravidão por muito tempo em suas colônias. E seus filantropos eram hipócritas: combatiam a escravidão, mas fumavam charutos cubanos e bebiam café do Brasil, dois produtos do trabalho escravo.

É provável que, além da Guerra de Secessão, nossa própria guerra contra o Paraguai tenha acarretado a iniciativa de Pedro II. O visconde do Rio Branco, ao defender o projeto na Câmara, confessou que a permanência da instituição odiosa era motivo de constrangimento e humilhação para os brasileiros nos contatos com os aliados e com o inimigo. É plausível, como supõe Nabuco, que a mesma sensação tenha afetado o imperador. Acresça-se a isso a dificuldade de recrutamento. À medida que a guerra se prolongava, o voluntariado escasseava e o recrutamento se tornava cada vez mais difícil. Em 1866, o governo decidira conceder liberdade aos escravos da nação designados para o serviço militar e premiar quem oferecesse libertos ao Exército. De novo, houve críticas no Conselho de Estado. Vários conselheiros opinaram que essas medidas iriam agitar a escravatura, provocando, eventualmente, rebeliões e até uma guerra civil. Nesse caso, com as tropas no exterior, a frente interna ficava desprotegida. Confirmava-se o diagnóstico de José Bonifácio, a escravidão era obstáculo à defesa nacional.

O ministério do progressista Zacarias concordou, em 1867, em incluir o tema na Fala do Trono. Houve novo escândalo. Mas o assunto morreu no ano seguinte, quando os conservadores foram chamados ao poder sob a chefia do visconde de Itaboraí. O visconde, como Olinda, era totalmente infenso à discussão da questão. Findo o conflito, no entanto, d. Pedro voltou à carga. O gabinete de Itaboraí não admitiu incluir o tema na Fala do Trono de 1870. Seguiu-se um jogo de astúcias entre o monarca e o presidente do Conselho. Vendo-se em posição contrária à de d. Pedro, Itaboraí decidiu pedir demissão. Cabia a ele indicar um sucessor. Indicou Caxias, o imperador respondeu que estava velho e doente; indicou Rio Branco, o imperador argumentou que já era do ministério. Como corressem boatos de que d. Pedro queria São Vicente, o autor dos projetos abolicionistas, indicou-o. O imperador aceitou com entusiasmo.

São Vicente era bom de projeto, mas ruim de política. Não conseguiu convencer a Câmara, unanimemente conservadora. De política, e de muito mais, era bom Rio Branco, a essa altura, terminada a guerra, já convertido à causa abolicionista. Chamado para substituir São Vicente, enfrentou a oposição feroz dos próprios aliados do ministério. Na Câmara, os debates foram os mais longos e violentos que jamais houve. Toda a sessão de 1871 foi tomada pelas discussões. O presidente do Conselho teve de usar toda a sua extraordinária energia e sua capacidade de liderança para convencer os deputados, pois influentes chefes conservadores e liberais opunham-se à proposta. Os deputados tinham de ser acompanhados de perto. João Alfredo, ministro do Império e futuro autor da Lei Áurea, os arrebanhava em suas casas para forçá-los a votar. Rio Branco pronunciou 21 discursos nas duas casas do Parlamento. Em algumas ocasiões, o debate degenerou em pugilato.

Fora do Congresso, a reação veio, sobretudo, das províncias do Rio de Janeiro, São Paulo, Minas Gerais e Espírito Santo, que, juntas, concentravam 57% do total de 1,5 milhão de escravos existentes no país. Os proprietários de escravos dessas províncias esqueceram suas divergências políticas e se mobilizaram para combater a proposta. Organizaram encontros e enviaram dezenas de representações à Câmara. Fundou-se no Rio, em reunião de seiscentas pessoas, um Clube da Lavoura e do Comércio para se opor ao projeto. Seu representante na imprensa era o republicano Cristiano Otoni, irmão de Teófilo.

Renovaram-se as acusações de que o projeto era de inspiração imperial e não nacional. Aliavam-se nas críticas conservadores dissidentes, liberais e republicanos. O conservador Andrade Figueira acusou o imperador de usar o projeto como carta de crédito para se apresentar à Europa na viagem que planejava fazer àquele continente. José de Alencar argumentou que a questão tinha sido levantada pelos liberais, que eles assumissem a responsabilidade de a enfrentar. O liberal Martinho Campos percebeu todo o alcance político do problema. Depois de elogiar a ilustração de d. Pedro, emendou: "Porém tem-se metido em tanta cousa! Para a monarquia viver na América é preciso que seja vencida nesta questão". O jornal A *República* combateu o projeto por ser de iniciativa imperial e não das câmaras; fora elaborado "nas trevas do palácio", à revelia da nação. Voltaram também as acusações de despotismo dirigidas contra o Poder Moderador. A situação era esdrúxula e revelava a ironia da representação política no Império. A se dar crédito às posições dos críticos, inclusive republicanos, o abolicionismo era o despotismo, o escravismo era a democracia.

O projeto passou na Câmara por 61 votos a 35 e foi aprovado no Senado com menor dificuldade. O imperador não teve a satisfação de sancionar a lei. No momento, já se achava na Europa, na primeira das três viagens que faria ao exterior. Sancionou-a a regente, princesa Isabel. O tema da abolição da escravidão só retornou às preocupações do monarca e à agenda do governo em 1884, quando novamente, e até a abolição final, se verificou o mesmo desencontro entre representação parlamentar e democracia.

18. Pelas estradas do Brasil e da Europa

D. Pedro II, ou antes, Pedro d'Alcântara adorava uma viagem. Tinha vocação de andarilho e uma vontade insaciável de conhecer novos lugares e pessoas. Na ânsia de ver tudo, viajava em correria desabalada, para o desespero dos acompanhantes. Escreveu diários de quase todas as viagens, pelo Brasil e pelo exterior. Neles anotava detalhadamente todos os passos, os locais visitados, a geografia, a temperatura, a altitude, as pessoas com quem falava e o assunto das conversas. Planejava com minúcias o roteiro e o seguia rigorosamente. Estudava com antecedência os lugares aonde ia, levava livros que os descreviam e conferia a exatidão das descrições. Os diários das viagens ao exterior pareciam relatórios para ser lidos pela condessa de Barral.

PELO BRASIL

As viagens dentro do Brasil tinham sentido político, as viagens ao exterior destinavam-se a saciar a fome imperial de conhecer países e pessoas. A primeira vez que d. Pedro saiu da corte foi para visitar o sul do Brasil, de São Paulo ao Rio Grande do Sul. O alvo principal era esta província, onde o Império acabara de selar as pazes com os líderes da Revolta Farroupilha, reintegrando o Rio Grande à comunhão brasileira. Tratava-se de prestigiar a província e reforçar sua lealdade ao Império. É provável que tenha viajado a conselho de Caxias, o pacificador da revolta. Saiu em outubro de 1845, acompanhado da imperatriz e de alguns ministros, e voltou em abril de 46. Foram quase sete meses na estrada. No Rio Grande do Sul, recebeu os cumprimentos de Bento Gonçalves, chefe da Farroupilha. David Canabarro, general legalista, que se achava adoentado, mandou um tio para cumprimentar o imperador em seu nome.

Em 1847 e 1848, viajou pela província do Rio de Janeiro, visitando Campos, terra dos engenhos de açúcar, e o Vale do Paraíba, o eldorado do café. Era uma barretada aos barões do açúcar e do café, alguns dos quais receberam o título durante a visita. Na década de 1840, o café assumira a liderança na pauta de exportação do país, desbancando o açúcar. Os senhores de engenho e fazendeiros de café esmeraram-se em exibir sua riqueza e hospitalidade, oferecendo ao casal imperial recepções de luxo e grandes bailes. Na Fazenda do Secretário, o capricho foi maior, com um toque de nativismo. Os proprietários organizaram um baile em que sessenta senhoras vestiam fantasias com as cores nacionais e traziam um ramo de café preso aos cabelos.

Em 1859, durante o recesso parlamentar, foi a vez de visitar o Norte. No século XIX, o país se dividia em Norte, da Bahia para cima, e Sul, daí para baixo. Foram quatro meses de andanças, do Espírito Santo à Paraíba. Além da imperatriz, levou o amigo de infância, Luís Pedreira do Couto Ferraz, que daí em diante passou a acompanhá-lo em todas as viagens. A comitiva incluía ainda o camarista, o mordomo, um médico e um padre. Apesar de ser viagem oficial do chefe de Estado, todas as despesas, até mesmo as dos acompanhantes, foram pagas pela mordomia da Casa Imperial, que teve de levantar um empréstimo de sessenta contos de réis junto à firma Antônio José Alves Souto e Cia. O comandante da esquadrilha de navios que levou os viajantes era o vice-almirante Joaquim Marques Lisboa, futuro marquês de Tamandaré.

Toda a viagem foi minuciosamente descrita num diário. A chegada a Salvador foi triunfal. Centenas de embarcações, navios, saveiros, escaleres, canoas, receberam os visitantes na baía de Todos os Santos. Na cidade, bandeiras nacionais enfeitavam as ruas, meninas jogavam flores, a multidão gritava vivas. Houve discursos, leitura de poemas, beija-mão, banquetes. A hospedagem foi no palácio do governo. Para alívio do presidente da província, a conta também foi paga pelo imperador. À noite, a cidade iluminou-se, e multidões invadiram as ruas ao som de foguetes. Um observador anotou que nunca houvera tanto movimento e tanto entusiasmo na primogênita de Cabral.

Livre das cerimônias oficiais, que mal suportava, o imperador dedicou-se ao que se tornou a marca registrada de todas as suas viagens, no Brasil e no exterior, com o devido registro no diário: visitas a igrejas, conventos, hospitais, fábricas, cemitérios, escolas, prisões, quartéis. Em cada local, anotava as condições dos prédios, a situação do pessoal, a qualidade da administração, a eficiência do administrador. Em instituições de caridade, fazia doações, também do próprio bolso. Na escola de aprendizes marinheiros, criticou a discriminação racial do responsável: "O intendente mostra-se avesso à admissão dos de cor, o que não convém de nenhum modo", e tomou café com os meninos. Na Faculdade de Medicina assistiu a aulas e questionou lentes. Examinou alunos nas escolas particulares e no Ginásio Bahiano de Abílio César Borges. No Instituto Histórico local, ouviu apresentações que considerou ruins. No teatro, foi aplaudido por quinze minutos, mas não gostou do repertório: "Cantaram mal o Rigoletto, e a orquestra também não presta", registrou no diário. E traiu-se, acrescentando uma rara observação: "Não vi nenhuma cara de senhora que chamasse a atenção". Para sorte sua, só muito mais tarde os baianos tomaram conhecimento dessas notas.

Na cachoeira de Paulo Afonso, quiseram fazer uma coleta de dinheiro para erguer um monumento que registrasse a visita. Como faria depois em outras ocasiões, d. Pedro sugeriu que o dinheiro fosse aplicado em fins mais úteis, como a melhoria do acesso ao local. Concedeu uma bolsa de estudos ao filho do guia para que pudesse cursar engenharia no Rio de Janeiro e mais tarde em Paris. Visitou Pirajá, onde houve a batalha que decidiu a independência da Bahia. De volta a Salvador, almoçou com 71 veteranos da luta da independência. Trajavam a farda da época, acrescida da faixa "Independência ou Morte". Sobre eles, anotou: "Conservam ainda puro o entusiasmo da liberdade". Depois de percorrer várias cidades do Recôncavo, sempre recebido com entusiasmo, retornou a Salvador para a distribuição da mais importante moeda simbólica das monarquias, avidamente disputada pela elite baiana: títulos nobiliárquicos, comendas, ordens honoríficas.

O mesmo ritual repetiu-se nas províncias de Alagoas, Sergipe, Paraíba e Pernambuco. Nesta, alongou a visita. À importância da província, acrescentava-se o fato de ter sido a última que se rebelara, e isso havia apenas dez anos. Achou o Recife muito poeirento, mas as festas foram tão imensas como em Salvador, incluindo um baile para 2 mil convidados. Encontrou-se com o cônego Muniz Tavares, historiador da revolta pernambucana de 1817. No interior, além de ir a diversos engenhos da grande aristocracia da província, visitou, numa barretada ao nacionalismo pernambucano, o Campo de Guararapes, local da vitória sobre os holandeses. Foi também à localidade de Tamandaré, agora como uma delicadeza com o vice-almirante Joaquim Marques Lisboa, que o acompanhava. No lugar, estava enterrado um irmão do oficial, morto na repressão à Confederação do Equador. O irmão lutara ao lado dos rebeldes, contra d. Pedro I. No ano seguinte, Joaquim Marques Lisboa teve razão para lhe ficar ainda mais penhorado, quando recebeu o título de barão de Tamandaré. A amizade entre Tamandaré, elevado a marquês em 1887, e o imperador sobreviveu à proclamação da República e ao exílio.

Na viagem de volta, teve um encontro curioso no Espírito Santo com o arquiduque Maximiliano da Áustria, seu primo-irmão. Passados sete anos, o arquiduque seria fuzilado no México, depois de se envolver no insensato projeto de Napoleão III de criar uma monarquia na América do Norte. Visitou ainda São Paulo, em 1878; Paraná, em 80; Minas Gerais, em 81, 85 e 89. Deixou de conhecer apenas as regiões que hoje se chamam de Norte e Centro-Oeste.

"VIVA O PATACO!"

A visita de 1881 a Minas Gerais merece registro pelas particularidades de que se revestiu. Uma delas foi o fato de ter sido a comitiva imperial pela primeira vez acompanhada de três repórteres da imprensa do Rio de Janeiro, J. Tinoco, pelo *Jornal do Commercio*, J. de Vasconcelos, pelo *Cruzeiro*, e o oficial da Marinha licenciado José Carlos de Carvalho, pela *Gazeta de Notícias* e pela *Revista Illustrada*, do caricaturista Ângelo Agostini. O momento político era tenso. No final de 1879 e começo de 80, ocorrera na capital a Revolta do Vintém, da qual José Carlos de Carvalho fora um dos instigadores, ao lado de Lopes Trovão e outros militantes republicanos. Em 1880, fora também votada, após longa discussão, a lei da eleição direta, a ser testada em 81. Pode-se facilmente deduzir que a combinação dessas duas coisas, tensão e repórteres, resultaria numa estreita vigilância da imprensa sobre o imperador, especialmente da parte do republicano José Carlos de Carvalho, apoiado por seu editor, Ângelo Agostini. Confusão não faltou.

A viagem foi feita de trem pela Estrada de Ferro de Pedro II até Barbacena e, daí em diante, a cavalo, o monarca, e de liteira, a imperatriz (os escravos que a carregaram foram libertados pela proprietária, outro sinal dos tempos). A recepção foi entusiástica, sobretudo em Ouro Preto, onde se reuniu "imenso povo". Mas, a caminho, o imperador caíra do cavalo quando, ao montar, se rompeu a correia do estribo. Por via das dúvidas, o cavalo foi substituído por uma besta mais tranqüila. A capital mineira agradou-lhe particularmente pelas igrejas barrocas, pela arte do Aleijadinho, pelos prédios da Câmara e do palácio. Achou-a parecida com Edimburgo. Ficou particularmente feliz com a visita à Escola de Minas de Ouro Preto. A Escola era fruto de sua teimosia. Decidido a criar uma escola de mineralogia no país, fora buscar na França os professores e o diretor Henri Gorceix. Contra a oposição de muitos, garantiu a fundação da Escola e sustentou o diretor até o fim do reinado. Gorceix teve seu momento de glória. Recebeu o imperador na Escola e o ciceroneou por boa parte da viagem. Em conferência, afirmou que Minas possuía reservas de cerca de 81 bilhões de toneladas de ferro e podia abastecer de minério o resto do mundo. D. Pedro comentou: "Gostei de ouvir idéias tão civilizadoras a 80 léguas do Rio de Janeiro".

Ao sair de Ouro Preto, outro desastre. O cavalo que montava assustou-se com um grupo de mulheres que apareceu para saudar o monarca e acabou dando com o imperial ginete em terra. Informado por José Carlos de Carvalho, Ângelo Agostini, que não escondia suas simpatias republicanas, não perdoou. Publicou uma deliciosa caricatura em que o cavalo, com um barrete frígio na cabeça, olha atravessado para o imperador. D. Pedro visitou a mina de Morro Velho, Sabará, e Santa Luzia, local onde Caxias derrotara os revoltosos de 1842 e que originara o apelido de "luzias" dado aos liberais. Em Lagoa Santa, foi à casa onde o arqueólogo dinamarquês Peter Wilhelm Lund vivera isolado de 1834 até a morte em 80. O sábio entrou para a história da arqueologia brasileira como descobridor dos fósseis de Lagoa Santa. D. Pedro falou com um auxiliar de Lund, de quem recebeu documentos que tinham pertencido ao sábio. Esses documentos estão guardados em Petrópolis.

O Caraça deslumbrou-o por suas cascatas, florestas e montanhas: "Não posso descrever tanta beleza". O seminário era administrado por lazaristas franceses, sob a direção do padre Clavelin. Os lazaristas eram conhecidos por sua posição ultramontana. Defendiam a supremacia da Igreja sobre o Estado. O atrito com o monarca era inevitável, pois ele era um regalista, o oposto de um ultramontano. Ocorreu numa aula de direito canônico em que o padre Chanavat defendeu a superioridade do poder eclesiástico sobre o poder civil. O imperador interrompeu-o e protestou, como representante do poder civil, contra uma doutrina anticonstitucional. Eram ecos da Questão Religiosa, que sete anos antes levara dois bispos à cadeia. Mas as pazes se fizeram à noite numa festa em que d. Pedro foi saudado em nove línguas, inclusive grego, latim e hebraico. Respondeu em quatro, português, italiano, espanhol e hebraico.

A volta a Ouro Preto foi marcada por um incidente provocado por José Carlos de Carvalho. Nas páginas da *Revista Illustrada*, o incauto jornalista comentou que as mulheres da capital mineira eram muito liberais e acessíveis, além de ser "belas, meigas, atraentes, de olhos negros que prometiam tanto quanto...". Ele seguramente desconhecia o terreno onde pisava. A população revoltou-se e ameaçou linchar o repórter, que teve de fugir disfarçado com roupas fornecidas pelo mordomo do imperador. O agitador de 1880 aprendeu o que significava estar do outro lado de um motim. A partir desse episódio, com receio de outra inconfidência mineira, a *Revista Illustrada* deu por encerrada sua cobertura da viagem.

No final do percurso, houve um toque de bom humor. Em Cataguazes, um admirador gaiato saudou o imperador com o grito de "Viva o pataco!". Referia-se à moeda de prata de dois mil-réis, que trazia a efígie imperial.

NA EUROPA

Foram as viagens ao exterior, sobretudo à Europa, que fascinaram o imperador. A primeira delas durou dez meses, de 25 de maio de 1871 a 30 de março de 1872. O momento político não recomendava a saída do chefe de Estado. Mal se completara um ano desde o término de uma guerra traumática, e o Manifesto Republicano acabara de ser lançado. Pior ainda, o país estava envolvido na grande polêmica em torno da libertação do ventre escravo, provocada pelo próprio imperador. Sair naquele momento, deixando a regência nas mãos da inexperiente Isabel, parecia, de fato, uma temeridade. Essa era a opinião de muitos políticos dos dois partidos. Havia também, contra a viagem, o argumento da situação catastrófica da França, um dos principais países a ser visitados. O país fora derrotado no ano anterior pela Prússia, a monarquia fora derrubada, a Comuna tomara conta de Paris, seguindo-se sangrenta guerra civil que destruiu boa parte da cidade. A justificativa de d. Pedro era o tratamento da saúde da imperatriz. Parecia mais um pretexto. Mais plausível era o propósito de visitar os netos, filhos de d. Leopoldina, que falecera prematuramente em Viena, aos 24 anos incompletos, em fevereiro de

1871. Mais plausível ainda era simplesmente o desejo de conhecer a Europa, a que o ligavam laços de família e cuja história e cultura se lhe tornaram familiar pelas leituras.

Outra hipótese para explicar a decisão, levantada inclusive por Joaquim Nabuco, foi que ele queria ceder a Isabel os louros da aprovação da Lei do Ventre Livre. É pouco provável que àquela altura se preocupasse com a sucessão do trono, se nem mais tarde o fez. Além disso, a batalha pela aprovação da lei era dura e exigia sua presença para evitar um fracasso. É verdade que tinha grande confiança no visconde do Rio Branco, que acumulava a presidência do Conselho e o Ministério da Fazenda. Mas o próprio visconde não estava tranqüilo, pois temia a interferência do conde d'Eu nos assuntos do governo. Seja como for, d. Pedro teimou, ganhou e viajou.

Durante a discussão do pedido de licença na Câmara, o deputado Jerônimo José Teixeira Jr. apresentou emenda destinada a conceder um auxílio de 2 mil contos para custear a viagem e a dobrar a dotação de Isabel enquanto ocupasse a regência. O deputado Melo Morais dobrou o auxílio para 4 mil contos. D. Pedro aborreceu-se com a iniciativa de Teixeira Jr. Desaprovou a concessão de "semelhantes favores que eu e minha filha rejeitamos"; "respeitem o desinteresse com que sempre tenho servido e servirei à Nação", escreveu a João Alfredo, ministro do Império. Como sempre fazia, viajou à custa do próprio bolso, recorrendo a empréstimos pessoais.

Levou uma comitiva de quinze pessoas, entre as quais a imperatriz, Bom Retiro, o médico, visconde de Itaúna, e o camarista, Nogueira da Gama. Partes da viagem foram registradas em diário. Mais precisamente, as partes em que não estava acompanhado da condessa de Barral. O grupo partiu em 25 de maio de 1871. A viagem foi tranqüila até Lisboa. A bordo, d. Pedro lia as *Confissões de Santo Agostinho* e a vida de São Bernardo (presente de Isabel), praticava inglês com Bom

Retiro, media a temperatura da água, desenhava, observava os astros. Numa noite de lua, viu a Estrela do Norte ofuscada, enquanto brilhava o Cruzeiro do Sul. Ainda no espírito de exaltação patriótica gerada pela vitória contra o Paraguai, anotou uma quadrinha do marquês de Paranaguá:

> *O mundo há de ver um dia*
> *Neste céu sereno e azul*
> *Curvar-se a Ursa do Norte*
> *Ante o Cruzeiro do Sul.*

Antes de chegar a Lisboa, avisou ao ministro do Brasil em Portugal que a viagem era feita a título privado, quem viajava era Pedro d'Alcântara e não o imperador do Brasil. Ao desembarcar, em 12 de junho, após dezoito dias no mar, respondeu ao representante do rei que lhe oferecia hospedagem oficial: "Deixe-me gozar esta liberdade de simples cidadão; estou farto de cerimônias e etiquetas". Não queria recepções oficiais, hospedagens em palácios. Deu logo o exemplo recusando privilégios e submetendo-se à quarentena exigida dos passageiros vindos do Rio de Janeiro por conta da febre amarela. A cautela não impediu que grande romaria se dirigisse ao lazareto onde a quarentena era cumprida. Lá estiveram o rei de Portugal, d. Luís I, seu sobrinho, outros parentes, diplomatas, veteranos da guerra do pai contra o tio Miguel, sábios e escritores. Tocou-o particularmente a visita de Alexandre Herculano, com quem se correspondia havia cerca de vinte anos e por quem tinha um carinho quase filial. O áspero e solitário romancista e historiador, recluso voluntário na quinta de Val-de-Lobos, onde fabricava azeite, manteve com d. Pedro uma amizade de toda a vida. Também compareceram o romancista Antônio Feliciano de Castilho e o dicionarista Inocêncio Francisco da Silva.

Ao sair do lazareto, visitou a madrasta, d. Amélia, no palácio das Janelas Verdes. Anotou no diário: "Chorei de alegria e também de dor vendo minha mãe tão carinhosa, mas tão avelhantada e doente". Foi ainda aos túmulos do pai e da irmã, Maria da Glória, em São Vicente de Fora. Partindo de Lisboa, visitou o norte de Portugal, esteve com Camilo Castelo Branco no Porto e disparou numa maratona que o levou à Espanha, França, Inglaterra, Bélgica, Alemanha, Áustria, Itália, Egito, Creta, Suíça, Paris. Usava invariavelmente um casaco preto, um chapéu baixo, ou boné, e um cachecol preto ao redor do pescoço. Na mão direita carregava uma mala preta de couro, na esquerda, um guarda-chuva. Debaixo do braço um embrulho de papéis. Assim o caricaturou mais de uma vez o humorista português Bordalo Pinheiro.

O itinerário fora todo planejado com a ajuda da condessa de Barral e do conde de Gobineau. Os dois ainda se encarregaram de agendar encontros do imperador com personalidades do mundo das artes e da ciência. Foram recepcionar a comitiva imperial na fronteira entre a Espanha e a França. Gobineau era um nobre, mas também um diplomata de carreira, e sua proximidade com d. Pedro lhe valeu a indicação pelo governo republicano de Thiers para que recebesse oficialmente o monarca no território francês. Foi grande a alegria de d. Pedro ao encontrar os dois amigos. Como a França, inclusive Paris, continuasse parcialmente ocupada pelos alemães, a comitiva evitou a capital. Barral o acompanhou na parte européia da viagem. Quando ela se separou da comitiva, na Alemanha, o diário recomeçou com as costumeiras declarações de saudades, até que eles se reencontraram em Paris.

A rotina da viagem era a de sempre: visitas a instituições de cultura, educação e ciência, a lugares históricos e, sobretudo, a personagens do mundo cultural. Vez por outra, o imperador concordava com alguma recepção oficial, como as que lhe ofereceram a rainha Vitória, na Inglaterra, seu primo Francisco José, na Áustria, e os parentes da imperatriz, na Sicília. Francisco José, imperador da Áustria e rei da Hungria, era filho do arquiduque Francisco Carlos, irmão da imperatriz Leopoldina, mãe de d. Pedro. Era casado com a imperatriz Elisabeth da Baviera, a Sissi, popularizada em 1956 no filme *Sissi, a imperatriz*, protagonizado por Romy Schneider. Por gosto próprio, d. Pedro preferiria visitar Darwin na Inglaterra (o cientista estava viajando), Wagner na Alemanha (encontraram-se), Manzoni na Itália (visitou-o). Sobre Manzoni declarou: "Os séculos recordarão Alexandre Manzoni, enquanto os anos farão desaparecer a lembrança de d. Pedro d'Alcântara". Dele ganhou um retrato do avô, o célebre jurista Beccaria. No Egito, quando foi conhecer as pirâmides e os museus, seus guias eram arqueólogos e egiptólogos. Em Londres, escandalizou os ingleses assistindo ao ofício na Sinagoga Central da Great Portland Street, e surpreendeu os rabinos traduzindo a bíblia do hebraico.

Em Alexandria, recebeu telegrama do Brasil com a notícia da aprovação da Lei do Ventre Livre. Abraçou entusiasmado o visconde de Itaúna e pediu-lhe que transmitisse o abraço a Rio Branco, com a declaração de que o considerava seu homem de confiança. O visconde cumpriu a ordem, acrescentando por conta própria: "Nunca tenho visto o imperador entregue a tão violenta expansão".

O coroamento da viagem foi a passagem por Paris de volta do Egito. A cidade, semidestruída, já se achava livre dos prussianos, mas o governo republicano ainda se mantinha em Versalhes. Chegou em 15 de dezembro e hospedou-se no luxuoso Grande Hotel. O presidente Adolphe Thiers fora sempre ligado à monarquia, tinha sido ministro de Luís Filipe na década de 1830, mas aderira à República e esmagara com extrema violência a Comuna de Paris. Em 1871, mal se equilibrava entre republicanos e monarquistas. O imperador, ao contrário, viu-se em posição confortável. Suas vinculações dinásticas, sobretudo a ligação com os Orléans via conde d'Eu, lhe garantiam a simpatia dos monarquistas. O liberalismo e a admiração por Victor Hugo ganhavam o coração dos republicanos. Seu amor pela França cativava todos os franceses.

A estada na capital foi um êxito, desde as recepções em Versalhes, aos inúmeros encontros no Grande Hotel com personagens importantes, entre as quais Ernest Renan e H. Taine, e às visitas ao Instituto de França, de que foi feito membro honorário. O encontro que mais o emocionou foi com Pasteur na Escola Normal. Ao regressar, concedeu ao sábio a comenda da Ordem da Rosa. Mais tarde, convidou-o a vir ao Brasil a fim de estudar a febre amarela. Lamentou apenas não poder reunir-se com duas grandes admirações, Victor Hugo, ainda exilado, e a escritora George Sand, fora de Paris por causa da guerra civil.

De volta a Portugal, encontrou-se com Camilo Castelo Branco, grande inimigo dos Bragança que, no entanto, se irritara com as críticas de autoria de Eça de Queirós e Bordalo Pinheiro feitas ao imperador na imprensa portuguesa.

Em 30 de março de 1872, os viajantes haviam retornado ao Rio de Janeiro.

19. Dois bispos na cadeia

Retomando o governo das mãos de Isabel, d. Pedro teve de enfrentar logo a seguir um complicado problema político. As relações entre Estado e Igreja no Brasil foram herdadas de Portugal. Para recompensar os reis portugueses por sua luta contra os mouros e por espalhar o catolicismo pelo mundo, Roma lhes concedeu o padroado, isto é, o direito de indicar bispos, e outros privilégios menores referentes à administração eclesiástica. Dois desses privilégios assumiram grande importância no Segundo Reinado, o direito de recurso ao governo em questões de disciplina eclesiástica e o direito do *placet*, isto é, de censurar todos os documentos provenientes de Roma, inclusive encíclicas. O padroado português foi estendido ao Brasil, cuja Constituição declarou a Igreja Católica religião do Estado e a única com direito a culto público. Padres e bispos eram funcionários públicos pagos pelo Estado. Em certo sentido, a Igreja no Brasil era mais dependente do Estado que de Roma.

A união entre Igreja e Estado fazia igualmente com que, desde a colônia, muitos padres se metessem em política. A distância de Roma também explicava em parte o fato de que o estilo de vida do clero estivesse bem longe do modelo de virtudes evangélicas. A maioria dos padres tinha filhos com concubinas, algumas delas suas escravas. O regente padre Feijó era filho de padre. O mesmo se dava com o romancista José de Alencar. O grande abolicionista José do Patrocínio era filho do vigário de Campos com uma jovem escrava. Outro traço que marcava a Igreja brasileira era a relação amistosa com a maçonaria. Vários maçons pertenciam a irmandades religiosas, sem que isso causasse nenhuma espécie.

Tudo mudou quando Pio IX assumiu o papado em 1846. Em seus 32 anos de governo, ganhou a fama de ter sido o mais reacionário e ultramontano dos papas até então. O principal documento que marcou sua posição foi o famigerado *Syllabus*, uma listagem de oitenta erros, anexado à encíclica *Quanta Cura*, publicada em 1864. O *Syllabus* declarava ilegal o *placet*, rejeitava a supremacia da lei civil sobre o direito eclesiástico e condenava duramente os maçons. No Brasil, a *Quanta Cura* e o *Syllabus* eram documentos explosivos, pois confrontavam diretamente as leis e os costumes nacionais. Era de esperar que o imperador usasse o direito do *placet* para impedir que tivessem vigência no país, e foi o que aconteceu. Pio IX buscou fortalecer o controle de Roma sobre a administração da Igreja. Uma vitória importante nessa direção foi obtida quando conseguiu que o primeiro Concílio do Vaticano, reunido em 1870, decretasse o dogma da infalibilidade papal.

A política do papa foi bem recebida por alguns membros da hierarquia da Igreja brasileira, sobretudo por bispos que tinham estudado na Europa. Ironicamente, a preocupação de d. Pedro em escolher bispos instruídos e de bons costumes acabou virando-se contra ele. Foi o caso de d. Vital Maria de

Oliveira, jovem bispo de Olinda, que estudara na França e que o imperador insistira em nomear. Imbuído das idéias de Pio IX, e incomodado com a situação de dependência da Igreja, d. Vital resolveu agir. Em 1872, depois de ordenar, sem resultado, a expulsão dos maçons das irmandades religiosas, lançou sobre elas um interdito, excomungando seus membros e proibindo-lhes realizar culto. No ano seguinte, d. Antônio de Macedo Costa, bispo do Pará, fez a mesma coisa. Usando o direito do recurso, as irmandades dirigiram-se ao governo imperial, argumentando que eram regidas por compromissos afetos à legislação civil e que os documentos papais que excomungavam os maçons não tinham o *placet* do governo, como exigia lei brasileira. O ministro do Império, João Alfredo de Oliveira, parente de d. Vital, propôs um acordo que o bispo rejeitou. O recurso foi enviado ao Conselho de Estado, onde foi discutido demoradamente. Com apenas uma exceção, os conselheiros o aceitaram. Os bispos, segundo os conselheiros, extrapolaram sua jurisdição, e se haviam insubordinado contra o império da lei e contra as leis do Império.

O governo ordenou aos bispos que suspendessem os interditos. Eles, mais uma vez, se negaram a obedecer. Foram acusados perante o Supremo Tribunal de Justiça e condenados, em 1874, a pena de quatro anos de prisão com trabalhos forçados, sentença que foi logo comutada por prisão simples. Foram recolhidos presos à fortaleza de Villegagnon. A pena talvez tenha sido excessivamente dura, mas a firmeza da posição do ministério era explicável. À posição regalista do imperador e da maioria do Conselho de Estado acrescente-se o fato de que o primeiro-ministro, visconde do Rio Branco, era grão-mestre da maçonaria. A ação dos bispos atingia-o pessoalmente. Ele só enviou um representante para negociar com Roma depois de instaurado o processo contra os bispos. O enviado brasileiro, barão de Penedo, levava instruções que equivaliam a um ultimato. Mesmo assim, conseguiu um acordo preliminar com Pio IX, que a prisão dos bispos tornou sem efeito. Em 1876, em sua segunda viagem à Europa, Pedro II encontrou-se com Pio IX. Bordalo Pinheiro glosou o encontro numa caricatura em que os dois aparecem à mesa de refeição. O imperador oferece ao papa uma feijoada chamada Constituição Brasileira, e o papa retribui com um prato de macarrão com o nome de *Syllabus*.

A ação de d. Pedro foi decisiva na questão. Deu todo o apoio ao maçom Rio Branco. Não tinha nada de pessoal contra d. Vital. Mas não abria mão de duas coisas. Não aceitava violação das leis do Império. Os bispos as violaram e deviam pagar o preço. Também não admitia desrespeito ao poder civil e ao chefe de Estado. Era seu dever preservar a dignidade dos dois. Assim como não aceitava desafios à lei vindos dos militares, não os tolerava por parte de padres e bispos. Foi exatamente isso que disse ao padre Chanavat no Caraça: tinha o dever de defender a lei e o poder civil. Para ele, e para a elite que o cercava, o problema era mais amplo do que a briga com dois bispos. Estava em jogo a defesa do poder civil contra os avanços de Pio IX, do mesmo modo que para os dois bispos se tratava de libertar a Igreja do padroado, que mais a amarrava do que protegia. Com tal postura, o imperador comprava briga com as duas mais poderosas corporações do Império, a senhora da força física e a senhora da força espiritual. A primeira derrubou-o, a segunda não o defendeu.

O imperador não era ateu nem propriamente anticlerical. Tampouco era maçom. "Declaro que jamais fui maçom", escreveu a Barral em 13 de julho de 1875, ainda em meio às repercussões do conflito com os bispos, sem deixar, no entanto, de acrescentar que não julgava que a maçonaria no Brasil fosse contra a religião. Cumpria normalmente suas obrigações de católico, mesmo quando não era obrigado pelo cerimonial. Quando esteve à morte em Milão, recebeu os sacramentos da Igreja, o mesmo acontecendo por ocasião da morte em Paris. Mas era, sobretudo, um racionalista do século XVIII e um regalista. A condessa de Barral, ela própria uma ultramontana, o criticou na época do episódio do roubo das jóias, dizendo que, em matéria de catolicismo, ele acreditava mas não obedecia, no que, aliás, não se distinguia da maioria da elite brasileira. Já no exílio, d. Pedro ainda teve grandes discussões sobre religião com o conde de Aljezur, outro católico intransigente. Anotou no diário que respeitava a religião porque se convencia de que ela não exigia a abdicação da razão dada pelo criador.

Embora rejeitasse a supremacia da Igreja sobre o Estado, julgava que a união dos dois poderes devia ser tolerada enquanto as circunstâncias do país, isto é, a precária situação educacional, o exigissem. A Igreja tinha, então, uma função pedagógica e de manutenção da ordem. O imperador apoiava o casamento civil, os registros civis de nascimento e morte, a secularização dos cemitérios. Registrou em diário ser contra o ensino religioso em escolas públicas. Sintomaticamente, não consta que tivesse, nos anos finais do regime, relações próximas com nenhuma autoridade eclesiástica com quem pudesse discutir o problema das relações entre Igreja e Estado.

Estranhamente, apesar de cuidar de perto da educação das filhas, d. Pedro não conseguiu transmitir suas convicções à herdeira do trono. Isabel era uma ultramontana. Vivia criticando o pai pela tolerância religiosa. Já no exílio, mas ainda na fase de discussões de uma possível restauração, censurou-a por querer visitar Paray-le-Monial, um centro de romaria ligado ao culto do Sagrado Coração. Argumentou que o ato "lhe aumentaria a fama de beata prejudicando-a na opinião". Isabel não lhe deu atenção e fez sua romaria. No Brasil, ela se aliou a políticos ultramontanos, e, no momento em que o imperador enfrentava os bispos e Pio IX, correspondia-se com o papa pedindo a canonização de Anchieta. Em 1888, Leão XIII lhe concedeu a Rosa de Ouro, condecoração reservada aos chefes de Estado, católicos, naturalmente, que se tivessem salientado por atos de benemerência. No caso, o ato meritório era a abolição da escravidão. Na entrega da Rosa, feita na capela imperial, discursou ninguém menos do que o bispo do Pará, d. Antônio de Macedo Costa, o mesmo que fora mandado para a cadeia em 1874. Não é difícil deduzir que os bispos apostavam num terceiro reinado com Isabel, como oportunidade de ouro para ter no governo uma aliada incondicional de suas idéias.

Se a religiosidade da princesa lhe granjeava a simpatia dos bispos e garantia um forte apoio deles ao terceiro reinado, também constituía sério obstáculo perante outros setores da sociedade, sobretudo os mais educados. Durante o conflito com os bispos, os caricaturistas formaram um temível batalhão anticlerical. Foram impiedosos na crítica à Igreja, ao papa, aos bispos e a todo o clero. Cinco se destacaram nessa campanha feroz. Quatro eram estrangeiros: o alemão Henrique Fleiuss, da *Semana Illustrada*; os italianos Ângelo Agostini, do *Mosquito*, depois da *Revista Illustrada*, e Borgomainerio, da *Vida Fluminense*; e o português Bordalo Pinheiro, também do *Mosquito*. Ajuntava-se ao grupo o brasileiro Cândido de Faria, do *Mephistópheles*. À exceção de Fleiuss todos eram republicanos. Os heróis deles eram Rio Branco e Saldanha Marinho, grão-mestres dos dois grupos em que se dividia a maçonaria do país. Na primeira fase da crise, o imperador também mereceu seu apoio. Foi o momento de maior aproximação, talvez o único, entre ele e a intelectualidade crítica do Rio de Janeiro, composta em sua grande maioria de republicanos e maçons. Várias caricaturas o representaram como defensor do poder civil em face da Igreja. Cândido de Faria desenhou-o nos ombros de um índio gigantesco, imagem do Brasil, indiferente aos ataques de minúsculos padres jesuítas. Até Agostini lhe dedicou charges simpáticas.

A lua-de-mel durou até que Caxias substituísse Rio Branco na presidência do Conselho em 1875. Muito católico, embora também tivesse passado maçônico, o velho duque quis anistiar os bispos. O imperador se opôs, mas ele insistiu: ou dava a anistia, ou não aceitava o ministério. Diante do ultimato, e com o olho na próxima viagem à Europa, d. Pedro concordou. Veio a anistia em 17 de setembro de 1875, os bispos foram soltos, e os interditos, suspensos. A reviravolta enfureceu os maçons e anticlericais. As farpas dos cartunistas voltaram-se, então, contra Caxias, seus ministros e defensores dos bispos, como Zacarias de Góis e Vasconcelos e Cândido Mendes. O soberano foi acusado de ter cedido à pressão do ministério. Cândido de Faria o caricaturou lavando as mãos como Pilatos. Na nova viagem à Europa, o monarca visitou o papa. Bordalo Pinheiro publicou uma charge em que o viajante Pedro d'Alcântara destruía a obra construída por d. Pedro II. Mas Agostini ainda teve um gesto de simpatia: em 1878, representou numa caricatura um sonho de Saldanha Marinho: o imperador, usando uma coroa encimada pelo barrete frígio republicano, enxota a pontapés o bispo do Rio de Janeiro, d. Pedro de Lacerda. Apesar da anistia, as relações entre Igreja e Estado ficaram para sempre arranhadas. Jamais se vira, e não se veria, na história do país, nem mesmo durante os governos militares, coisa semelhante, a prisão de bispos. Para os setores romanizados, a separação de Igreja e Estado passara a ser um mal menor diante da união. A solução ideal para esse grupo continuava sendo, no entanto, um terceiro reinado sob Isabel I.

20. O imperador ianque

A primeira viagem à Europa fascinou d. Pedro. Pela primeira vez, desde a maioridade, vira-se livre da responsabilidade, das tarefas e dos maçantes rituais do poder. Pela primeira vez, pudera dedicar-se ao que lhe causava prazer, viajar, conhecer lugares novos, encontrar pessoas importantes na ciência e nas artes. E tudo isso ao lado da condessa de Barral. Sentira o prazer de ser Pedro d'Alcântara. Depois dela, as tarefas de governo, o papel de d. Pedro II, lhe devem ter parecido cada vez mais penosos. Tinha provado o gosto da Europa e do mundo, a que não mais renunciaria.

O apelo do prazer não demorou a se fazer sentir de novo. Um ano depois do regresso da primeira viagem, o imperador já começou a arquitetar outra escapada para a Europa. Dessa vez, passaria pelos Estados Unidos para assistir às festas do centenário da independência, cuja principal atração era a exposição internacional de Filadélfia. Seu caso de amor com os Estados Unidos se iniciou na década de 1850 e teve como cupido o reverendo James Cooley Fletcher. Com boa formação universitária em Brown, o reverendo chegou ao Rio de Janeiro como missionário da União Cristã em 1852. Nomeado primeiro secretário da legação americana, teve o primeiro encontro com o casal imperial em 1853. D. Pedro tratou-o como a um igual, enquanto ministros e generais aguardavam à distância. A imperatriz fez o mesmo com a mulher suíça de Fletcher, Henriette. Em 1856, o pastor empreendeu uma viagem pelo país, de que resultou o livro *O Brasil e os brasileiros*, publicado nesse mesmo ano. Foi a primeira apresentação do país aos americanos.

Fletcher guardou amizade com d. Pedro até a morte deste. Em 1856, fixou-se em Massachusetts, então o centro da vida intelectual americana graças à Universidade Harvard, em Cambridge. Aproximou-se de três dos melhores representantes dessa vida, o poeta Henry W. Longfellow, o naturalista Louis Agassiz e o poeta *quaker* John G. Whittier. Longfellow manteve longa correspondência com o imperador, que ousou traduzir alguns de seus poemas e tentou convencê-lo a traduzir *Os lusíadas* para o inglês. Whittier era um excelente, posto que tímido, poeta, e fervoroso abolicionista, que simpatizou com d. Pedro assim que tomou conhecimento de suas posições antiescravistas. Escreveu um poema sobre a Lei do Ventre Livre, intitulado "The cry of a lost soul", que o monarca traduziu por "O choro d'uma alma perdida". A partir de sua base em Boston, Fletcher pôs o imperador em contato com esse seleto grupo de intelectuais.

Agassiz, suíço de origem, naturalizado americano, era professor de Harvard, zoólogo, considerado a maior autoridade mundial em fósseis de peixes. Ligara-se ao Brasil desde que o naturalista Von Martius, outro grande amigo do país, lhe pedira que classificasse os peixes coletados por seu colega de expedição, Spix. Correspondeu-se com d. Pedro por dez anos. Entre 1865 e 1866, comandou uma expedição científica ao país, financiada por Nathaniel Thayer, com todo o apoio moral e material do soberano. Viajara com a mulher, Elizabeth, que redigiu um diário da expedição, depois transformado no livro *Viagem ao Brasil, 1865-1866*, assinado pelo casal. No Rio de Janeiro, pronunciou várias conferências públicas em francês no Colégio de Pedro II. A entrada era gratuita, e o acesso aberto a todos, inclusive às mulheres, uma inovação e tanto numa sociedade ainda dominada por preconceitos patriarcais. O imperador, acompanhado da família, compareceu a todas elas, sentando-se junto ao resto dos ouvintes. Como resultado dos trabalhos da expedição, Agassiz publicou em 1870 o livro *Geologia e geografia física do Brasil*, a obra mais importante sobre o tema escrita no século XIX.

A viagem aos Estados Unidos seria uma oportunidade para encontrar esses amigos, exceto Agassiz, que morrera em 1873. Mas vivia Elizabeth, com quem o imperador manteve contato. Ironicamente, fora Agassiz quem insistira na realização da viagem, prognosticando que ela se transformaria em "uma marcha triunfal de um extremo a outro do país".

Desde 1873, a idéia da viagem começou a tomar forma na cabeça de d. Pedro. A saúde da imperatriz serviu novamente de pretexto. Em 1875, já decidira. Por sorte, em outubro desse ano nasceu afinal o primeiro filho de Isabel. O trono tinha agora um herdeiro em linha direta. Outro fator favorável era a situação política. Terminara a disputa com os bispos, o país estava mais calmo, Isabel já adquirira alguma experiência, e a presidência do Conselho era ocupada por um homem de confiança, o duque de Caxias. Não houve objeções dos políticos. O Parlamento concedeu-lhe uma generosa licença de ano e meio. O barão de Mesquita emprestou-lhe 50 mil libras para as despesas.

O embarque festivo, mas sem cerimônias, ao qual não faltou o tradicional choro de Isabel, se deu em 26 de março no navio americano *Hevelius*, sob o comando do capitão Markwell. A comitiva incluía, além da imperatriz, o visconde do Bom Retiro com a viscondessa, o vice-almirante Joaquim Raimundo de Lamare, o médico José Ribeiro de Sousa Fontes, Artur Teixeira de Macedo, o professor alemão de sânscrito Karl Henning, e alguns criados, entre os quais o negro Rafael. Para sorte dos futuros historiadores, o jornal *New York Herald* enviara ao Rio de Janeiro o repórter James J. O'Kelly, que não descolou de d. Pedro durante toda a viagem. Graças a suas reportagens, temos desta informações pormenorizadas, que podem ser confrontadas com o diário do imperador e com as cartas que este escrevia a Isabel e à condessa de Barral.

O'Kelly chegou ao Rio no início de 1876 e entrevistou-se com d. Pedro em São Cristóvão, espantando-se com a simplicidade do palácio e com a falta de cerimonial. Impressionou-o, no entanto, a imponente figura do imperador. Ao longo da viagem, desenvolveu-se entre os dois homens uma relação de profunda amizade e confiança. O periódico, por sua vez, começou uma verdadeira campanha publicitária da viagem imperial e passou a exigir das autoridades americanas uma recepção grandiosa, com feriado oficial, desfiles, presença do presidente Grant. O Brasil era uma nação irmã, argumentavam os editoriais, e vendia quatro quintos do café bebido nos Estados Unidos. O acolhimento a d. Pedro deveria ser "republicano, não menos vibrante, ele o verá, que o monárquico". De tal campanha não estariam ausentes, sem dúvida, as esperanças do proprietário de aumentar a vendagem de seu jornal.

O *Hevelius* passou por Salvador, Recife e Belém, antes de se afastar da costa brasileira. Os passageiros só puderam baixar a terra em Belém. Mesmo assim, o imperador permaneceu apenas quatro horas na cidade, cumprindo uma "pontualidade exasperante", no dizer de O'Kelly. Desembarcou num cais apinhado, ao som de tiros de canhão, de fogos de artifício e de bandas de música, e seguiu por ruas de casas enfeitadas, abrindo caminho em meio à multidão que se acotovelava para o saudar. Tudo isso, para espanto do repórter, sem nenhuma segurança. O'Kelly ficou também perplexo com a mistura de cores da população, um mosaico humano, em sua expressão.

Desaparecido no horizonte o litoral brasileiro, o imperador transformou-se mais uma vez em Pedro d'Alcântara, um passageiro alegre, conversador, participante em todas as atividades de bordo, empenhado em aperfeiçoar seu inglês capenga com os americanos. Riu-se até quando caiu de uma cadeira. Mas não abandonou velhos hábitos: lia Shakespeare e o ouvia, declamado por uma sulista, e tomava aulas de sânscrito com Karl Henning. Quis traduzir o hino americano, o *Star-Spangled Banner*, mas, para embaraço geral, nenhum dos passageiros americanos sabia a letra. Em Belém, embarcou alguém que a conhecia, e a tradução foi feita, sem grande proveito, diga-se, para as letras. A imperatriz conversava e fazia crochê.

A simplicidade e a afabilidade do par imperial conquistaram a simpatia dos passageiros, a maioria americanos, desfazendo receios de que sua presença pudesse requerer formalidades maçantes. O'Kelly anotou que o imperador "fez de todos nós, radicais e republicanos, seus dedicados súditos, como se, de fato, tivéssemos a honra de pertencer à Imperial Câmara". Nas conversas com d. Pedro, sugeriu pela primeira vez a idéia do ianquismo imperial, inspirada pela intensa atividade do monarca e pela sofreguidão com que buscava novos conhecimentos. O imperador gostou da idéia, dizendo que ia sempre para diante. Ou, em seu tosco inglês americano: "*I am always go-ahead*".

O *Hevelius* chegou a Nova York em 15 de abril. A recepção ensejou o primeiro de vários incidentes cômicos que pontuaram a viagem. Atendendo aos apelos do *Herald*, uma comissão de notáveis fora criada para preparar a recepção, apesar de o entusiasmo já se ter reduzido um pouco ante o expresso desejo de d. Pedro de que se evitasse pompa. Subiu a bordo a comissão oficial chefiada pelo secretário de Estado, Hamilton Fish, pelos ministros da Marinha e da Guerra, pelo embaixador português e pelo cônsul-geral brasileiro, futuro republicano, Salvador de Mendonça. Houve rápida troca de saudações. O imperador apresentou-se dizendo-se ianque, *very go-ahead*, e perguntou pelo general Sherman e pelo poeta Longfellow. William T. Sherman tinha fama de louco, mas tornara-se herói da Guerra Civil americana graças ao uso de táticas arrojadas que lhe permitiram dividir ao meio as tropas sulistas, apressando com isso o fim do conflito. D. Pedro dirigiu-se, então, aos jornalistas, explicando que o imperador ficara no Brasil, ali estava apenas o viajante Pedro d'Alcântara.

Agindo em conseqüência, dispensou a corveta *Alert*, que a comissão mandara preparar para transportá-lo a terra, onde o aguardava lauta refeição. Seguiu no *Hevelius*, que atracou no Martin's Wharf, no Brooklyn, onde poucas pessoas esperavam por ele. Enquanto isso, a população aplaudia a *Alert*, julgando viajar nela o imperador do Brasil, quando a corveta só levava a frustrada e, seguramente, irritadíssima comissão de notáveis.

Depoimentos de repórteres, publicados no *New York Times* um dia após a morte de d. Pedro, ocorrida em 5 de dezembro de 1891, dão sabor adicional à descrição da chegada imperial à terra dos ianques. Um deles escreveu: "Nós o encontramos a bordo do *Hevelius* no porto, em 15 de abril de 1876, e foi amor à primeira vista". E prosseguiu:

> O que particularmente nos conquistou foi o tratamento que deu aos três ministros, Taft, Robeson e Fish, e aos outros figurões que lhe tinham vindo oferecer uma recepção de rei. O imperador quebrou a pose desses homens de modo magnífico, e nós o adoramos, porque essas mesmas pessoas nos tinham esnobado na noite anterior.

Na noite anterior, houvera reunião dos secretários com o comandante da base naval para preparar uma recepção de gala. Os jornalistas não foram admitidos à reunião, ficaram furiosos, e queriam sangue. Sua sede de vingança foi satisfeita no dia seguinte, mais cedo do que esperavam. O repórter depôs: "Valeu 25 dólares para vários dos repórteres a bordo ver a maneira como d. Pedro tratou os representantes oficiais desta grande nação". Quando a comissão de recepção embarcou de volta na *Alert*, sozinha, os repórteres deliraram, porque sabiam do almoço, dos setenta policiais e das oito carruagens estacionadas na rua 23 para conduzir a família imperial ao hotel. Enquanto isso, d. Pedro tomava um simples carro de aluguel e chegava incógnito ao Fifth Avenue Hotel, como um cidadão comum, enganando a pequena multidão que se aglomerava na Quinta Avenida cercada de bandeiras do Brasil.

Segundo o mesmo repórter, os desentendimentos do imperador com as autoridades continuaram no dia seguinte. A comissão de recepção recusou-se a permitir a presença de jornalistas em encontro com d. Pedro no hotel. Já conhecedores do monarca, os repórteres lhe mandaram um bilhete. Dali a pouco, entravam triunfalmente no salão, lançando olhares de desdém aos membros da comissão. O repórter terminou seu depoimento com uma avaliação que talvez resumisse o sentimento da classe em relação a d. Pedro: "[...] tenho encontrado muitos figurões, mas nunca vi um cujo tratamento dos repórteres igualasse o de d. Pedro em cortesia. Ele podia se dar ao luxo de ser cortês porque era um grande homem".

Na mesma noite da chegada, o imperador foi ao teatro Booth, quando pela primeira vez o público pôde saudá-lo com uma estrondosa recepção, na expressão de O'Kelly, que também não deixou de anotar que o visitante pagou a entrada "como legítimo americano". No final do quarto ato, foi tocado o hino brasileiro. De madrugada, d. Pedro visitou as oficinas do

Herald, retribuindo o trabalho de O'Kelly, cujas reportagens julgava muito fidedignas. De fato o eram, pelo menos no sentido de que não destoavam das anotações do diário imperial.

A partir do segundo dia, d. Pedro deu início à costumeira maratona de visitas que exauria o fôlego dos acompanhantes. A imperatriz e sua dama de honra eram poupadas. Chapéu na cabeça, às vezes um simples boné inglês, guarda-chuva debaixo do braço, roupa escura, Pedro d'Alcântara visitava escolas de todos os níveis, incluindo academias militares, museus, institutos de pesquisa, igrejas, sinagogas, asilos, fábricas, delegacias de polícia e outros serviços públicos. Em todos os lugares, disparava uma saraivada de perguntas sobre o funcionamento dos estabelecimentos, fazia comentários, comparações com instituições brasileiras, promessas de levar para o Brasil o que lhe parecia digno de imitação. Em Nova York, conheceu, no Lar dos Jornaleiros, Theodore Roosevelt, o futuro presidente.

No terceiro dia, 17 de abril, partiu à noite para San Francisco, cidade da costa do Pacífico, deixando a imperatriz em Nova York e levando consigo o resto da comitiva e o útil O'Kelly, cujas reportagens eram a melhor fonte de informação sobre a viagem, inclusive no Rio de Janeiro. Recusou trem especial e embarcou num carro Pullman acoplado a uma composição comum. Mr. George M. Pullman, por gentileza, acompanhou o passageiro para lhe dar assistência.

Foi uma desabalada carreira através do continente americano, interrompida por paradas de poucas horas nas cidades mais importantes para rápidas visitas aos pontos de interesse, Grandes Lagos, Meio-Oeste, Deserto, Montanhas Rochosas. Em muitos lugares pequenas multidões de curiosos se ajuntavam para ver o estranho espetáculo da figura de um monarca em país republicano. Os modos simples de d. Pedro conquistavam a simpatia popular. Mas as autoridades viam-se em dificuldade para compatibilizar o desejo de homenageá-lo com o receio de ser esnobadas pela já conhecida alergia do visitante a qualquer tipo de formalidade.

Chicago fascinou-o, em Salt Lake City foi ao Tabernáculo Mórmon e assistiu a culto da seita criada por Brigham Young, sem compreender como o país aceitava a poligamia, e conversou com o cacique piúte, Capitão Natchez. No dia 25 chegou a San Francisco, quando começou a escrever um diário para Isabel e para a condessa de Barral. Repetiu-se a mesma cena de Nova York. Enquanto a multidão de curiosos o aguardava na estação de Oakland, d. Pedro já se achava no Palace Hotel, para onde o tinha levado um carro acoplado à locomotiva especial. Na cidade, foi a concerto, assistiu ao *Rei Lear*, visitou a sinagoga. No fim de quatro dias, disparou de volta para a Costa Leste, conhecendo as usinas de aço de Pittsburgh e os campos de extração e refinação de petróleo de Oil City.

Durante a viagem, o *Herald* deu seqüência a seu esforço de passar para os leitores a imagem de d. Pedro como um imperador republicano e americano: "Nosso hóspede é um americano na extensão da palavra". O tema foi mais elaborado no editorial de 21 de abril de 1876, intitulado justamente "Nosso imperador ianque". O autor do texto, decerto o próprio O'Kelly, fez um interessante jogo de palavras. Pedro II, autêntico imperador, era um ianque de espírito. Os republicanos americanos, por sua vez, se consideravam cada qual um imperador: "D. Pedro é o primeiro imperador que vimos nesta terra... imperial, onde todos se crêem imperadores". Ele "desembarca como qualquer livre imperador americano e, antes de atravessar o rio, paga a passagem da barca", sente-se em casa entre soberanos e rejeita homenagens oficiais. "Quando voltar à pátria, saberá mais acerca dos Estados Unidos do que dois terços dos membros do Congresso." O jornal publicou ainda o testemunho de alguém que se autodenominava Velho Californiano e passara pelo Rio de Janeiro na época do casamento do monarca. O depoente afirmou não ser surpresa o fato de este querer misturar-se ao povo. No Rio, todos os seus companheiros haviam tido a liberdade de lhe apertar a mão. E concluiu que d. Pedro era um "verdadeiro republicano que inadvertidamente nascera imperador".

Em 7 de maio, d. Pedro chegou a Washington, onde ficou no Arlington Hotel. Aí conseguiu afinal encontrar o general Sherman e o presidente Grant. Este mereceu poucos comentários no diário: "Seu aspecto é grosseiro, pouco fala". Visitou o Capitólio, a Smithsonian, a Imprensa Nacional, o Tesouro, o Observatório, a Biblioteca do Congresso, de 300 mil volumes, e assistiu à sessão do Senado. Em 10 de maio, estava por fim em Filadélfia para a abertura da exposição, tendo se hospedado no hotel Continental. A imperatriz já lá se achava, vinda de Nova York.

Nesse ponto, o *Herald* mudou de tom. Buscou enfatizar o lado imperial de d. Pedro e não sua simplicidade ianque. Tratava agora de valorizar a exposição. D. Pedro era a única testa coroada presente, na verdade o único chefe de Estado estrangeiro. No dizer do jornal, "embora ande com chapéu de palha e guarda-chuva e com a única preocupação de ver Sherman e Longfellow, é de fato um príncipe de sangue azul". Se o homem americano comum simpatizava com o imperador ianque, a República e seus representantes oficiais queriam a homenagem de um autêntico monarca. Esse sentimento, que era também uma queixa das autoridades, foi expresso pelo presidente da Câmara. Mr. S. S. Cox observou que só encontrava um defeito em Pedro II, "o de não nos dar maior ensejo para conhecê-lo".

Ulysses Grant e o imperador d. Pedro II inauguraram a exposição no dia 10 de maio, em meio a uma multidão de 200 mil pessoas, a maior jamais reunida no continente americano. Maníaco por pontualidade, o monarca chegou antes do presidente e foi recebido ao som do hino brasileiro, entre "frenéticas ovações, uma após a outra, seguidamente, repetidamente, sem interrupção". Apesar do atraso, Grant não perdeu o direito a sua cota de aplausos. Tocou-se a marcha inaugural, composta por Wagner. O ato de abertura consistiu no acionamento, por Grant e d. Pedro II, de duas alavancas que ativaram uma imensa máquina, o Corliss Engine, que, por sua vez, pôs em movimento outras 8 mil máquinas.

No dia seguinte, o representante inglês, Edward Thornton, ofereceu-lhe um banquete. O imperador o conhecia de Uruguaiana, quando Thornton lhe apresentara as desculpas do seu governo. À mesa, por azar, d. Pedro teve a sua esquerda o governador da Pensilvânia, segundo ele um grande chato. Mas compensou-se saindo de braço dado com Sherman, para o aplauso dos presentes.

Aberta a exposição, o imperador partiu em outra corrida, agora um pouco mais contida, em direção a Nova Orleans. Em Saint Louis, tomou uma embarcação que o levou, Mississippi abaixo, até o destino. Antes, visitou a escola naval de Annapolis, que o encantou e ao vice-almirante De Lamare, prometendo-lhe este construir escola semelhante no Brasil. O diário registra que um bispo episcopal sulista lhe dissera durante a viagem que, se fosse possível, o Sul o desejaria como monarca. No decorrer da guerra tinham mesmo pensado em proclamar uma monarquia e buscar um soberano na Europa. O Sul lhe deu a impressão de ainda não se ter resignado à derrota. Apesar disso, ele não escondeu sua preferência pelo Norte. Em Nova Orleans, discutiu longamente com especialistas métodos de controle da febre amarela, que de lá fora trazida para o Brasil.

De Nova Orleans, retomou a correria e atravessou de novo o país, agora do sul para o norte, passando pelas quedas do Niágara, Toronto e Montreal. No regresso, deteve-se em Boston para encontrar seus amigos intelectuais. Jantou, afinal, com Longfellow, já com 69 anos, visitou a viúva de Agassiz e o poeta Whittier.

Foi eleito membro honorário da Sociedade Médica de Massachusetts. Em Poughkeepsie, no Vassar College, para moças, testou os conhecimentos de latim das alunas. Na Academia Militar de West Point, assistiu às provas de matemática dos cadetes.

Ainda em Boston, protagonizou outro episódio revelador de seu estilo. James Fletcher e Mary W. Williams o relatam, com poucas variações. D. Pedro madrugara para visitar o Monumento Bunker Hill, dedicado a celebrar a primeira grande batalha da guerra de independência dos Estados Unidos. Chegou às seis e dez e acordou o vigia, que, mal-humorado, lhe cobrou os cinqüenta centavos da entrada. O monarca, que nunca levava dinheiro consigo, teve de pedir empréstimo ao cocheiro. Logo depois, apareceu o historiador Richard Frothingham, que perguntou pelo imperador do Brasil. O homem não acreditou. Como é que aquele vagabundo que nem sequer tinha dinheiro para pagar a entrada podia ser imperador?

Em 20 de junho, estava de volta a Filadélfia para uma visita mais calma à exposição. Percorreu detidamente todos os pavilhões. No dia 25, teve o conhecido encontro com Graham Bell, descrito por Bertita e mencionado no diário. Reconheceu o inventor do dia em que fora à escola de surdos-mudos de Boston. Bell desenvolvera seu invento como parte da tentativa de melhorar a audição dos alunos dele. D. Pedro testou o aparelho, e, segundo a versão de Bertita, teria prometido adquiri-lo assim que fosse comercializado. Assistiu à festa do Quatro de Julho, e no dia 5 já retornara a Nova York para uma última rodada de visitas. Ouviu a execução de um hino ao centenário que encomendara a Carlos Gomes. A peça não impressionou os críticos do *Herald*.

O *gran finale* da viagem foi uma sessão da American Geographical Society, realizada em sua homenagem. Apesar de ser verão, a sala estava cheia e o monarca foi recebido com estrepitosos aplausos. O juiz Dally abriu os trabalhos dizendo não se lembrar de ter havido na história um chefe de Estado que se apresentasse como simples protetor do estudo e da ciência, sendo ele próprio um erudito e um investigador científico. A seguir, Bayard Taylor falou da proteção que d. Pedro dera às pesquisas de Herndon, Gibbon, Orton, Agassiz e Hartt. Segundo ele, o imperador teria estudado a literatura, a geografia, a indústria e as instituições dos Estados Unidos "com uma dedicação que deixa nossa energia nacional na penumbra, e com uma simplicidade quase mais que republicana". Nenhum estrangeiro, prosseguiu, teria, após uma estada de três meses, se tornado tão pouco estrangeiro e tão amigo do povo americano. Terminou declamando o "Cry of a lost soul", de Whittier. O ato final da sessão foi a eleição de d. Pedro, por aclamação, para membro da Sociedade.

No dia 12 de julho, após uma visita que fora uma marcha triunfal, como predissera Agassiz, d. Pedro e a comitiva tomaram o vapor *Russia* da Cunard Line em direção à Europa. Em meio às correrias da viagem, nunca deixara de escrever à condessa de Barral, então na Europa. Falava sempre de saudades: "Tomara o mês de julho!".

Segundo informação de Bertita, na campanha política do inverno seguinte o *New York Herald* lançou uma chapa para concorrer às eleições presidenciais na qual figuravam d. Pedro para presidente e Charles Francis Adams, descendente de John Adams, para vice. O jornal justificou-se: "Estamos cansados de gente comum e dispostos a mudar de estilo...". A simpatia por d. Pedro nos Estados Unidos continuou após a viagem e manifestou-se novamente por ocasião da proclamação da República e da morte do ex-imperador. Na edição de 16 de novembro de 1889, o *New York Times* não lhe poupou elogios: "Com uma ou duas exceções, d. Pedro tem provavelmente uma reputação pessoal mais ampla que a de qualquer outro monarca vivo". Os elogios foram repetidos por ocasião da morte do imperador, quando o jornal ressaltou, sobretudo, seu desprendimento do poder, particularmente atraente para um público republicano. O articulista afirmou então: "Nenhum monarca jamais teve menos, e talvez nenhum monarca nascido para governar jamais tenha tido tão pouca satisfação na mera pompa e circunstância da realeza".

21. Neto de Marco Aurélio

A segunda passagem pela Europa repetiu a primeira, ampliando o roteiro. Aos países antes visitados, acrescentou a Rússia de Alexandre II, a Terra Santa, a Escandinávia e, sobretudo, um velho sonho, a Grécia. De novo, a condessa de Barral e o conde de Gobineau o acompanharam por boa parte do percurso, enquanto a imperatriz permanecia em Gastein, fazendo tratamento de águas, moda na época. Um dos pontos altos da viagem foi a abertura do teatro de Bayreuth, construído por Wagner com contribuição do imperador. Em Copenhague, descobriu as telas brasileiras do pintor Eckhout, com as quais Maurício de Nassau presenteara Frederico III, e as mandou copiar. Em Florença, encontrou um de seus bolsistas, Pedro Américo, que pintava a Batalha do Avaí. Em Milão, falou com outro protegido, Carlos Gomes.

Paris foi novamente o lugar onde se deteve por mais tempo, permitindo à comitiva tomar fôlego. Ficou dois meses na cidade. Assistiu a uma sessão da Academia Francesa, então presidida por Alexandre Dumas filho, sentando-se ao lado dos acadêmicos Daubrée e Pasteur. Foi feito sócio da Academia de Ciências de Paris, honra só concedida antes a dois chefes de Estado, Napoleão I e Pedro, o Grande. E realizou um de seus maiores desejos, frustrado na primeira viagem: no dia 22 de maio visitou Victor Hugo no seu endereço, na rua de Clichy. O ferrenho inimigo de monarcas hesitara em visitar o imperador, mas este insistiu: se Victor Hugo não ia a Pedro II, Pedro II ia a Victor Hugo. Foi nessa ocasião que o famoso escritor pronunciou a frase transcrita por Rivet e mil vezes depois repetida: "Sire, vous êtes un grand citoyen; vous êtes le petit-fils de Marc-Aurèle" ("Senhor, sois um grande cidadão; sois o neto de Marco Aurélio").

Em 26 de agosto de 1877, a comitiva estava de volta ao Brasil.

22. O imperador e o povo

Sob a regência de Isabel e o ministério de Caxias, o país permanecera tranqüilo. A tranqüilidade foi perturbada no final de 1877, quando teve início uma das maiores secas do Nordeste, tragédia que matou mais gente do que a Guerra do Paraguai e exigiu grande mobilização de recursos. Outra mudança, menos dramática mas politicamente relevante, foi o lento desaparecimento de alguns dos principais políticos responsáveis pela consolidação do Segundo Reinado. Zacarias e José de Alencar morreram em 1877; em 80, foram-se Caxias e Rio Branco. Já tinham morrido antes Paraná, Olinda, Uruguai e Itaboraí. Despontava uma nova geração de políticos, que não passara pelo drama da Regência e por isso valorizava menos as instituições monárquicas. Esse grupo dominou os últimos dez anos do regime.

A década de 1870 notabilizou-se também pelo surgimento de alguns importantes movimentos populares de características novas. Até os anos 1850, as revoltas populares eram predominantemente reivindicativas. A Revolta dos Cabanos em 1832 queria a volta de d. Pedro I, a dos malês de 35 buscava o fim da escravidão para os muçulmanos. A liberdade foi igualmente a demanda de escravos que se rebelaram em Carrancas, Minas Gerais, em 1833, e em Vassouras, Rio de Janeiro, em 38. Ainda em 1835, começou a mais longa e violenta revolta popular da história do Brasil, a Cabanagem, um levante popular de camponeses, escravos e índios tapuios. Os rebeldes proclamaram a independência da província. Lutavam por causas variadas, contra portugueses e brancos em geral, a favor da religião, de d. Pedro II, do Pará e da liberdade. Outra revolta que se iniciou como conflito de elites e depois se transformou em guerra popular foi a Balaiada, de 1838. Os principais líderes do levante maranhense foram um vaqueiro cafuzo, Raimundo Gomes, o Balaio, e um líder de 3 mil escravos fugidos, Cosme ou, como se intitulava, d. Cosme, Tutor e Imperador das Liberdades Bentevis. "Bentevis" era o apelido dos liberais na província. Os rebeldes foram combatidos pelo coronel Luís Alves de Lima, que, como recompensa, ganhou o título de barão de Caxias. Os balaios queriam mudanças na lei dos prefeitos e gritavam vivas à religião católica, a d. Pedro II e à Constituição.

   As revoltas populares do Segundo Reinado foram de natureza distinta. Acomodada a elite dentro do sistema, cessaram seus conflitos internos, que costumavam deslanchá-las. O povo passou a se rebelar mais contra do que a favor. Não reivindicava, protestava. As novas revoltas eram desencadeadas por medidas do governo que, embora legais e parte do processo de burocratização do Estado, feriam valores e tradições arraigadas. Entre essas medidas estavam o registro civil de nascimento, casamento e morte, o recenseamento, o recrutamento, a mudança do sistema de pesos e medidas. A revolta mais conhecida foi contra a entrada em vigência, em 1872, do sistema decimal de pesos e medidas criado pelo padre Gabriel

Mouton em 1670 e adotado pela Revolução Francesa em 1790. Em 1874, em quatro províncias do Norte, multidões de até oitocentas pessoas começaram a invadir as feiras para quebrar os padrões das novas medidas e a atacar as câmaras municipais, coletorias e cartórios. Apenas um traço ligava essa revolta às da Regência: os rebeldes gritavam vivas à religião católica e morras à maçonaria, referência à condenação dos bispos nesse ano pelo governo do visconde do Rio Branco. O visconde viu o dedo clerical na rebelião e expulsou os jesuítas de Pernambuco. A reação contra a lei do recrutamento militar, regulamentada em 1875, espalhou-se por mais de oito províncias. Grupos de até quatrocentas pessoas, na maioria mulheres, invadiam as igrejas, onde se reuniam as juntas de recrutamento, rasgavam as listas e os livros, quebravam imagens.

Essas revoltas se deram longe da corte e dos olhos do imperador. Mas, no final de 1879 e princípio de 1880, a ira popular se manifestou nas ruas da capital do Império. Presidia ao Conselho de Ministros o visconde de Sinimbu, e era ministro da Fazenda o futuro visconde de Ouro Preto. Esse gabinete sucedera ao de Caxias, e representava a volta dos liberais ao poder, depois de dez anos de domínio conservador. Causou escândalo o fato de o ministro da Justiça ser Lafaiete Rodrigues Pereira, signatário do Manifesto Republicano de 1870.

O motivo da revolta foi a aprovação de uma lei, de iniciativa do ministro da Fazenda, que aumentava em vinte réis, um vintém, a tarifa dos bondes, de onde o nome Revolta do Vintém. O aumento devia ter início no dia 1º de janeiro de 1880. No dia 28 de dezembro, uma multidão reuniu-se no Campo de São Cristóvão. Insuflada pelos líderes republicanos Lopes Trovão e José do Patrocínio, a massa dirigiu-se ao palácio para entregar ao imperador uma petição solicitando a revogação da lei. A polícia não permitiu o acesso ao palácio. O monarca mandou, então, mensagem a Lopes Trovão dizendo que receberia uma delegação dos manifestantes. Foi a vez de o republicano recusar a oferta, buscando explorar o mais possível a reação negativa ao comportamento da polícia. Preferiu publicar um manifesto, que dizia conter 7 mil assinaturas, solicitando a d. Pedro a revogação da lei.

No dia 1º, cerca de 4 mil pessoas se concentraram no largo do Paço, onde foram incitadas a não pagar o imposto, e depois se dirigiram para o largo de São Francisco. No meio do caminho, a multidão começou a quebrar bondes, agredir motoristas e destruir os trilhos da rua Uruguaiana. Às cinco horas da tarde, chegaram ao largo dois pelotões do Exército, que ocuparam a frente da Escola Politécnica. O comandante da tropa, ten-cor. Antônio Eneias Gustavo Galvão, futuro barão do Rio Apa, atingido por uma pedra, deu ordem de fogo, resultando do tiroteio alguns mortos e uns quinze feridos. Mais trilhos foram arrancados em outras partes da cidade. Os distúrbios repetiram-se até o dia 4 de janeiro. A lei do vintém foi revogada. O tenente-coronel foi muito atacado pela decisão de abrir fogo. Era primo de Deodoro e, ironicamente, em 15 de novembro de 1889, já brigadeiro, estava de novo ao lado do visconde de Ouro Preto, a quem garantiria a lealdade de suas tropas, que logo se passaram para o lado de Deodoro.

O desgaste foi muito grande para o ministério, especialmente para o ministro da Fazenda. Em 1889, o já visconde de Ouro Preto, ao assumir a chefia do último gabinete da monarquia, ainda era insultado com o apelido de Afonso Vintém. O gabinete não resistiu ao choque da revolta e foi substituído por outro, também liberal, chefiado por Saraiva.

Para d. Pedro, o episódio foi traumatizante. Até então, seu contato com o povo tinha sido sempre positivo, festivo nas celebrações e recepções, patriótico nos momentos dramáticos de crise. Fora proclamado imperador por uma reunião popular no Campo de Santana. Fora colocado no governo por outro movimento que contava com o aplauso das ruas. Fora aplaudido nas ruas durante o conflito com Christie e no final da Guerra do Paraguai. Nas viagens pelo Brasil, era sempre aclamado. Jamais enfrentara uma multidão hostil, sobretudo na capital do Império. Embora o protesto fosse em princípio contra o gabinete e não contra ele, a presença de instigadores republicanos no meio dos manifestantes emprestava ao movimento uma dimensão de hostilidade à monarquia.

Mas, além da surpresa, o que mais o mortificou foi o uso da força contra a multidão. Na correspondência com Barral, observou que em quarenta anos de reinado não fora usada força contra o povo: "Muito me aflige isso; mas que remédio. A lei deve ser respeitada". A mesma coisa disse a Gobineau em carta de 3 de janeiro: "Esses acontecimentos afligem-me profundamente". Os ministros não queriam que ele se expusesse em público no Dia de Reis, 6 de janeiro. Mas insistiu: é importante, disse, que "não se abale a confiança entre mim e o povo". Participou das festividades, e nada aconteceu. Porém, apesar de ser favorável à revogação do imposto e aceitar a representação popular, não abria mão da autoridade: "Eu só não admito a populaça em *ar de ameaça* [sic], como sucedeu no domingo atrasado", declarou a Barral.

Não lhe escapou o caráter político da manifestação. Talvez tenha sido a primeira vez que lhe passou pela cabeça a possibilidade real de uma mudança de regime. Escreveu a Barral:

> Eu necessariamente hei de ter andado à baila. Difícil é a posição de um monarca nesta época de transição. Muito poucas nações estão preparadas para o sistema de governo para que se caminha, e eu decerto poderia ser melhor e mais feliz presidente da república do que imperador constitucional. Não me iludo; porém não deixarei de cumprir como até aqui com os meus deveres de monarca constitucional.

Em carta de 15 de janeiro, desabafou: "A política da nossa terra cada vez me repugna mais compreendê-la. Ambições e mais ambições do que tão pouco ambicionável é". E acrescentou: "Se me vêem triste é de tanta falta de patriotismo e de juízo e da necessidade que houve do emprego de força".

Nos nove anos que lhe restavam de governo, ainda sentiu o calor do aplauso popular quando voltou da terceira viagem à Europa, em agosto de 1888, embora não estivesse mais em plena condição de o apreciar. Antes, no dia 13 de maio, Isabel fora aplaudida deliriantemente por ocasião da assinatura da Lei Áurea. Por vários dias, a cidade celebrou o evento. Coelho Neto, n'*A conquista*, descreve, em seu estilo característico, o dia da aprovação da lei: "O povo ondulava ovante e mais de vinte mil bocas, em uníssono, aclamavam; iam chapéus ao ar, lenços palpitavam e, aos arrancos, impetuosos foguetes rasgavam os ares espocando na altura". E ainda: "O dia passou-se em delírio. Bandos percorriam as ruas, cantando. Saíram serenatas e grupos de negros com seus maracás e os seus reco-recos".

A última manifestação de apoio, dessa vez do povo e da elite da capital, verificou-se a apenas quatro meses da derrubada da monarquia. Em 15 de julho de 1889, quando deixava de carruagem o Teatro Santana, o imperador foi alvejado por um tiro disparado por um caixeiro português desempregado chamado Adriano do Vale. O culpado foi preso na madrugada do dia seguinte. Nunca se esclareceu devidamente a natureza do atentado, muito mal executado, aliás, pois o tiro nem sequer atingiu a carruagem. Interessa aqui anotar o repúdio unânime de todos, inclusive de republicanos. Choveram telegramas das províncias e do exterior, sobretudo da França. A rainha Vitória manifestou ao imperador a satisfação pelo fracasso do atentado. No Rio de Janeiro, o monarca reapareceu em público, com a família, quatro dias depois do atentado, agora no Teatro Pedro II. O teatro estava lotado, o povo apinhava-se em frente, as casas vizinhas estavam iluminadas, bandas tocavam. O *Jornal do Commercio* anotou: "É impossível descrever o entusiasmo com que foi aclamado o imperador". Dentro do teatro, tocou-se o *Hino nacional*, houve discursos e numerosos vivas. No dia 22, a família imperial partiu para uma última viagem a Minas Gerais, onde também foi acolhida por toda a parte com aclamações e manifestações de carinho. Para muitos observadores, tais manifestações eram indicação clara da solidez do trono e das instituições monárquicas.

Mas, no dia 15 de novembro, o povo da corte não ficou sabendo o que se passava, não reagiu nem contra nem a favor. Apenas em São Luís do Maranhão, alguns libertos defenderam o regime. D. Pedro nunca cortejou as massas, do mesmo modo que não cortejou as elites. No entanto, teve maior sintonia com o povo do que com as elites, em parte, talvez, por causa de uma tradição monárquica de quatro séculos. À medida que as elites se desligavam da monarquia por não a julgarem mais necessária, ou mesmo útil, a seus interesses, afastados também os militares, o único recurso de poder que restava ao regime era a mobilização do apoio popular, capitalizando principalmente o impacto da abolição. Os partidários do terceiro reinado contavam, sem dúvida, com esse impacto. Mas não havia organização alguma para canalizar o apoio popular. A única tentativa nessa direção foi feita por José do Patrocínio, que, logo após a abolição, criou a Guarda Negra, formada por libertos, para combater os republicanos e defender a princesa Isabel. A Guarda, porém, era mal organizada, e seus métodos violentos de ação despertavam repulsa. Proclamada a República, Patrocínio voltou a ser republicano e se desinteressou pelo movimento. Em retrospectiva, pode-se dizer que, ironicamente, a monarquia caiu no momento de seu maior divórcio com a elite e de sua maior aproximação com o povo. Mas sua popularidade serviu apenas para alimentar o imaginário coletivo.

23. Eleições e representação nacional

Ao regressar da Europa em 1877, o imperador encontrou Caxias velho e doente, suplicando para deixar o poder. Decidiu inverter a situação política e chamar os liberais, que penavam um jejum político de dez anos. O visconde de Sinimbu foi escolhido para organizar o novo gabinete. Em contraste com o rebuliço de 1868, dessa vez a inversão política não causou reclamação. A razão para a convocação dos liberais foi o fato de terem sido eles os primeiros a levantar a bandeira da eleição direta, agora apoiada pelos dois partidos. O sistema eleitoral era o problema central do sistema representativo no Império, preocupação constante do monarca e dos políticos. Passou por várias reformas. A Constituição de 1824 era bastante liberal para a época no que dizia respeito à franquia eleitoral. Admitia o voto do analfabeto e estabelecia uma exigência de renda muito baixa, cem mil-réis. Os libertos podiam votar. Com isso, cerca de metade da população em condições de votar comparecia às urnas. Essa liberalidade era temperada pela existência de dois turnos. Os votantes elegiam os eleitores, que elegiam os deputados e a lista de senadores.

Mas o liberalismo da Constituição não era suficiente. Em virtude das circunstâncias do país, a grande maioria dos votantes estava submetida à influência de senhores de terra, muitos deles oficiais da Guarda Nacional. Além do mais, após o regresso conservador, muitas autoridades provinciais eram de nomeação, direta ou indireta, do governo central, o presidente, os juízes, os delegados, até o inspetor de quarteirão. Os próprios oficiais da Guarda eram escolhidos pelo ministro do Império. Isso tornava muito grande a influência do governo nas eleições. O ministério liberal da maioridade inaugurou a política, depois seguida por todos os outros, de ampla intervenção. A eleição por ele realizada foi chamada de "eleição do cacete", tal a violência empregada. Daí em diante, bastava ao ministério trocar os presidentes de província e os chefes de polícia que a eleição estava ganha.

A conseqüência disso era um sistema baseado num círculo vicioso, como denunciou Nabuco de Araújo. O imperador, como lhe competia, fazia o ministério, o ministério fazia as eleições, as eleições faziam as câmaras, as câmaras apoiavam os ministérios. A lei exigia que os deputados nomeados ministros se submetessem a nova eleição. Mas, dadas as práticas vigentes, só dois ministros perderam a eleição durante todo o Segundo Reinado. As câmaras eram freqüentemente unânimes. Era óbvio para todos, e para d. Pedro antes de todos, que a prática falseava o sistema representativo na medida em que impedia a manifestação da opinião nacional e, portanto, o funcionamento adequado do sistema parlamentar.

A primeira tentativa de reforma do sistema foi a de Paraná em 1855. O marquês queria acabar com as bancadas monolíticas e governistas. Introduziu pela primeira vez no Brasil o voto distrital puro, que previa a eleição de um deputado por distrito. O resultado assustou a elite política nacional. Os mandões dos municípios conseguiram eleger muita gente nova para a Câmara, às vezes pessoas semi-analfabetas, que os críticos apelidaram de "tamanduás". O próprio filho de Paraná foi derrotado em Minas Gerais por um padre desconhecido. A lei foi logo corrigida em 1860, e os distritos passaram a ter três deputados.

Os governos recuperaram o controle das eleições, e persistiram as falhas na representação. Em 1875, quando Caxias presidia o ministério, nova lei foi aprovada para garantir a representação das minorias. Em cada distrito, o votante sufragava apenas dois terços do número de eleitores, a fim de reservar o terço restante para a oposição. Mas, rapidamente, os cabalistas eleitorais do governo acharam um jeito de eleger também o terço restante. Francisco Belisário publicou em 1872 uma dura crítica do sistema. De acordo com ele, todos os candidatos se apresentavam como sendo do governo. O votante da eleição primária era em geral analfabeto, formava uma *"turba multa* ignorante, desconhecida e dependente", que de política só sabia que tinha um voto pertencente a algum senhor ou a quem pagasse melhor. As eleições mais regulares segundo as atas, prosseguia Belisário, eram aquelas feitas a bico de pena, isto é, à revelia do votante. Eram famosos os "fósforos", cidadãos que votavam várias vezes, "riscando" em muitas urnas.

Belisário era conservador, e se opusera à Lei do Ventre Livre, aprovada na Câmara unanimemente conservadora. Achava, corretamente, que a aprovação só fora possível por causa da influência do governo sobre as eleições e sobre os deputados. A solução, segundo ele, era criar um eleitorado mais independente. Isso seria possível eliminando-se os votantes do primeiro grau e introduzindo-se a eleição direta. Por razões parecidas, a eliminação da influência do governo, desde a crise de 1868 os liberais também queriam a eleição direta. Para tentar introduzi-la, o ministério de Sinimbu começou fazendo tudo o que se condenava, demitir presidentes e chefes de polícia. A nova Câmara veio unanimemente liberal. Mesmo assim, não conseguiu passar a reforma. O Senado não aceitava reforma constitucional, com receio de que, de cambulhada, viesse o fim da vitaliciedade dos senadores. Sinimbu, por sua vez, não aceitava a participação do Senado na discussão da reforma. Dissolveu novamente a Câmara, sem resultado. Solicitou outra dissolução, que não foi concedida. Desgastado também pela Revolta do Vintém, pediu demissão.

O imperador chamou, então, outro liberal, Saraiva, para tentar aprovar o projeto. Hábil negociador, Saraiva convenceu o chefe de Estado a aceitar fazer a reforma por lei ordinária e a passou rapidamente pelas duas casas do Parlamento. Houve entusiasmo de liberais e conservadores. Rui Barbosa, autor do projeto, comemorou: "É o mais assombroso triunfo obtido pela causa liberal", é "uma lei que vale mais de meio século de reformas conservadoras". A lei eliminava o primeiro turno, admitia o voto dos acatólicos e proibia o voto do analfabeto. Ela reduziu, de fato, sem a eliminar, a influência do governo nas eleições. Em seu primeiro teste, sob o governo liberal, foram eleitos 47 deputados conservadores num total de 122. Dois ministros foram derrotados, os únicos no Segundo Reinado.

Por outro lado, a lei significou, na prática, um enorme retrocesso democrático, na medida em que cassou o direito do voto de centenas de milhares de brasileiros. Nesse ponto foi de fato assombrosa. Se antes da reforma havia mais de 1 milhão de votantes, depois dela o eleitorado foi reduzido a pouco mais de 100 mil eleitores. O tamanho do estrago na franquia eleitoral pode ser avaliado pelo fato de que a porcentagem dos brasileiros livres que votavam em 1872, 13%, só foi recuperada em 1945, 64 anos após a reforma. Como disse na época José Bonifácio, o Moço, a reforma, ao excluir os analfabetos, engendrou uma soberania de letrados e produziu um erro de sintaxe política, a saber, criou uma oração sem sujeito, uma democracia sem cidadãos.

A posição do imperador em relação às eleições foi sempre uma só: sem eleições livres não há sistema representativo nem monarquia. Essa opinião foi reiterada em várias ocasiões, como no diário de 1861 e nos *Conselhos à regente*. Nestes últimos afirmara que o sistema político do país se baseava na opinião nacional, que nem sempre coincidia com a opinião que se dizia pública. A grande dificuldade do governante era descobrir a opinião nacional "por causa do modo por que se fazem as eleições". As eleições, e isto era verdade aceita por todos, não serviam de indicador da opinião do país. Em matéria de reformas, apoiou a lei dos círculos de Paraná. Quanto à eleição direta, achava que teria de ser feita por reforma constitucional.

Manteve disputa permanente com os ministros no sentido de não haver intervenção no processo eleitoral. Criticava a mudança de presidentes feita com o objetivo de ganhar eleições. Em carta a Barral de julho de 1880, às vésperas da eleição direta, confessou estar aflito com as eleições municipais porque, quando não aparecia força do governo, que gerava abusos e queixas, aparecia a capangagem: "Você não imagina como ando aborrecido de tudo isto". Em carta de 12 de setembro de 1873, já manifestara sua contrariedade: "Quem perde mais com o modo com que se fazem as eleições sou eu, apesar de não ter interesse senão em que vençam os que a nação queira verdadeiramente eleger. Esta questão me tem feito cabelos brancos". Era uma batalha inútil. Para os ministros, importava ganhar as eleições para fazer ampla maioria na Câmara e poder governar. Em todo o Segundo Reinado, somente na primeira eleição direta comandada por Saraiva não houve interferência aberta do governo, daí a eleição de conservadores e a derrota de ministros. A lição foi aprendida, e os ministérios seguintes voltaram a intervir, embora com menor êxito do que antes.

No fundo, a opinião do imperador era que o problema só se resolveria com a educação. Escreveu a Barral em 1880 que pessoalmente não acreditava nos resultados da eleição direta: "Eu não tenho confiança senão na educação do povo". O mesmo dissera nos *Conselhos à regente* de 1871: "Sem bastante educação popular não haverá eleições como todos [...] devemos querer". Daí que "a instrução primária deve ser obrigatória, e generalizada por todos os modos".

Aí estava o nó de todo o sistema representativo do Império e o dilema do Poder Moderador. Sem eleições representativas, só poderia haver alternância partidária no poder pela intervenção do Poder Moderador. Mas, se havia intervenção, reclamava quem estava no poder; se não havia, reclamava a oposição. No final, todos, oposição e governo, liberais e conservadores, acusavam o Poder Moderador de despotismo. A acusação, por sua vez, minava a legitimidade do sistema. O imperador percebia com clareza a situação: "Acusam-me de governo pessoal", escreveu a Barral. "É verdade que talvez acusem-me daqui a pouco de não intervir bastante no governo". Em outra carta, de 21 de abril de 1872, afirmou que na hipótese de se tornar regular o sistema de governo, "hão de por fim convencer-se de que o governo pessoal é um fantasma".

A eleição direta só veio acrescentar ironia à situação. O Parlamento tornou-se mais independente do governo. Com isso, o sistema parlamentar passou a funcionar melhor: só aceitava a presidência do Conselho quem tivesse maioria na Câmara. Mas, ao mesmo tempo, o Parlamento se tornou mais distante da opinião nacional. O abolicionista e republicano José do Patrocínio, diante da oposição da Câmara ao ato final da abolição, apelou ao imperador no sentido de que fizesse uso do Poder Moderador para aprovar a medida, passando por cima dos supostos representantes do povo.

Era uma opção constitucional, uma vez que a Carta de

1824 dizia que os representantes do povo eram o imperador e o Parlamento. Mas não era parlamentarista, como queriam Zacarias e os liberais, defensores da divisa "o rei reina, mas não governa". Na falta de um eleitorado independente, o aperfeiçoamento do parlamentarismo se deu à custa da representação política. O monarca não tinha como fugir ao dilema: ou punha em prática o parlamentarismo, ou representava o país.

24. Abolição da escravidão e do trono

A década de 1880 trouxe ao governo dois grandes problemas. Um era novo, a agitação militar. Outro era a velha questão, ainda não plenamente resolvida, da abolição. Quanto a esta última, governos e partidos achavam que a lei da libertação do ventre, de 1871, era suficiente. Bastava aplicá-la e aguardar até que a morte do último escravo nascido antes de 1871 acabasse também com a escravidão, mesmo que isso a prolongasse até o século xx. A outra fonte de abastecimento de escravos, o tráfico, já fora secada em 1850. Mas desde o final dos anos 1870 começou uma campanha pela abolição total fora das câmaras. Lentamente, o movimento abolicionista foi dominando a imprensa, ocupando os teatros, invadindo as ruas. Os gabinetes liberais, no poder desde 1878, contemporizavam. O imperador mantinha a postura abolicionista, mas mostrava-se menos empenhado do que na época do Ventre Livre. Diante da pressão crescente, decidiu agir. Em 1884, procurou um chefe liberal que se dispusesse a levar a questão às câmaras. Encontrou-o em Manuel Pinto de Sousa

Dantas, que, com promessa de apoio da Coroa, aceitou a tarefa de propor ao Parlamento a libertação dos escravos de sessenta anos ou mais de idade.

A reação contrária da Câmara liberal, eleita pelo voto direto, foi violenta. Renovaram-se os ataques ao monarca, como em 1871. Derrotado por 59 votos contra 52, Dantas pediu a dissolução, que d. Pedro concedeu, contra o parecer do Conselho de Estado. A nova Câmara, mais independente do governo e mais distante da opinião nacional, derrotou outra vez o gabinete por 52 votos a cinqüenta. Dantas solicitou nova dissolução, agora não concedida. Houve gritaria dos abolicionistas. Joaquim Nabuco acusou o imperador de ter traído Dantas, dizendo que o devia ter mantido, mesmo contra o voto da maioria da Câmara. Escreveu um panfleto intitulado *O eclipse do abolicionismo*. Os republicanos juntaram-se ao coro dos críticos, condenando mais uma vez a interferência da Coroa no assunto.

Diante do impasse, Pedro II recorreu novamente à habilidade de Saraiva, chamando-o ao ministério. Para conseguir a aprovação do projeto, Saraiva o descaracterizou, introduzindo uma alteração substancial. Acrescentou cinco anos adicionais de trabalho a que estariam sujeitos os sexagenários, a título de indenização aos proprietários. Salvava o princípio da indenização. Com a modificação, conseguiu aprovar o projeto na Câmara, mas logo depois pediu demissão, alegando não ser capaz de fazer o mesmo no Senado, mais conservador. Outros liberais recusaram-se a aceitar a tarefa de organizar o ministério, forçando o imperador a chamar um conservador, Cotejipe, que fez passar a lei no Senado em 1885. A mudança no texto desapontou os abolicionistas, que retomaram a luta pela abolição total.

A maré abolicionista tornou-se irresistível, transformando-se no primeiro grande movimento nacional de opinião pública. Nem as fazendas escaparam. Em São Paulo, um grupo abolicionista chamado "caifases" promovia fugas de escravos. As fugas multiplicaram-se, especialmente nas províncias de São Paulo e do Rio de Janeiro. Cresceu o número de quilombos, alguns patrocinados por abolicionistas, como o do Leblon na capital do Império. Nas cidades, associações abolicionistas promoviam libertações gratuitas e compradas. Tendo o imperador viajado em junho de 1887 para tratamento de saúde na Europa, Isabel assumiu a regência. Dessa vez, a princesa não manteve a postura discreta que adotara nas duas primeiras regências. Revelou-se agressivamente abolicionista. Suas razões eram de natureza política e religiosa. Pelo lado da política, a abolição podia converter-se em crédito a favor do terceiro reinado; no que toca à religião, seu catolicismo recomendava a libertação como um imperativo da caridade cristã. Estabeleceu contato direto com abolicionistas, sobretudo com André Rebouças, e envolveu-se abertamente em ações a favor dos escravos. Os filhos dela publicavam um jornal abolicionista no palácio de Petrópolis. Para escândalo de muitos, e com a ajuda de Rebouças, acoitava escravos fugidos dentro do próprio palácio. O republicano Silva Jardim acusou-a de transformar o palácio em quilombo.

A princesa pressionou Cotejipe a agir. O matreiro político, que não queria saber do assunto, fazia-se de desentendido, procrastinava. Em março de 1888, nova questão militar deu a Isabel um pretexto para se livrar do presidente do Conselho. Chamou João Alfredo, igualmente conservador, mas abolicionista, que, em tempo recorde, fez aprovar o projeto no Congresso. Dessa vez, não houve oposição, à exceção de uns poucos deputados fluminenses. A oposição era inútil, pois, como observou Cotejipe, a abolição já estava feita nas ruas, revolucionariamente. A Lei Áurea foi a mais importante e mais curta da história do país. Resumia-se a dois artigos: "É declarada extinta, desde a data desta lei, a escravidão no Brasil. Revogam-se as disposições em contrário". Nenhuma outra foi também mais festejada nas ruas de todo o país. A regente foi ovacionada, os abolicionistas, como Patrocínio e Rebouças, foram carregados nos ombros pela multidão nas ruas da capital. Nas fazendas, cerimônias especiais foram organizadas para encenar o "grito da liberdade".

O imperador nunca deixou de abominar a escravidão, como seria de esperar de um típico ilustrado. Mas, no final, tornou-se mais tímido na ação, abrindo espaço para maior arrojo da filha. Porém, mesmo com entusiasmo reduzido, ele ainda era minoria entre os políticos que governavam o país. Só depois de 1865, seguindo a própria liderança imperial, é que começou a engrossar o grupo de políticos abertamente abolicionistas, como Jequitinhonha, Tavares Bastos, Silveira da Mota. Conhecidos liberais como José Bonifácio, o Moço, Felício dos Santos, Silveira Martins, do mesmo modo que a maioria dos republicanos, eram contrários à abolição. Felício dos Santos, republicano, antevia a "horrorosa perspectiva de um milhão de selvagens atirados sem freio sobre uma população apenas dez vezes maior", ou o espectro de "um milhão de mendigos a sustentar; de uma luta medonha; do extermínio da raça". O liberal Silveira Martins dizia amar mais a pátria que o negro.

Os republicanos de São Paulo, na maioria fazendeiros, recusaram-se, para grande irritação e escândalo do abolicionista Luís Gama, a incluir a abolição em seu programa, alegando que era assunto dos partidos monárquicos. A convicção geral era que a abolição causaria a ruína da agricultura, apesar de evidências de crescimento das exportações desde 1871. Todas as medidas abolicionistas foram aprovadas na Câmara graças à pressão da Coroa. Uma das duas grandes instituições nacionais, a Igreja Católica, não foi apenas conivente com a escravidão, mas também praticante. A outra, o Exército, manifestou-se coletivamente a favor da abolição apenas em 1887, quando o Clube Militar solicitou ao governo que os soldados não fossem usados para perseguir escravos fugidos. Os republicanos de São Paulo só aderiram também em 1887, mesma data da adesão dos conservadores da província. O próprio movimento popular só adquiriu força na década de 1880, tão enraizado estava o escravismo em nossa sociedade. José Bonifácio comparou a escravidão a um câncer a ser extirpado, para o escravista marquês de Olinda ela era uma chaga em que não se devia tocar. As duas imagens, câncer e chaga, indicavam com precisão a natureza profunda do mal.

Quanto a Isabel, se calculava acumular créditos para um terceiro reinado, equivocou-se redondamente. Ganhou, sem dúvida, amplo apoio popular, refletido nas grandes festas de 13 de maio e no título de Redentora que lhe foi dado por José do Patrocínio. Sem discutir o peso real de sua contribuição para a Lei Áurea, é certo que o imaginário popular registrou o título, que resiste até hoje às tentativas de o desmoralizar. Mas o apoio popular não teve peso algum na crise final do regime. No momento da proclamação da República, a monarquia ficou sozinha. O dano político causado pela defecção dos proprietários de escravos teve peso muito maior do que o apoio popular. Joaquim Nabuco comentou logo após a abolição: "A princesa tornou-se muito popular, mas as classes fogem dela e a lavoura está republicana". As classes eram, naturalmente, as que mandavam.

Entre os fazendeiros, o apoio à monarquia era condicionado à garantia que ela pudesse dar à escravidão. Para eles, 1871 e 1885 já tinham constituído uma traição nacional. A Lei Áurea fora a última gota. Diante do apoio da princesa à abolição sem indenização, decidiram que não lhes interessava mais a monarquia e que não lutariam pelo terceiro reinado. Um historiador observou, referindo-se à situação de um município que era o centro da cafeicultura fluminense após a aprovação da lei: "Da noite para o dia, o reduzido grupo dos tolerados republicanos de Vassouras expandiu-se a ponto de incluir a maioria dos ressentidos fazendeiros". Logo depois da apresentação do projeto abolicionista, o insuspeito Agostini publicou uma charge em que fazendeiros senhores de escravos lançam fora os largos chapéus-chile, põem o barrete frígio, empunham a bandeira republicana e atacam o Império gritando: "Sem negro não queremos imperadô [sic]".

Do ponto de vista político, quem tinha razão era o astuto Cotejipe quando disse francamente a Isabel que ela redimira uma raça mas perdera um trono. Por mau cálculo ou por desinteresse, o primeiro de Isabel, o segundo do imperador, a monarquia perdeu com a abolição mais uma batalha política por sua sobrevivência. Os proprietários a abandonaram. A opinião ilustrada apoiou a medida, mas já se decidira contra o regime. O povo aderiu com entusiasmo, mas não tinha voz política.

25. A casaca e o botão amarelo

O outro sério problema da década de 1880 foi a indisciplina militar. A maneira como foi feita a independência do Brasil impediu que emergissem entre nós figuras como as dos generais libertadores que povoam a história dos países da ex-colônia espanhola da América e enchem suas praças públicas de monumentos. O Brasil, até a Guerra do Paraguai, não tinha heróis militares. No início da Regência, o Exército foi quase todo desmobilizado por causa da intensa participação de soldados nas revoltas urbanas. Em seu lugar, foi criada a Guarda Nacional para garantir a ordem interna. Foi só com a subida dos conservadores ao poder, em 1837, que a força de terra começou a ser lentamente reconstruída. Mais preocupados com a manutenção da ordem e da unidade nacional do que os liberais, os conservadores precisavam de um exército capaz de combater as grandes revoltas que ameaçavam fragmentar o país. Caxias tornou-se o principal responsável por esse combate e, ao mesmo tempo, pela recuperação do prestígio da força militar. A guerra contra Rosas em 1852 deu novo impulso à valorização do Exército, especialmente porque o ligava agora à defesa externa e não à luta entre brasileiros. A Marinha nunca teve esses problemas. Criada a partir da adesão de oficiais portugueses e da contratação de oficiais ingleses, ela foi desde a independência fator importante da defesa nacional e não se envolveu em lutas partidárias.

Essa história teve duas conseqüências. A primeira foi a ausência de interferência militar na vida política do país até, pelo menos, 1868. A segunda, relacionada à primeira, foi o culto ao civilismo desenvolvido pela elite política imperial, com o incentivo do imperador. Na ausência de guerra nacional de independência, a elite política, treinada nas escolas de direito de Portugal e do Brasil, acostumou-se a governar o país mirando-se no constitucionalismo inglês. Os países vizinhos, com seus caudilhos militares e suas constantes revoluções, eram vistos como exemplos de barbárie. O civilismo era considerado uma das maiores evidências da superioridade do sistema brasileiro de governo. Quando chefes militares se envolviam em política, eles o faziam como membros de um dos dois partidos. Outro indicador do civilismo do sistema é o fato de que os dois ministérios militares, sobretudo o da Marinha, foram freqüentemente ocupados por civis.

A Guerra do Paraguai alterou a situação. O episódio do atrito de Caxias com o ministério Zacarias foi o primeiro a ser visto como uma imposição da espada. Não foi. Caxias era um membro do Partido Conservador, e, se imposição houve, foi do imperador. Mas a guerra deu visibilidade aos chefes militares. As grandes vitórias despertavam entusiasmo, fomentavam o patriotismo e tocavam o imaginário popular. Alguns dos chefes militares, como Caxias, Osório, Barroso, passaram a ser promovidos a heróis por seus próprios partidos. Além da visibilidade dos chefes, a guerra provocou outra mudança ainda mais importante. O Exército começou a adquirir uma identidade corporativa, desenvolveu interesses próprios e começou a querer também uma voz própria, inclusive na política. O tempo em que os problemas militares se resolviam mediante contato pessoal com generais, como se estes fossem apenas correligionários políticos, estava desaparecendo.

Os políticos monarquistas, liberais ou conservadores, não se deram plena conta dessas mudanças e não passaram a dar maior atenção às reivindicações militares. O efetivo e o orçamento do Exército voltaram rapidamente, após a guerra, à modesta posição anterior: menos de 15 mil soldados e menos de 10% do total de gastos do governo central. Os presidentes do Conselho continuaram a lidar os militares com base em contatos individuais. Mesmo no campo das relações pessoais, os bacharéis que governavam o país não conseguiram entender a cabeça dos militares. Sobretudo, não entenderam um de seus valores centrais, o sentimento de honra, ou pundonor, como se costumava dizer.

D. Pedro, por educação e convicção, era igualmente civilista convicto, avesso ao uso da força. Não tinha simpatia por coisas militares, assim como não tinha por coisas eclesiásticas. Interessou-se pelas primeiras apenas durante a guerra. Também não via os militares como uma corporação. Para ele, os oficiais eram funcionários públicos ou políticos ligados aos partidos. Era grande amigo de alguns chefes, como Caxias e Tamandaré. Em troca da atenção, das promoções, dos títulos nobiliárquicos e ordens honoríficas com que pagava os serviços prestados, esperava deles lealdade ao monarca e à monarquia. Daí sua incredulidade quando lhe disseram que Deodoro o abandonara e se juntara aos conspiradores. Suas relações com o marechal eram de amizade e respeito, embora julgasse que tinha uma "inteligência limitada". O marechal, por sua vez, tinha veneração por ele, a quem dizia tudo dever. Ainda em 11 de novembro, quatro dias antes do golpe, resistia ao convite de liderar o movimento, dizendo que respeitava muito o imperador e queria acompanhar seu caixão ao túmulo.

Uma das conseqüências das mudanças trazidas pela guerra foi o desenvolvimento dentro do corpo de oficiais do Exército de um ressentimento contra a elite civil, contra o governo dos bacharéis, ou dos "casacas", como diziam. Criou-se a convicção de que o governo não dava aos militares a atenção que eles mereciam em compensação pelo esforço de guerra. O ressentimento atingia, sobretudo, a geração que lutou na guerra em postos intermediários. Os mais antigos e leais estavam desaparecendo. Caxias tinha morrido em 1880, Porto Alegre e Osório morreram em 87. Novos chefes, como o conservador Deodoro da Fonseca e os liberais Floriano Peixoto e o general Câmara, visconde de Pelotas, que na guerra fora o responsável pela caçada final a López, passaram a liderar a corporação. Uma complicação adicional surgiu ainda na década de 1880, quando as escolas militares foram invadidas por idéias positivistas, transmitidas pelo major Benjamin Constant, que também estivera no Paraguai, onde fora muito crítico em relação a Caxias. Em seu esquema evolucionista, o positivismo considerava a república um regime superior à monarquia. E a república que pregava devia ser ditatorial. A junção do ressentimento dos ex-combatentes, chamados de "tarimbeiros", com a convicção republicana dos jovens oficiais positivistas forneceu a receita para o golpe de 15 de novembro.

Os primeiros sintomas graves do mal-estar manifestaram-se em 1886, durante o ministério de Cotejipe. O coronel Cunha Matos discutiu pela imprensa com o ministro da Guerra, o deputado Alfredo Chaves. Avisos do governo datados de 1883 proibiam aos oficiais discutir assuntos militares pela imprensa sem autorização dos superiores. O ministro puniu o coronel. O visconde de Pelotas, senador do Partido Liberal, tomou as dores do camarada de armas e o defendeu da tribuna do Senado. Disse que o coronel tinha direito e obrigação de resguardar sua honra, mesmo contra as leis vigentes. "Ponho minha honra acima de tudo", afirmou. O tema da honra foi o toque de reunir da tropa. Nascia a solidariedade da corporação, acima das lealdades partidárias. No Rio Grande do Sul, o conservador Deodoro apoiou o liberal Pelotas. Este extrapolou todos os limites ao declarar no Senado, acobertado pelo cargo político, que as classes armadas não depositavam confiança no governo e em nome delas ameaçou o próprio imperador com a expulsão do país, caso as exigências dos militares não fossem atendidas. A situação era esdrúxula e inaceitável: Pelotas ofendia-se como militar e usava o escudo político da tribuna do Senado para ameaçar, com a força militar, as instituições do país. A autoridade do governo ficava desmoralizada.

Deodoro foi exonerado de seu posto de comandante-das-armas no Rio Grande do Sul e veio para a corte, onde realizou reunião pública com militares em que se decidiu apelar ao imperador. Para tirar o gabinete do impasse, o Senado votou moção bipartidária convidando o governo a retirar os avisos que proibiam a manifestação de militares pela imprensa. Cotejipe atendeu ao convite, não sem reconhecer que o ministério saía arranhado em sua dignidade. Esse "arranhado" foi um dos maiores eufemismos da política imperial. Mesmo assim, a situação continuou tensa, com o agravante de que em junho de 1887 d. Pedro, gravemente doente, viajou mais uma vez para a Europa, deixando o governo nas mãos de Isabel. No início de 1888, surgiu outro conflito. A polícia prendera na corte um oficial reformado que andava embriagado pelas ruas criando confusões. Foi o suficiente para provocar nova reação de solidariedade de oficiais, que exigiram a demissão do chefe de polícia. Cotejipe defendeu seu subordinado. Isabel, ansiosa para se ver livre do presidente do Conselho por causa da questão da abolição, ficou ao lado dos militares, desautorizando o ministério. Cotejipe pediu demissão, em outro grande arranhão na autoridade do governo. De arranhão em arranhão, preparava-se o levante de 15 de novembro.

26. "Grande povo!"

Os cinco anos de guerra, marcados por preocupações constantes e esforços diuturnos, afetaram a saúde do imperador. No início dos anos 1880, o diabetes veio contribuir para sua ruína física. O forte organismo começou a fraquejar. Em 26 de fevereiro de 1887, quando assistia a uma peça de teatro em Petrópolis, sofreu um ataque febril, acompanhado de calafrios, a que depois sobrevieram congestão hepática e vômitos. O médico do paço desde 1880 era Cláudio Velho da Mota Maia. Filho de um mordomo substituto, crescera à sombra do palácio. O monarca o mandara à Europa para estudar a reforma das faculdades de medicina do Império. Diagnosticou malária juntamente com complicações hepáticas. Médicos independentes disseram que se tratava de diabetes e que a vida do chefe de Estado corria sério perigo.

D. Pedro foi levado para uma fazenda perto de Petrópolis, depois para a Tijuca, sem resultados. O ministro austríaco, Von Seiller, o visitou e anotou: "Envelheceu muito, está magro, o rosto abatido". Começaram a circular boatos de que estava incapacitado para governar e perdia a prodigiosa memória. Ângelo Agostini representou-o abatido, com manta cobrindo os joelhos, recomendando a um ministro que consultasse seu amigo, o visconde de Bom Retiro, antes de se decidir. O visconde morrera um ano antes. Acusava-se Mota Maia de não informar adequadamente seu estado de saúde e controlar suas decisões. Aconselhado pelos médicos, o barão de Cotejipe, presidente do Conselho, chamou de volta Isabel, que se achava na Europa. A princesa chegou no início de junho, quando já estava decidida a viagem do imperador.

Em 30 de junho, d. Pedro partiu para a Europa, deixando a filha mais uma vez na regência do Império. Na França, foi examinado por sumidades médicas, Pasteur, Charcot, Bouchard, que confirmaram o diabetes. Pensou-se, no governo, em prolongar sua estada na Europa, estendendo ao mesmo tempo a regência de Isabel. A imprensa atacava impiedosamente a Cotejipe, acusando-o de querer usurpar o poder imperial. A antipatia por ele era também motivada por sua resistência à abolição. Os caricaturistas, Agostini sempre à frente, o representavam com coroa e vestes imperiais. Numa das charges da *Revista Illustrada*, ele foi chamado de d. Cotejipe I, Imperador Inconstitucional e Defensor Perpétuo da Escravidão. Insinuava-se que o imperador decidira apressar o regresso para conter o presidente do Conselho. Mas d. Pedro, achando-se melhor, preferiu visitar a Itália.

Em 3 de maio de 1888, já no governo de João Alfredo, foi acometido, em Milão, de pleurite seca. Mota Maia chamou três médicos respeitados, os italianos Mariano Semmola e De Giovanni e o francês Charcot. Depois de alguns dias de melhora, em 22 de maio, sobreveio uma crise que o levou à beira da morte e que os médicos chamaram de paralisia bulbar, com sintomas de febre alta, respiração ofegante, manchas roxas pelo corpo, tremores, inchação dos olhos. Por sugestão de Semmola, utilizou-se um tratamento ainda pouco comum, injeção hipodérmica de altas doses de cafeína, que deu bons resultados. A imperatriz insistiu em que se confessasse e comungasse. Com receio de que morresse sem saber da assinatura da Lei Áurea, ela lhe deu a notícia. D. Pedro achou forças para balbuciar "Grande povo! Grande povo!". Melhorou lentamente, mas a saúde estava inexoravelmente comprometida.

No dia 27 de julho, Charcot, De Giovanni e Semmola mandaram carta a Mota Maia expondo a situação da saúde do imperador. A causa principal da crise, segundo eles, foram "os abusos das faculdades intelectuais e as fadigas corporais, abusos a que o imperador se entregara durante toda a sua vida, mas principalmente durante sua última viagem à Europa". A superveniência nos últimos anos do diabetes teria levado a uma "sobrecarga psíquico-fisiológica". As recomendações eram que não assumisse logo o governo ao voltar, fizesse ao menos dois meses de repouso, evitasse esforços físicos e intelectuais e grandes emoções. Tudo o que o monarca nunca fizera. Ao regressar, ele assumiu de imediato suas funções.

Desembarcou no Rio de Janeiro em 22 de agosto. Foi recebido com grandes festas. Uma multidão seguiu a carruagem imperial pelas ruas da cidade, como nos velhos tempos da Questão Christie e do fim da Guerra do Paraguai. Políticos e intelectuais o presentearam com uma poliantéia, com textos de Machado de Assis, Joaquim Nabuco, José do Patrocínio e muitos outros. O republicano Salvador de Mendonça contribuiu com um poema em que chamava d. Pedro de "imperador lendário". Os alunos da Escola Militar, que no ano seguinte ajudariam a derrubá-lo, estenderam imensa faixa no morro da Urca com os dizeres: "Bem-vindo!". A monarquia parecia estar no auge da popularidade.

Mas a família imperial não se iludia em relação à situação política. O conde d'Eu escreveu ao pai dizendo que nunca a monarquia estivera tão instável. A doença afastava cada vez mais o imperador da política. Cresciam as dúvidas sobre sua capacidade de governar. O visconde de Taunay, íntimo do paço, anotou em seu diário de 19 de abril de 1889: "O imperador cada vez mais esquecido das coisas presentes e alheio aos assuntos políticos". Escrevendo logo após a deposição, o ministro inglês, George Wyndham, observou que o monarca estava *"feeble in mind and in body"* e deveria ter renunciado. A idéia lhe foi, de fato, proposta, mas ele não a aceitou. A princesa tornara-se popular com a abolição, mas contra ela pesavam as acusações de beata e os receios de que permitisse a interferência do marido na política.

No início da doença do soberano, já se cogitara mesmo em seu afastamento em favor de d. Pedro Augusto. Este príncipe de 21 anos era o primogênito de d. Leopoldina, e fora herdeiro presuntivo do trono até 1875, quando nasceu o primogênito de Isabel. D. Pedro Augusto era formado em engenharia na Escola Politécnica, onde se especializara em mineralogia. Era amigo de pessoas importantes, como o visconde de Taunay, André Rebouças, Afonso Celso Jr. Órfão de mãe desde 1871, morava com o irmão Augusto no palácio Leopoldina, onde oferecia festas para rivalizar com o palácio Isabel, pois não se dava bem com Isabel e com o conde d'Eu. Era tido como o favorito do imperador para a sucessão, e corriam boatos, registrados por diplomatas estrangeiros, de que havia um partido que favorecia essa solução. Mas suas ambições eram prejudicadas, entre outras coisas, pela saúde precária. Desde menino sofria terrores noturnos, e desenvolvera tendências paranóicas. Na viagem para o exílio, os sintomas se agravaram. Depois da morte de Pedro II, enlouqueceu de vez e foi internado num sanatório, onde morreu em 1934, aos 68 anos.

O conde d'Eu, por sua vez, não despertava simpatia alguma. Teve sempre comportamento exemplar, mas não era poupado pela oposição republicana. Ridicularizavam-no por tudo, pela avareza, pela exploração de aluguéis de cortiços, por ser carola, desengonçado, malvestido, surdo, por falar um português carregado de erres. Era "o francês". Silva Jardim, o mais exaltado propagandista da república, escolheu-o como alvo predileto de seus violentos ataques. Seguiu-o na viagem que fez ao Norte em 1888, e em discursos públicos pedia nada menos que o fuzilamento do conde, sonhando com uma nova Revolução Francesa no Brasil.

27. O reino que não era deste mundo

O golpe militar de 15 de novembro expôs com clareza a alienação do imperador em relação à política e a perda de controle da situação por parte do governo. O visconde de Ouro Preto, presidente do último Conselho de Ministros, assumiu em 7 de junho de 1889. O ministério anterior de João Alfredo fora nomeado exclusivamente para fazer a abolição. Realizada esta, não teve mais apoio da Câmara conservadora. Não lhe tendo o Conselho de Estado concedido a dissolução, pediu demissão. Pedro II, já de volta ao governo, buscou outros conservadores para organizar o novo ministério, mas nenhum conseguiu unir o partido, dividido pela abolição. Voltou-se, então, para os liberais. O político liberal em quem mais confiava era Saraiva. Teve com ele uma longa conversa. Muito franco, Saraiva lhe disse que a república estava perto, mas preocupava-se com o fato de o país não se estar preparando para ela. Poderia surgir uma situação de anarquia. Achava por isso importante que se fizessem reformas para lhe preparar o caminho.

A essa altura, o imperador lhe perguntou qual seria, na hipótese da República, o destino do reinado da filha. Saraiva, tão arguto quanto Cotejipe, embora menos conservador, retrucou que o reino de Isabel não era deste mundo. Exprimiu numa frase a opinião quase geral, mesmo entre monarquistas, de que a herdeira se preocupava mais com religião do que com política, ou que via a política como dependente da religião. Acrescentou ainda Saraiva que o conde d'Eu tampouco era benquisto, sobretudo pelos negócios de aluguel de estalagens em que se metera. Diante dessa franqueza quase brutal, a resposta do monarca foi convidar Saraiva para organizar o governo. O político indagou se poderia anunciar ao Parlamento que seu programa seria aplainar o terreno para a república, inclusive com a adoção do federalismo. O novo regime poderia ser adotado por decisão da Câmara, perante a qual o imperador renunciaria. D. Pedro lhe deu carta branca para pôr em prática o programa. Saraiva não era republicano, não se iludia com o novo regime. Dissera profeticamente ao republicano Oliveira Lima que, se proclamada a República, "os senhores verão o que é poder pessoal". Mas, em seu pragmatismo, não via outra saída a não ser a troca de regime. Também pragmaticamente, aderiu uma vez proclamada a República.

Ao descer de Petrópolis, no entanto, o político baiano pensou melhor e resolveu não enfrentar a tarefa. Não era homem de briga. Sabia que não seria bem aceito por Isabel, por motivos óbvios: queria tirar dela o terceiro reinado. Além disso, constava que a princesa já estava negociando o ministério com o visconde de Ouro Preto. O fato indicava a perda de poder do imperador, que nunca antes admitira nenhuma interferência em suas decisões, nem mesmo da filha. Excluído Saraiva, Ouro Preto foi chamado.

O mineiro Ouro Preto era o oposto do baiano Saraiva. O estereótipo do político mineiro de hoje se aplicava na época aos baianos. Ouro Preto, junto com outros conterrâneos, salientava-se exatamente por traços opostos ao jeito e à flexibilidade. Era homem de caráter e princípios rígidos, áspero no trato, cioso da autoridade de seu cargo, além de ter fama de eficiente, ganha nas três vezes em que fora ministro, inclusive da Marinha e da Guerra. Outro ponto em que se distinguia de Saraiva era em seu forte monarquismo. Admitia o perigo representado pelas tendências republicanas, muito acrescidas depois da abolição da escravidão. Mas, para ele, a resposta não era preparar a república, era esvaziar a república, mostrar que a monarquia podia fazer, e melhor, as reformas chamadas democráticas.

Foi exatamente isso que disse na Câmara dos Deputados, de grande maioria conservadora, ao apresentar seu ministério. Prometeu pôr em prática o programa aprovado no congresso do Partido Liberal realizado na corte. Eram, segundo ele, largas reformas, inspiradas na escola democrática. Incluíam a ampliação do direito do voto pela abolição da exigência de renda, o fim da vitaliciedade do Senado, a liberação do culto público a outras igrejas além da Católica, a eliminação das atribuições políticas do Conselho de Estado. A que julgava mais urgente era a autonomia dos municípios, inclusive o da capital. Prometeu eleição popular dos executivos municipais e a nomeação dos presidentes de província com base em listas formadas pelo voto popular. Durante a apresentação do programa, houve dois episódios sintomáticos. Um deputado conservador, Pedro Luís, interrompeu a exposição dizendo que era o começo da República. Ouro Preto respondeu enfaticamente: "Não! É a inutilização da República!". O deputado potiguar padre João Manuel de Carvalho, também conservador, fez um discurso radical, fechado com um viva à República.

As reformas prometidas eram reclamadas havia muito tempo. A mais urgente era, sem dúvida, a da descentralização política, ou do federalismo. Enquanto se manteve a coincidência dos centros econômico e político do país no Rio de Janeiro, a centralização podia ser sustentada, apesar dos protestos de várias províncias, especialmente de Pernambuco e do Rio Grande do Sul. Mas, quando o café começou a se deslocar para São Paulo, a situação mudou. O federalismo era a principal reivindicação dos republicanos paulistas. Ele significava, sobretudo, a eleição dos presidentes de província e maior equilíbrio nas transferências de renda entre a província e o governo central. Monarquistas como Joaquim Nabuco e Rui Barbosa tinham percebido a necessidade da reforma para atender a uma exigência inadiável e, pelo menos no caso de Nabuco, à sobrevivência da monarquia. A resistência ao federalismo estava, no entanto, arraigada na cabeça dos políticos mais antigos, que ainda julgavam ser a centralização necessária para se manter a unidade do país. Todos percebiam também que a federação iria reduzir drasticamente o poder da elite nacional.

Nesse ponto, o congresso do Partido Liberal andou meio caminho. Admitiu a eleição dos presidentes, mas em listas. O poder de nomear ainda permanecia com o governo central. O gabinete de Ouro Preto ateve-as ao programa. Como protesto, Rui Barbosa não aceitou cargo no ministério. Em represália, o partido o excluiu da chapa de deputados pela Bahia. Em represália à represália, Rui começou uma cerrada campanha contra o gabinete e o regime monárquico nas páginas do *Diário de Notícias*.

No que toca ao movimento republicano, era precária a organização nas províncias. O único partido republicano razoavelmente estruturado era o de São Paulo. Mesmo assim, não elegera nenhum deputado na última legislatura. Na corte, apesar do apoio de órgãos da imprensa, o partido nunca se conseguira organizar por conta das muitas divergências internas. Em 1887, dois anos antes da proclamação, Campos Sales se dirigiu a Saldanha Marinho, chefe do partido, dizendo que o atraso da idéia republicana no Brasil se devia à falta de organização do partido na capital. No ano da proclamação, Saldanha Marinho escreveu aos paulistas reconhecendo a impossibilidade de disciplinar seu partido. Havia apenas um simulacro de partido, disse. Um avanço foi obtido em maio de 1889, quando se realizou em São Paulo o primeiro congresso nacional do Partido Republicano. Dele resultou a organização em âmbito nacional e a escolha do jornalista Quintino Bocaiúva, do Rio de Janeiro, como seu presidente.

A escolha de Quintino teve conseqüência porque, à diferença da maioria dos correligionários, ele era um militarista. Diante das dificuldades de expansão, acrescidas com a popularidade da princesa Isabel após a abolição, o partido se via forçado a discutir alternativas de ação. Na capital, Quintino, à frente d'*O Paiz*, havia algum tempo açulava os militares contra o governo. Dizia abertamente que não iria à rua sem o botão amarelo, isto é, sem a participação militar. Para ele, qualquer agitação sem a força armada seria loucura e derrota certa. A mesma posição era adotada por Júlio de Castilhos, no Rio Grande do Sul, no jornal *A Federação*. O chefe gaúcho foi outro grande provocador do conflito entre os militares e o governo. O fato era importante porque os maiores contingentes do Exército localizavam-se exatamente na corte e no Rio Grande do Sul.

Os republicanos paulistas estavam divididos. A maioria, incluindo Américo Brasiliense, Campos Sales, Bernardino de Campos, era por uma evolução pacífica para a república, sem golpes e sem revoluções de rua. Com eles concordava Saldanha Marinho. Um dos poucos paulistas adeptos da solução militar era Francisco Glicério, que foi enviado à capital às vésperas do movimento. Havia ainda uma terceira posição, representada por Silva Jardim, que queria a república proclamada no bojo de um movimento popular, ao estilo da Revolução Francesa. Sintomaticamente, nem ele nem Saldanha Marinho foram incluídos na conspiração.

Como os próprios republicanos reconheciam, o partido não tinha tamanho, organização e apoio popular suficientes para derrubar o regime monárquico. Clubes e jornais concentravam-se nas províncias de São Paulo, Rio de Janeiro, Minas Gerais e Rio Grande do Sul. A maior força dos republicanos estava no meio jornalístico e na nova geração de estudantes das escolas superiores de direito, medicina e engenharia, e na Academia Militar. Na capital, a despeito da desorganização do partido, boa parte da opinião pública, entendendo-se por isso jornalistas, profissionais liberais, professores e alunos de escolas superiores, era simpática à república. Mas, de longe, a maior vantagem do partido residia na crescente perda de legitimidade da monarquia entre a elite, sobretudo após a abolição da escravidão, e na crença generalizada da inviabilidade do terceiro reinado com Isabel.

Nessas circunstâncias, a estratégia da maioria dos republicanos era simplesmente aguardar a morte do velho monarca e tentar, então, por meios pacíficos, o bloqueio do terceiro reinado. Era o que teria seguramente acontecido não fora o golpe militar. Daí a surpresa generalizada causada pelo 15 de novembro. Apenas alguns republicanos civis da capital tinham sido avisados, e eles, por sua vez, avisaram os paulistas. E isso a quatro dias do golpe e contra a vontade de Deodoro, que julgava tratar-se de assunto exclusivamente militar. Esperava-se o fim da monarquia, mas não daquele modo. Ficou famosa a expressão do republicano Aristides Lobo, presente aos acontecimentos, segundo a qual o povo teria assistido bestializado à parada militar do dia 15. O adjetivo é forte, mas descreve bem o que se passou. Só alguns republicanos, como Quintino Bocaiúva, negaram a natureza militar e inesperada do movimento. Foi uma tentativa inócua de valorizar a própria atuação e retirar da proclamação o pecado original do militarismo.

A posição de d. Pedro em relação à república foi de simpatia. Em várias ocasiões, deixou claro que via a monarquia apenas como uma fase de preparação do país para a república. Considerava esta um sistema de governo superior à monarquia, desde que o grau de civilização do Brasil estivesse a sua altura. Já no diário de 1861, escrevera que, a ser imperador, preferiria ser presidente da República ou ministro de Estado. Vicente Quesada, o ministro argentino que com ele conviveu de perto nos últimos anos do regime, o considerava um monarca à força. Rebouças relatou em seu diário que o imperador teria dito a Antônio Prado, chefe do Partido Conservador de São Paulo: "Eu sou republicano. Todos o sabem. Se fosse egoísta, proclamava a república para ter as glórias de Washington". Não o fazia porque achava que a república levaria à separação das províncias. A Alexandre Herculano, afirmou que uma república com presidente hereditário seria o melhor governo para o Brasil. Curiosamente, era exatamente esse o sistema proposto pelos positivistas ortodoxos. Para eles, aliás, a solução ideal seria fazer do imperador um ditador republicano. D. Pedro também não deu atenção a várias advertências no sentido de que sua ação minava as bases sociais e políticas da monarquia.

Foi acusado de excesso de tolerância com a imprensa e com a oposição, inclusive a republicana. Nada aconteceu a Silva Jardim quando pregou em público o fuzilamento do conde d'Eu. Pregar o assassinato de um político em pleno gozo de seus direitos era, e continua sendo, crime em qualquer país democrático. O imperador fora também sempre contrário a excluir os republicanos de cargos públicos. Ele próprio empregou um republicano, Benjamin Constant, como professor de matemática de seus netos, e não o incomodava que este ocupasse vários cargos públicos.

Mais ainda, nunca pareceu interessado em preparar um terceiro reinado, para a filha ou para d. Pedro Augusto, o filho mais velho de Leopoldina. Educou Isabel como havia sido educado, mas não lhe entregou o governo nem mesmo quando já não tinha condições de governar. Não cortejou o povo, não cortejou os políticos, não cortejou os militares, não cortejou a Igreja, não negociou apoios. Parecia um fatalista em matéria de sucessão monárquica. É possível que não acreditasse num terceiro reinado. *Après moi, la République,* poderia ter dito, parodiando Luís XIV.

Muitos estrangeiros observaram que a monarquia brasileira exibia traços mais republicanos do que as repúblicas vizinhas. Foi o caso do presidente da Venezuela, Rojas Paúl, que, ao ser informado da queda do Império, observou: "Foi-se a única república da América". O pianista Louis Moreau Gottschalk, quando esteve no Rio de Janeiro durante a Guerra do Paraguai, anotou em seu diário que o Império era mais liberal do que as repúblicas da América do Sul que visitara.

No estilo pessoal, na aversão a pompas e honrarias, na simplicidade dos hábitos, na preocupação com o interesse coletivo, havia também no próprio imperador muito de republicano, como bem tinham percebido os americanos. Por ocasião do exílio, o poeta cubano Julián del Casal escreveu um "Adeus ao Brasil do imperador dom Pedro II" em que incluiu os versos:

> *Y aunque llevé en la frente una corona,*
> *Yo he sido tu primer republicano!*

28. "Terpsícore"

Ao assumir, Ouro Preto, aconselhado por correligionários, tentou apaziguar os militares colocando dois deles no ministério, o que não era usual. Para o Ministério da Guerra, escolheu um primo de Deodoro, o visconde de Maracaju. Na Marinha, pôs um almirante, o barão de Ladário. Os dois eram amigos do conde d'Eu. Para ajudante-geral do Exército, uma espécie de chefe de estado-maior, foi buscar o general Floriano Peixoto.

Apesar desse cuidado inicial, cometeu o erro de chamar o marechal Deodoro de volta da expedição a Mato Grosso, para onde fora enviado por Cotejipe. De regresso ao Rio de Janeiro em setembro, Deodoro foi logo envolvido em conspirações. Nunca fora republicano. Em 1887, escrevera ao sobrinho, Clodoaldo da Fonseca, aconselhando-o a não se meter em questões republicanas. República no Brasil seria "uma verdadeira desgraça". O país não estava preparado. Militar dos pés à cabeça, não sabia mover-se no meio civil. Em matéria de política, era completamente ingênuo. Acreditava em tudo o que lhe diziam.

Os conspiradores, jovens oficiais e alunos das escolas militares, o envolveram totalmente e fizeram dele um instrumento de seus propósitos. Descobriram que o argumento que o tirava do sério era dizer que o governo perseguia o Exército, que tentava afastar tropas do Rio de Janeiro e reforçar a Guarda Nacional. O velho marechal indignava-se. Mas estava preso a um dilema moral, hesitava entre a derrubada do regime e o respeito e a amizade que nutria por outro velho doente, o imperador. Hesitou até o final do dia 15 de novembro.

A conspiração caminhou impulsionada por jovens oficiais. O de mais alta patente era o tenente-coronel Benjamin Constant, professor de matemática da Escola Militar e da Escola Superior de Guerra. Positivista e republicano por convicção, doutrinava os alunos, e acabou sendo empurrado por eles à posição de liderança do grupo. Sua primeira intervenção política foi o discurso que fez na Escola Militar durante a recepção a oficiais de um navio chileno que visitava o Brasil. Quando Ouro Preto o quis corretamente punir pela indisciplina, d. Pedro tentou dissuadi-lo, dizendo que o tenente-coronel era incapaz de violência e seu grande amigo. Bastaria conversar com ele. Mas, diferentemente do que se passou com Deodoro, essas demonstrações de consideração por parte do imperador não geraram escrúpulo algum em Benjamin na hora de derrubar a monarquia.

No esforço para promover o terceiro reinado, Ouro Preto tentou um golpe de publicidade. Estava na capital, desde 11 de outubro, o cruzador chileno *Almirante Cochrane*, em visita de cortesia. O presidente do Conselho resolveu oferecer uma festa retumbante em honra do almirante Bannen e seus marinheiros, uma festa de proporções jamais vistas na corte. O baile realizou-se na ilha Fiscal no dia 9 de novembro. O palácio da ilha foi iluminado com setecentas lâmpadas elétricas para a recepção de cerca de 4500 convidados. A própria ilha brilhava à luz de 10 mil lanternas venezianas, motivando o conselheiro Aires, narrador do romance *Esaú e Jacó*, de Machado de Assis, a se referir a ela como um sonho veneziano. A família imperial compareceu em peso, assim como boa parte do grande mundo da corte, formado por políticos, militares e homens de negócio acompanhados de suas respectivas esposas. Todos exibiam a melhor roupa e as jóias mais preciosas.

Embora fosse festa liberal, contava com a presença de conservadores e, sem dúvida, de alguns políticos e militares que dali a uma semana estariam marchando nas ruas para derrubar o regime ou fazendo profissão de fé republicana. Como disse d. Cláudia no capítulo intitulado "Terpsícore" (musa da dança) de *Esaú e Jacó*, referindo-se ao baile, não era preciso ter as mesmas idéias para dançar a mesma quadrilha. Pelo menos naqueles velhos tempos. Seis bandas alegravam o ambiente. No largo do Paço, fronteiro à ilha, uma banda da polícia tocava lundus e fandangos para a pequena multidão dos barrados do baile.

A ceia foi proporcional ao número de convidados. Preparada por noventa cozinheiros e 150 garçons, consumiu, entre outras coisas, quinhentos perus, oitocentos quilos de camarão, 1300 frangos, 12 mil sorvetes. De bebidas, foram servidos 10 mil litros de cerveja e 258 caixas de vinho e champanhe. No dia seguinte, entre os despojos encontrados, havia ligas, corpetes, coletes de senhoras, lenços, chapéus, dragonas. Não há comentários do imperador sobre a festa. Se os tivesse feito, seguramente não destoariam dos que sempre fazia a respeito de celebrações semelhantes: uma grande maçada. Doente como ele estava, o comentário teria sido provavelmente mais azedo.

Na mesma hora em que a família imperial, o governo e a alta sociedade da corte dançavam ao som de valsas, no Clube Militar um punhado de conspiradores acertava os detalhes do assalto ao poder. A ironia da situação inspirou o pintor Aurélio de Figueiredo, irmão de Pedro Américo, a pintar em 1905 o quadro O *último baile da monarquia*. No primeiro plano, Figueiredo colocou a família imperial e os políticos; no alto, à direita, o sonho do terceiro reinado representado pela coroação de Isabel I; à esquerda, localizou a marcha da história figurada no episódio da proclamação da República. O pintor pode ter se inspirado também no capítulo já citado de *Esaú e Jacó*, romance de 1904, em que d. Natividade, mãe dos gêmeos Pedro e Paulo, pensando no baile, sonha com o filho monarquista, Pedro, inaugurando o século XX e o terceiro reinado como ministro. Ao sonho de Natividade, Figueiredo contrapôs o outro sonho do republicano Paulo.

29. "Estão todos malucos!"

Dois dias após o baile, em 11 de novembro, houve a única reunião dos conspiradores militares com republicanos civis. Deodoro não queria a reunião, não queria que casacas se metessem num assunto que para ele era estritamente militar. Três civis compareceram, Quintino Bocaiúva, Aristides Lobo e Rui Barbosa. O marechal continuava a hesitar, resistindo ao assédio de Benjamin e outros militares, que martelavam o argumento dos planos do governo contra o Exército. No final, pareceu concordar. Mas havia ainda muita incerteza e insegurança. No dia 14, Benjamin era favorável a um adiamento do movimento para o dia 18 a fim de que houvesse melhor preparação. Além disso, Deodoro tivera outra crise de asma, e Benjamin achava que não amanheceria, hipótese que acabaria com a conspiração. No entanto, o major Sólon decidiu fazer o oposto, precipitar o movimento. Dirigiu-se ao centro da cidade e começou a espalhar boatos que ele mesmo inventara de que o governo ordenara a prisão do marechal Deodoro e de

Benjamin Constant e que a Guarda Nacional, a polícia e a Guarda Negra iam atacar os quartéis do Exército.

Os boatos foram transmitidos aos três regimentos de São Cristóvão trabalhados pelos conspiradores, e o golpe entrou em fase de execução às onze horas da noite do dia 14. Deodoro e Benjamin não sabiam de nada. Foram levados para o Campo de Santana, onde se localizava o quartel-general, um regimento de cavalaria, um de artilharia e um de clavineiros, além da Escola Superior de Guerra. Eram mais ou menos seiscentos soldados, a maioria sem saber exatamente o que iria fazer, ou pensando que iria defender o Exército contra a Guarda Nacional e a polícia, como confessou um dos conspiradores. Alertado, Deodoro, que saíra da crise de asma, tomou uma carruagem e foi ao encontro das tropas. Os republicanos tinham reunido algumas pessoas e davam vivas à República. O marechal mandou que se calassem.

O visconde de Ouro Preto recebera vários avisos sobre a conspiração, mas não lhes dera muita importância. O ajudante-geral do Exército, marechal Floriano Peixoto, já em entendimento com os conspiradores, lhe garantira a lealdade das tropas. Somente no dia 14 fez uma referência ao fato de que se tramava algo "por aí além", mas reafirmou novamente a lealdade dos chefes militares. Mesmo assim, Ouro Preto mandou concentrar tropas no quartel-general e foi para lá com o ministro da Guerra. Era já madrugada de 15, uma sexta-feira. Enviou um telegrama alertando o imperador, que se achava em Petrópolis. Começou, então, um jogo de empurra, de desculpas, de simulações, entre os chefes militares, o ministro da Guerra e Floriano Peixoto. Ninguém obedecia às determinações de Ouro Preto para atacar os revoltosos. A tarefa era fácil, pois havia ao redor e dentro do quartel um número de soldados três vezes superior ao dos atacantes. Floriano desculpava-se alegando que se tratava de brasileiros e não de paraguaios. Deodoro chegou ao quartel e deu ordens para a abertura dos portões, sem que houvesse reação alguma. Dirigiu-se a Ouro Preto e lhe fez um discurso sobre os sofrimentos por que passara no Paraguai e sobre a perseguição do governo ao Exército. Terminou declarando deposto o ministério e dizendo que indicaria outros nomes a d. Pedro. Ouro Preto enviou novo telegrama a Petrópolis, pedindo demissão.

Durante todo o dia, houve grande desorientação. Deodoro não proclamara a República, e os conspiradores se desesperavam com a indefinição. À tarde, José do Patrocínio reuniu gente na Câmara Municipal e fez a proclamação. Mas, sem o endosso de Deodoro, nada estava valendo. Pelas seis horas da tarde, vários republicanos se dirigiram à casa do marechal, que não os recebeu por estar de cama. Benjamin Constant respondeu por ele, evasivamente, dizendo que a decisão do povo seria levada em conta. Decepcionados, todos se retiraram.

O imperador estivera no Rio no dia 14 para assistir a um concurso para a cadeira de inglês no Colégio de Pedro II. Viu o primeiro telegrama na manhã do dia 15 e não lhe deu muita importância. Mas desceu quando lhe chegou o segundo, às onze horas, mesmo sem ter idéia da gravidade da situação. Enquanto isso, no palácio Isabel planejava-se uma reação com a presença do visconde de Taunay e Rebouças. D. Pedro foi diretamente para o paço da cidade, sem encontrar dificuldades, e lá chegou às três da tarde. Durante a viagem, leu jornais e revistas científicas.

Foi grande a confusão no palácio durante todo o dia 15. Rebouças queria que o imperador se retirasse para o interior a fim de organizar a resistência. Mas d. Pedro continuava não se dando conta da gravidade da situação. Era tudo "fogo de palha", "conheço os meus patrícios", respondia. A Câmara recém-eleita e o Senado ainda não se tinham reunido. Ouro Preto chegou ao palácio e indicou como sucessor Silveira Martins. Porém, o senador gaúcho estava em viagem, e só chegaria ao Rio de Janeiro dali a dois dias! Além disso, era desafeto de Deodoro. Atacara o marechal no Senado e levara a melhor na disputa pelas atenções da baronesa do Triunfo, no Rio Grande do Sul. O presidente do Conselho alegou mais tarde que não sabia da desavença entre o general e o político, desconhecimento bastante improvável. O visconde, mais provavelmente, sucumbira à tentação de uma pequena vingança pessoal contra o militar que o depusera. A simples referência a Silveira Martins pode ter sido a gota d'água para acabar com a indecisão de Deodoro.

O conde d'Eu e Isabel pediram a d. Pedro que convocasse o Conselho de Estado. Reunidos às pressas, às onze horas da noite, os conselheiros sugeriram que se chamasse Saraiva em vez de Silveira Martins. Procurado no hotel de Santa Teresa, onde morava, Saraiva aceitou e buscou contato com Deodoro, já de madrugada. O marechal, que se achava na cama, respondeu ao emissário, major Trompowski, que era tarde e discursou novamente contra as injustiças que o governo cometera contra o Exército. O imperador mantinha-se abúlico e fatalista. Quando lhe disseram que a República já podia estar proclamada, respondeu: "Se assim for, será a minha aposentadoria. Já trabalhei muito e estou cansado. Irei então descansar".

No dia 16, sábado, a família imperial continuava sitiada no paço, acompanhada de alguns amigos fiéis. Ainda se pensou em reação. O comandante do *Almirante Cochrane*, almirante Bannen, ofereceu asilo ao monarca. Havia uma saída pelos fundos do palácio. Os barões de Muritiba e de Loreto redigiram um manifesto aos brasileiros, a ser assinado pelo imperador. A idéia era refugiar-se no navio enquanto se esperava a reação das províncias ao golpe dado na capital. Mas d. Pedro recusou a proposta. Achava indigno fugir à noite e abrigar-se em navio estrangeiro.

Às três horas da tarde do dia 16, o major Sólon chegou

ao palácio com a mensagem da derrubada da monarquia, assinada por Deodoro. O texto repetia a acusação de insultos do governo ao Exército e à Armada e da tentativa de dissolvê-los. Intimava a família imperial a sair do país o mais rápido possível. Houve consternação. Isabel pôs-se a chorar. O soberano, no entanto, manteve-se imperturbável. Copiou a resposta redigida pelo barão de Loreto e assinou. Marcou a partida para o dia seguinte às três da tarde. Passou o resto do dia com a família, lendo revistas científicas. Irritou-se apenas quando o governo provisório antecipou a partida para as primeiras horas do dia 17. Perguntou ao mensageiro, tenente-coronel Mallet: "Que governo?". Mallet disse que era o governo da República. Retrucou d. Pedro: "Deodoro também está metido nisso?". Era o chefe do governo, informou o militar. E d. Pedro: "Estão todos malucos!". E protestou que não era negro fugido para partir na escuridão. O embarque foi, assim mesmo, marcado para uma e meia da manhã do dia 17, um domingo. Com a decisão, o novo governo tentava evitar que houvesse manifestações populares, a favor da monarquia ou contra ela. Num caso ou noutro, poderia correr sangue. Se corresse o do imperador ou de qualquer membro da família real, as conseqüências poderiam ser desastrosas para o movimento, pelo menos para sua imagem.

A antecipação provocou enorme correria. Vários amigos se dispuseram a acompanhar a família imperial. O barão de Loreto pediu um empréstimo de 30 mil francos ao banqueiro visconde de Figueiredo para prover as despesas dos exilados. Passou depois em casa, onde se abasteceu de livros e revistas. Uma lancha do arsenal da Marinha levou a família imperial para o vapor *Parnaíba*, ainda na escuridão. O marquês de Tamandaré, sempre fiel ao imperador, assistiu ao embarque. Situação dramática foi vivida pelo tenente-coronel Mallet no momento de transferir o monarca da lancha para o *Parnaíba*, como o próprio oficial confessou mais tarde. Estava escuro, d. Pedro tinha estatura avantajada e estava muito fragilizado. Se ele caísse no mar e se afogasse, ninguém acreditaria em acidente e Mallet estaria moralmente destruído. Decidiu que, caso o imperador caísse, saltaria também para o salvar ou morrer com ele.

Às dez horas, chegaram os três filhos de Isabel, trazidos de Petrópolis pelo tutor, barão de Ramiz Galvão. Outro neto, d. Augusto de Saxe-Coburgo, estava no exterior, em viagem de instrução da Marinha. Ainda no *Parnaíba* apareceu um tenente do Exército e entregou ao imperador um decreto do governo provisório que lhe concedia 5 mil contos de subsídio. D. Pedro recebeu o documento sem o ler e sem saber do que se tratava. Ao meio-dia, o *Parnaíba* zarpou para a ilha Grande, onde estava o *Alagoas*. O transbordo foi feito à noite. No dia 18, à uma hora da madrugada, o *Alagoas* levantou ferro em direção à Europa, comboiado pelo couraçado *Riachuelo*.

Alguns amigos fiéis decidiram acompanhar a família imperial na viagem para o exílio. Entre eles, estavam o barão e baronesa de Loreto, Franklin Dória e Maria Amanda, o barão e baronesa de Muritiba, Manuel Vieira Tosta filho e Maria de Avelar. Maria Amanda, Amandinha, e Maria de Avelar eram amigas de infância de Isabel. O barão de Loreto fora ministro do Império do último gabinete. Juntaram-se também ao grupo o médico, conde de Mota Maia, o conde de Aljezur, na condição de mordomo, o conde de Nioac, camarista, e André Rebouças.

30. "Nasci para as letras e as ciências"

Ao ser deposto em 15 de novembro de 1889, d. Pedro II tinha completado 49 anos, três meses e 22 dias de governo. Apenas a rainha Vitória da Inglaterra o iria superar em tempo de reinado. Os dois se encontraram em 1872 por ocasião da primeira viagem à Europa. Nascida em 1819, seis anos antes do imperador brasileiro, Vitória foi coroada em 37, aos dezoito anos de idade. Reinou até 1901, completando 64 anos no trono. Presidiu à formação do capitalismo industrial na Inglaterra, à consolidação do sistema parlamentar de governo e à formação do Império Britânico, e marcou com seu nome um tipo de sociedade, a sociedade vitoriana.

Em quase meio século de reinado, d. Pedro II presidiu à solução dos grandes problemas que, quando ele subiu ao trono, ameaçavam a própria existência do país. À beira da fragmentação em 1840, o Brasil em 89 exibia poucos sinais de fratura. O tráfico fora extinto, e a escravidão fora abolida. O processo foi demasiado lento, mas até o fim o imperador e os abolicionistas tiveram de enfrentar a resistência tenaz de proprietários e da maioria da representação nacional. A instabilidade política havia sido substituída pela consolidação do sistema representativo e pela hegemonia do governo civil, em nítido contraste com o que se passava em países vizinhos. Na política externa, o Brasil definira com clareza e preservara seus interesses na região platina, e ganhara respeitabilidade diante da Europa e dos países americanos. Pessoalmente, o monarca conquistara o respeito internacional pela dignidade e patriotismo com que exercera o poder e pela proteção que dispensara às ciências e às letras. Muito ainda restava por fazer, sobretudo no campo da educação, da descentralização do poder, da formação do povo político. Como ele mesmo notou, tudo andava devagar demais no Brasil. Mas, posto que lentamente, estavam lançadas as bases para a construção do país.

D. Pedro II e a rainha Vitória eram parecidos em algumas coisas, especialmente no senso do dever, na dedicação ao trabalho, na disciplina pessoal, na mania pela organização. Mas divergiam em muitas outras. A rainha tinha aguda consciência de sua posição funcional e de seu *status* aristocrático, não tinha ambições intelectuais e gostava do que fazia, mesmo depois do grande desgosto causado pela morte do marido, o príncipe Alberto, em 1861. Terminou feliz a longa vida e o longo reinado, admirada e amada pelos súditos. O imperador, ao contrário, era um homem fora do lugar no trono. As paixões dele estavam em outros lugares e atividades a que as tarefas de governo impediam que se dedicasse. À medida que envelhecia e perdia a saúde, fora perdendo também o interesse pelo trono e pela dinastia. Morreu no exílio, melancolicamente, mais infeliz do que vivera, sem ver reconhecida pelo governo de seu país a dedicação de tantos anos. O comentário mais amargo sobre sua vida, ele o fez em momento particularmente doloroso, ao chegar, exilado, a Lisboa: "Eu fui sempre um Imperador violentado".

D. Pedro II cumpriu escrupulosamente as tarefas de governo que o destino lhe reservou. Porém, as paixões de Pedro d'Alcântara eram o Brasil, a condessa de Barral e os livros. Mas, se a paixão pelo Brasil permitira que convivessem os dois Pedros, a dos livros talvez tivesse sido mais radical. D. Pedro era um leitor voraz e onívoro. Lia muito e de tudo, livros, jornais, revistas, relatórios. Lia diariamente, em casa, nos trens, nos navios, nos hotéis. Em carta a Barral, afirmou, decerto exagerando: "Você creia que eu leio pelo menos 10 horas cada dia". Lia em ocasiões em que a nenhuma outra pessoa ocorreria fazê-lo, como quando aguardava a deportação no paço da cidade. Lia para si, anotando, ou lia para os outros e fazia os outros lerem para ele, como lhe tinham ensinado seus educadores. Transmitiu às filhas e a amigos a prática de leitura em voz alta. No exílio, ouvia leituras do dr. Seybold, seu professor de sânscrito, e lia para as filhas do médico, o conde de Mota Maia.

No primeiro encontro que com ele teve, em 1869, o conde de Gobineau ficou perplexo com sua erudição. Autor de vários livros, o mais famoso dos quais era o *Ensaio sobre a desigualdade das raças humanas*, o conde não esperava descobrir nessa terra de mestiços degenerados — era assim que via a população brasileira — alguém que não só conhecia os livros dele, mas parecia conhecer todos os outros. Anotou em carta a madame Gobineau que, ao chegar ao palácio de São Cristóvão, veio-lhe ao encontro o imperador, "muito alegre, muito vivo, muito informado, tendo lido tudo, mas realmente e verdadeiramente tudo". Insistiu: "É inaudito tudo o que leu". Nas conversas que tinham quase todos os domingos, falavam "de tudo e do resto". Além de ler muito, d. Pedro era dotado de memória prodigiosa, que lhe permitia guardar o que lia. Era a *"immensitate memoriae"* referida por Seybold no epitáfio latino escrito para sua urna funerária.

O imperador queria que sua imagem pública fosse a de um amigo dos livros. Seus educadores valorizavam esse lado da personalidade dele, e já o faziam retratar como leitor e estudioso. Ao longo do reinado, buscou consolidar essa imagem. Em alguns retratos, como numa litografia de Sisson de 1858, aparece com um livro na mão em frente a uma estante cheia de livros. A mesma imagem é reproduzida em outra litografia, de Léon Noel, de 1860, sobre foto de Victor Frond. Outras vezes, fazia-se representar de pé, apoiando-se numa pilha de livros, como na foto que enviou a Agassiz. Até fotos do exílio o representam lendo livros. Nos últimos anos do regime, quando, já doente, perdia as rédeas do governo, os caricaturistas recorriam a seus hábitos de leitura e a seu *hobby* de astrônomo para o ridicularizar, sugerindo o alheamento dele dos acontecimentos políticos.

A declaração mais contundente de sua vocação para as letras, as artes e a ciência está no diário de 1862: "Nasci para consagrar-me às letras e às ciências, e, a ocupar posição política, preferiria a de presidente da República ou ministro à de imperador. Se ao menos meu Pai imperasse ainda estaria eu há 11 anos com assento no Senado e teria viajado pelo mundo". Estão aí afirmados uma vocação, um desgosto e um prazer. A vocação para as ciências e as letras, o desgosto de ser imperador, o desejo de viajar. Passou boa parte da vida tentando combinar esses desejos com os deveres.

Há também muitas confissões de que a leitura era para ele uma terapia. Em carta a Barral de 3 de novembro de 1880, afirmou: "Muito me tem valido minha paixão pelo estudo e pela leitura". Na *Fé de ofício*, escrita já no exílio, em 1891, anotou: "cujo estudo [das ciências] tanto me tem consolado, preservando-me igualmente das tempestades morais". No dia seguinte à morte da imperatriz, escreveu no diário: "Tenho estado a ler para ver se afasto a idéia de tão saudosa vida". O órfão de pai e mãe fizera da leitura uma couraça para se proteger dos abalos emocionais, inclusive, e sobretudo, os do exílio.

A mesma paixão que tinha pela leitura ele dedicava à escrita. Deixou 43 cadernos de diários, em que descreveu minuciosamente suas viagens no Brasil e no exterior e os dias de exílio. É enorme o volume de correspondência com políticos, sábios, artistas, amigos e amigas. Entre os políticos, salientam-se o barão de Cotejipe, João Alfredo, Rio Branco; entre os cientistas, Pasteur, Louis Agassiz, Henri Gorceix; entre os literatos, Manzoni, Alexandre Herculano e Antônio Feliciano de Castilho; entre os amigos, o historiador Varnhagen e o conde de Gobineau; entre as amigas, a condessa de Barral e a cantora Ristori. Mesmo quando lia, fazia-o sempre com um lápis na mão, marcando, anotando, comentando. Como, pela natureza do cargo, não podia debater política em público, compensava a restrição discutindo em notas rabiscadas nos livros que lia. As mais conhecidas foram feitas à biografia do conselheiro Furtado escrita por Tito Franco de Almeida. A cada acusação do autor contra o imperialismo, isto é, o uso do poder pessoal, aduziu correções e justificativas.

Às vezes, comentava livros no diário. Em 1862, teve a atenção despertada por um livro recém-publicado intitulado *Cartas do Solitário*. O Solitário defendia a abertura do Amazonas à navegação de todos os países. O imperador concordava com a abertura, mas sob regras. Temia a expansão dos Estados Unidos, pois para ele: "A integridade do Império é a principal segurança de nossa prosperidade". Soube-se depois que o autor era um jovem de 21 anos, Tavares Bastos, que veio a ser um dos principais representantes do liberalismo doutrinário no Segundo Reinado. Outras vezes, discutia pessoalmente, sobretudo com políticos e pensadores que lhe eram mais próximos. Teve longas conversas com o visconde do Uruguai sobre o livro deste, *Ensaio sobre o direito administrativo*, publicado em 1862, que se tornou a melhor interpretação conservadora da política imperial. Liberal como era, d. Pedro discordou da ênfase dada pelo visconde à ação do Estado e à boa administração quando promovida à custa da liberdade política.

Tinha predileção pelo aprendizado de línguas. A memória fabulosa era-lhe, nesse e em outros campos, de enorme ajuda. Falava latim, francês, alemão, inglês, italiano, espanhol. Lia grego, árabe, hebraico, sânscrito, provençal, tupi-guarani. Fazia traduções do grego, do hebraico, do árabe, do francês, do italiano, do inglês. A paixão pelas línguas manifestava-se nos momentos mais inesperados, como no episódio do encontro com o tenente paraguaio. O estudo do sânscrito era algo exótico. Mas ele o manteve até o fim da vida. Na viagem de exílio, levou junto o professor de sânscrito, Seybold, com quem tomou lições até os últimos dias. Esse tipo de estudo parece tão raro que se pode perguntar se era de fato um prazer ou um *hobby* destinado a impressionar sábios europeus. Menos estranho, mas certamente curioso, era o interesse dele pelo hebraico. D. Pedro sempre mostrou simpatia pelos judeus, e tinha prazer em visitar sinagogas, para escândalo da princesa Isabel e de seus hóspedes reais na Europa. O prazer maior, sem dúvida, era surpreender os rabinos, discutindo com eles problemas de interpretação da Bíblia.

O de que não se pode duvidar é do genuíno interesse do imperador pelo cultivo e promoção da cultura. Esse interesse foi demonstrado *ad nauseam* durante toda a vida. Distribuía bolsas de estudo e auxílios para experimentos, fazia doações a instituições educacionais e científicas. Doou 100 mil francos para a criação do Instituto Pasteur e colaborou financeiramente para a expedição de Agassiz. Comprou e entregou ao Instituto Histórico e Geográfico Brasileiro a brasiliana reunida por Martius, e doou à Biblioteca Nacional sua coleção de fotos, a que deu o nome da imperatriz. Concedeu pensão à família do ator João Caetano, financiou a publicação de obras de Gonçalves Dias, e da *Confederação dos Tamoios*, de Domingos José Gonçalves de Magalhães. Protegeu muitas instituições de ciência e cultura do país. Fundou a Escola de Minas de Ouro Preto, convidando professores franceses para organizá-la. Na *Fé de ofício*, mencionou planos de construir duas universidades, uma ao norte, outra ao sul, de instalar um observatório astronômico moderno, e de criar um instituto científico e literário como o de França. Assistia com freqüência às reuniões do Instituto Histórico e Geográfico Brasileiro, de que era patrono. As reuniões anuais de aniversário do Instituto, assim como as da Academia de Medicina, se realizavam na Sala Encarnada do paço da cidade. Aproveitava essas ocasiões para conversar com os sócios, muitos deles políticos importantes e seus amigos. Assistia ainda a conferências públicas, não apenas às que eram pronunciadas por sumidades, como Agassiz, mas também às conferências da Glória, organizadas pelo senador Correia. A correspondência da mordomia da Casa Imperial com artistas e escritores, excluída a correspondência pessoal do monarca, contém 2252 itens.

O imperador tinha mania de assistir a tudo o que era concurso público no Rio de Janeiro, na Escola Politécnica, na Faculdade de Medicina, no Colégio de Pedro II, nas escolas militares. Em todas as viagens, no Brasil e no exterior, visitava escolas e instituições culturais. Nas escolas, era o pavor dos professores, porque acompanhava suas aulas e examinava os alunos, do primeiro grau ao ensino superior. Montou três bibliotecas em São Cristóvão, com um total de 60 mil volumes. Uma era a da imperatriz, outra a do despacho ministerial, e a terceira a sua própria, onde passava horas lendo, anotando e escrevendo. Esta última biblioteca ocupava vasto espaço no terceiro andar, na área frontal do palácio. No restante do andar, havia uma sala de física, um gabinete telegráfico e um observatório astronômico. Costumava passar horas inteiras observando o céu em aparelhos importados da Europa, como fazia a mãe, d. Leopoldina. O interesse dele pela astronomia era motivo de gozação por parte dos caricaturistas, sobretudo Agostini.

Ficou famoso o encontro com Victor Hugo em Paris, no

qual levou quase ao ponto do ridículo sua manifestação de admiração. Outra grande admiração foi Richard Wagner, cujo talento reconheceu já na década de 1850, quando a ópera *Tannhäuser* ainda era vaiada em Paris. Contribuiu para a construção do teatro de Bayreuth. Wagner contemplou a possibilidade de estrear no Rio de Janeiro uma versão italiana de *Tristão e Isolda*, dedicada ao monarca. Com os escritores, d. Pedro tinha uma tática infalível de sedução. Na primeira conversa, escudado nas muitas leituras e na excelente memória, demonstrava conhecimento das obras do interlocutor, até das menos importantes. Não havia intelectual, profissional da vaidade, que resistisse a esse lustre no ego: descobrir que um imperador lera seus livros. Nem mesmo resistiram os que cultivavam prevenções contra ele e o Brasil, como o político e pensador argentino Domingo Sarmiento. Nem sequer o casmurro Alexandre Herculano.

Com tudo isso, pode-se dizer que d. Pedro foi um erudito. Mas não foi um sábio, nem um cientista, nem um filósofo. A melhor coisa que talvez tenha escrito foram os artigos de 1856, em defesa da *Confederação dos Tamoios*, poema de seu protegido, Domingos José Gonçalves de Magalhães. A obra tinha sido atacada por José de Alencar, que se ocultou sob o pseudônimo de Ig. Araújo Porto Alegre foi o primeiro a defender o poeta, assinando "Um amigo do poeta". O imperador entrou na briga como "Outro amigo do poeta", com seis artigos que, segundo Antonio Candido, honravam seu amor às letras e estavam à altura da boa crítica brasileira do tempo. A acusação e a defesa da *Confederação* configuraram a primeira grande polêmica literária do país, em que até o romancista português Alexandre Herculano se envolveu. A tomada de posição do soberano deu origem também ao primeiro entre os muitos atritos havidos entre ele e José de Alencar.

D. Pedro traduziu o *Prometeu acorrentado*, de Ésquilo,

poemas de Manzoni, Longfellow, Dante, Victor Hugo, Lamartine e de outros autores conhecidos. Em seus papéis, encontram-se dezenas dessas traduções. São sempre excessivamente literais, sem grande valor literário. No caso de *Prometeu acorrentado*, o barão de Paranapiacaba encarregou-se de colocá-la em verso. A mesma limitação literária afeta os inúmeros sonetos que escreveu no Brasil e durante o exílio. As palavras rabiscadas, as incontáveis correções, indicam que, para ele, escrever era um parto doloroso e demorado. Os três sonetos que ficaram conhecidos como "sonetos do exílio" são de excelente qualidade, como o demonstra a primeira estrofe de um deles, dedicado à imperatriz após sua morte, de nítido sabor camoniano:

> *Corda, que estala em harpa mal tangida,*
> *Assim te vais, ó doce companheira*
> *Da fortuna e do exílio, verdadeira*
> *Metade de minha alma entristecida.*

Mas já se comprovou que foram escritos por Carlos de Laet. O autor os atribuiu ao imperador como parte de sua ferrenha campanha em defesa da monarquia. A imensa correspondência mantida por Pedro II, inclusive a que se destinou à condessa de Barral, é vazada em português correto, mas quase sempre pouco imaginativa. A condessa chegou a acusá-lo de ser aborrecido. Em favor dele, deve-se dizer que não se enganava quanto ao mérito de seus escritos. Dizia:

> Bem sei que não sou poeta. Escrevo versos, uma vez ou outra, apenas como exercício intelectual, e somente quando não tenho mais que fazer. Mas não se lhes pode dar o nome de poesia. Mostro essas produções a alguns íntimos, mas de forma alguma desejaria vê-las publicadas.

Tais afirmações contêm alguma falsa modéstia. Muitas vezes lia seus poemas para pequenas audiências e ousava enviar as traduções para autores como Longfellow. Em 1889, seus netos publicaram um livreto com uma seleção de sonetos e traduções dele.

Adotava com entusiasmo as inovações tecnológicas da época. Desde a juventude, interessou-se pela fotografia, tornando-se o primeiro chefe de Estado fotógrafo. A partir da visita à exposição de Filadélfia, interessou-se também pelo telefone. Financiava experimentos, tinha seu pequeno observatório em São Cristóvão. Na viagem aos Estados Unidos, informou-se sobre fábricas, máquinas e novas tecnologias, dizendo querer implantá-las no Brasil. Como no caso das letras e das ciências, no entanto, seu interesse pela tecnologia não se materializou em invenções.

Seu apoio à ciência, às letras e às artes, à educação e à técnica foi um exemplo importante num país de 80% de analfabetos. O pouco que se fez no Brasil no século XIX nesses campos deve muito a ele. Serviu também para projetar no exterior a imagem de um chefe de Estado culto e mecenas, em contraste com as dos generais e caudilhos toscos que povoavam a política da América Latina. Pode-se imaginar a surpresa de intelectuais europeus, como Nietzsche, com quem se encontrou casualmente na Áustria, ao descobrirem que vinha do Brasil um dos soberanos mais ilustrados do século. Em suas exéquias, boa parte do mundo intelectual e científico de Paris estava presente.

31. Morte em Paris

Comboiado pelo couraçado *Riachuelo*, o *Alagoas* subiu a costa até a altura de Pernambuco, e então afastou-se do continente em direção à Europa. A ilha de Fernando de Noronha foi o último pedaço de Brasil visto pelos exilados.

A experiência da viagem, assim como a de todo o exílio, foi registrada no diário. São catorze cadernos manuscritos, centenas de páginas, em que o imperador anotou, com minúcia quase irritante, seus dois últimos e penosos anos de vida. Somos informados dos mínimos detalhes do cotidiano, até mesmo do número de vezes que ele se levantou à noite para urinar. São raras as manifestações de dor, limitadas à ocasião de algumas mortes e datas mais significativas.

Passada a ilha, os exilados fizeram a tentativa de um último contato com a terra que deixavam para sempre. Soltaram um pombo que levava como mensagem de despedida a palavra *saudade*. Por desgraça, o mensageiro não era um profissional do vôo e tinha as asas podadas. Sob a vista de todos, caiu no mar e afogou-se. Durante o trajeto, o monarca ocupava o tempo calculando as milhas percorridas, escrevendo sonetos, conversando, lendo compulsivamente, ou fazendo com que lessem para ele. Conhecedor do hábito imperial, o barão de Loreto, que era poeta, levara para bordo um suprimento de livros e revistas. Entre os livros, dois eram de José Veríssimo, jovem escritor paraense, ainda pouco conhecido: *Estudos brasileiros* e *Cenas da vida amazônica*. As conversas mais longas eram com André Rebouças. O abolicionista tinha admiração pelo imperador e devoção pela princesa Isabel por ter ela assinado a Lei Áurea. Não quis jamais voltar ao Brasil e suicidou-se na ilha da Madeira em 1898. Com freqüência, d. Pedro procurava também o comandante Pessoa, para pedir informações técnicas.

Estranhamente, pusera-se a escrever sonetos diários desde o dia 6 de novembro, isto é, ainda antes da deposição. Com poucas interrupções, manteve o hábito durante os dois anos de exílio. Alguns deles foram incluídos no diário. Escrevia a propósito de temas variados, sobretudo pessoas e o Brasil. Os da época da deposição e deportação são herméticos, de difícil entendimento. O primeiro com tema identificável refere-se ao pombo que se afogou. Todos são de escassa qualidade literária.

Fizeram-lhe um dia a observação de que poderia ter resistido com êxito à rebelião militar. Com fatalismo e total desinteresse pela sobrevivência da monarquia, respondeu: "Resistir, para quê? O Brasil há de saber governar-se; não precisa de tutor". Não se queixava do golpe. Às vezes, no entanto, fechava o livro, marcando a página com o dedo, e fitava longamente o horizonte na direção do Brasil. Em contraste, a princesa Isabel mostrava-se ressentida e abatida, chorava com freqüência. Mas achou tempo para escrever uma memória sobre os acontecimentos destinada aos filhos. O conde d'Eu cuidava dos três filhos do casal. A baronesa de Loreto redigia notas de viagem. A imperatriz bordava.

Ao chegar à ilha de São Vicente, no Cabo Verde, d. Pedro, tendo tomado conhecimento do teor do decreto que lhe haviam entregado no Parnaíba, respondeu ao governo provisório recusando os 5 mil contos de ajuda de custo. Em 2 de dezembro, celebrou-se a bordo seu 64º aniversário. Ao brinde que lhe dirigiu Isabel, respondeu: "Menina! Ouça meu brinde — à prosperidade do Brasil!".

A monotonia da viagem era às vezes quebrada pelos ataques de loucura do príncipe d. Pedro Augusto. O jovem convencera-se, desde o embarque, de que o comandante Pessoa tinha ordens para atirar ao mar toda a família imperial. Quando Pessoa procurou acalmá-lo dizendo que já viajara com o conde d'Eu, ficou ainda mais suspeitoso, pois não se dava bem com os tios. Em certo momento, agrediu o comandante, tentando estrangulá-lo. Teve de ser posto sob vigia. Nas escapadas, lançava garrafas ao mar com pedidos de socorro. Duas delas chegaram ao litoral brasileiro. Em carta escrita a bordo em 29 de novembro a um amigo não identificado o príncipe demonstrou que estava consciente de seu estado de saúde: "Será bom que saiba que passo por doido, escreveu, por ser o único que receia alguma indignidade". O comportamento do neto foi o único aborrecimento anotado por d. Pedro durante a viagem. A única alegria, anotada por Isabel e Maria Amanda, ocorreu na última escala, em São Vicente. Com permissão do novo governo, a bandeira imperial foi içada no *Alagoas*, substituindo a provisória da recém-proclamada República. Esta última era uma cópia da americana, à exceção das cores das faixas horizontais, que eram verdes e amarelas.

O navio chegou a Lisboa no dia 7 de dezembro. D. Pedro presenteou o comandante com um relógio de ouro, distribuiu brindes aos oficiais e dinheiro à tripulação. Recusou a hospedagem oferecida pelo sobrinho, o rei d. Carlos de Portugal, preferindo um hotel. De Paris, vieram a seu encontro Eduardo

Prado; o barão de Penedo, representante do Brasil em Londres; Santana Néri, e outros monarquistas. O futuro historiador Oliveira Lima, então um jovem republicano de vinte anos, foi a bordo saudá-lo e se impressionou com o abatimento dos exilados. "Voltei para a terra pesaroso e envergonhado", confessou mais tarde. O toque deselegante ficou por conta do caricaturista Rafael Bordalo Pinheiro, que vivera alguns anos no Brasil. Bordalo publicou na imprensa portuguesa charges mentirosas e insultuosas representando o imperador com maleta em que se lia a inscrição "5 mil contos".

No dia 23, foi a Coimbra, depois ao Porto, onde visitou o coração do pai, depositado na igreja da Lapa. No dia 28, encontrava-se na Escola de Belas Artes quando a imperatriz faleceu no Grande Hotel, onde se haviam hospedado. A nova dor, sobreposta à dor recente da deposição, abalou-o profundamente. No diário desse dia registrou uma rara manifestação de sentimentos: "Ninguém imagina a minha aflição! Somente choro a felicidade perdida de 46 anos. [...] Não sei o que farei agora. Só o estudo me consolará de minha dor". A imperatriz teria sido "quem verdadeiramente mais amei". Apesar do desapontamento inicial com a noiva, da falta de atração por ela, das aventuras amorosas a que se deixara levar, a convivência de 46 anos acabara gerando nele um forte sentimento de amizade e respeito pela mulher, que a morte fez aflorar. Na entrada do diário do dia 30 de dezembro referiu-se a ela como "santa".

O visconde de Ouro Preto, também exilado, acompanhado do filho, Afonso Celso, visitou-o no dia da morte da esposa. Profundamente abatido, d. Pedro vestia um velho sobretudo e lia uma edição recente da *Divina comédia*. Não falou sobre a mulher, apenas indicou o local onde se achava a câmara mortuária. Ao voltar ao quarto para apanhar o chapéu, que esquecera, Afonso Celso surpreendeu-o em cena rara, que assim descreveu: "Ocultando o rosto com as mãos magras e pálidas, o imperador chorava. Por entre os dedos escorriam-lhe as lágrimas, deslizavam-lhe ao longo da barba nívea e caíam sobre as estrofes de Dante". É o único registro que se tem de tal extravasamento de sentimentos por parte de d. Pedro. O pai era um notório chorão. As expressões de dor continuaram por alguns dias. No dia 29, anotou: "Tenho estado a ler para ver se afasto a idéia de tão saudosa vida". O soneto não vinha: "Tenho querido fazer versos, mas não posso". Veio no dia 8 de janeiro. Os rascunhos estão em seu arquivo.

As despesas do enterro da imperatriz foram pagas graças a um empréstimo pedido ao visconde de Alves Machado, um comerciante do Porto que se enriquecera no Brasil. O resto do exílio foi vivido em melancólica peregrinação por estações de águas, casas de amigos e hotéis de segunda categoria: Cannes, Vichy, Versalhes, Baden-Baden, Paris. Ficava quase sempre em hotéis. Em Cannes, recusou-se a morar em casa alugada por Isabel e pelo conde d'Eu. Passou curtas temporadas no castelo da condessa de Barral, em Voiron, perto de Grenoble; na residência dos Krupp, na Alemanha; e na casa de seu camarista, conde de Nioac, em Paris. Tinha por companhia constante o médico, conde de Mota Maia, junto com o filho; o professor de árabe e sânscrito, dr. Fritz Seybold; e o conde de Aljezur, seu mordomo. Com ajuda financeira do duque de Nemours, pai do conde d'Eu, Isabel e o marido alugaram casa perto de Versalhes.

Vários admiradores brasileiros e ex-ministros, fiéis à monarquia, o visitavam com freqüência. Entre eles, estavam o visconde de Ouro Preto e o filho Afonso Celso, e os ex-presidentes do Conselho de Ministros, Lafaiete Rodrigues Pereira e Manuel Pinto de Sousa Dantas. Apareciam ainda o barão do Rio Branco; os barões de Muritiba e Penedo; Eduardo Prado; Silveira Martins, e Ferreira Viana. Eduardo Prado acabara de publicar um tremendo libelo contra a República, *Fastos da dictadura militar no Brazil*. Em Nice, apareceu uma vez André Rebouças, vindo de Portugal. Visitou-o também o ex-presidente argentino e aliado do Brasil na Guerra da Tríplice Aliança, Bartolomeu Mitre, único ex-chefe de Estado a fazê-lo. Mitre, o também argentino Domingo Sarmiento e o uruguaio Andrés Lamas, que fora representante de seu país no Brasil, compunham o trio de estadistas sul-americanos que o imperador mais admirava.

Muitos monarquistas, no entanto, e pessoas de relações próximas afastaram-se dele depois da queda. Alguns aderiram imediatamente à República. O caso mais notório foi o do barão de Ramiz Galvão, que era preceptor dos netos do monarca. O barão renunciou ao título nobiliárquico e levou seu entusiasmo pelo novo regime ao ponto de comparar o general Deodoro a George Washington. Mas houve também algumas guinadas corajosas em sentido oposto. O conservador e ultramontano Ferreira Viana, por exemplo, agora presente, fora talvez o monarquista que mais ferozmente atacara a política de d. Pedro II. No panfleto A *conferência dos divinos*, chamara o imperador de César Caricato, e o pusera a dialogar com Nero e outro déspota sobre como dominar os povos. O próprio Afonso Celso alimentara simpatias republicanas, e só veio a admirar o soberano, e com devoção ilimitada, após a deposição.

Com esses, e com todos os outros que o visitavam, d. Pedro recusava-se sempre a discutir política, exceto para responder que só aceitaria regressar ao Brasil se o chamassem de volta. Assediado por políticos que especulavam sobre possível restauração, rejeitava participar de qualquer plano conspiratório e desautorizava quem buscasse envolver seu nome em tais empresas. Foi o que disse ao barão de Penedo em maio de 1890. Em novembro de 1891, quando o Washington brasileiro dissolveu o Congresso, Silveira Martins e outros monarquistas insistiram inutilmente para que voltasse. O fogoso liberal gaúcho recorreu, então, à princesa Isabel, que rejeitou a proposta, alegando ser antes de tudo católica, e, como tal, não poderia deixar aos brasileiros a educação do filho, cuja alma tinha de salvar. "Então, senhora, seu destino é o convento", respondeu-lhe irritado Silveira Martins, dando por encerradas suas esperanças de restauração.

Como sempre fez, d. Pedro recorria aos livros como refúgio para o sofrimento. Na *Fé de ofício*, escrita em Cannes em abril de 1891, e cujo original entregou a André Rebouças que o visitava, anotou: "Nas preocupações científicas e no constante estudo é que acho consolo e me preservo das tempestades morais". O dr. Seybold permaneceu a seu lado até a morte. Com ele, continuava os estudos de árabe, sânscrito e guarani. Traduzia a Bíblia do hebraico, *As mil e uma noites* do árabe, textos gregos, poemas ingleses e franceses. Lia e anotava livros, artigos e jornais. Acompanhava a política brasileira por jornais, folhetos e cartas. Leu e anotou os livros que se publicavam sobre a proclamação da República, como os de Eduardo Prado, Cristiano Otoni, Ouro Preto. Seus contatos científicos mais constantes eram com os colegas da Academia de Ciências de Paris, sobretudo com o geólogo Auguste Daubrée, que lhe indicara, em 1873, o nome de Henri Gorceix para fundar a Escola de Minas de Ouro Preto.

Tendo rejeitado os 5 mil contos que o governo lhe oferecera, ficou em dificuldades financeiras. Mas quem cuidava das contas era o conde d'Eu, com a ajuda de Mota Maia. Tiveram de pedir outro empréstimo a Alves Machado, cujo pagamento só foi integralizado após a morte do imperador. O conde tentava equilibrar as contas, recorrendo ao dinheiro que era mandado do Brasil, produto da venda dos bens da família. Não pequeno aborrecimento vinha das exigências de dinheiro feitas por d. Pedro Augusto. As contas das visitas de Charcot também eram pesadas. Em agosto de 1891, d. Pedro voltou a rejeitar pensão proposta em emenda à Constituição, assinada pelo pintor Pedro Américo e outros.

A condessa de Barral foi a seu encontro em Cannes. Eram, então, dois velhos, mas não se apagara de todo a velha chama, feita carinho. Barral lhe massageava as mãos dormentes por efeito do diabetes. Ao celebrar o 65º aniversário, tinha a aparência de um ancião de oitenta, como revelam fotografias do período. No diário, anotava, quase sem comentário, as mortes de amigos e amigas, como a da condessa de Villeneuve e de Maria Lopes Gama. A morte de Barral, em janeiro de 1891, causou-lhe abalo talvez mais forte que a da imperatriz. "Não posso esquecer a morte de Barral", escreveu no dia 15 de janeiro. E dedicou-lhe o infalível soneto.

Por essa época, voltou a sonhar. O que não era dito nem escrito irrompia nas imagens oníricas. Mais de uma vez, sonhou que era chamado de volta ao Brasil. Como no dia 30 de janeiro de 1891:

> Sonhei com o meu Rio, que me deixavam ir, e eu logo fui embora como de viagem. Que felicidade! Lá iria passar o inverno daqui, em Petrópolis, voltando na primavera que é, na Europa, lindíssima. Foi um sonho. Acenderam a lâmpada e vou ler.

Em 24 de outubro de 1891, estava de volta a Paris, vindo de Vichy. Hospedou-se no modesto hotel Bedford, situado na esquina das ruas da Arcade e Pasquier. Um abscesso no pé, agravado pelo diabetes, impedia-o de andar. Mota Maia, Seybold, Nioac, Aljezur, além da família, continuavam com ele, e não faltavam as visitas de amigos mais próximos. No dia 23 de novembro, foi à Academia de Ciências para participar de uma eleição. No dia seguinte, fez longo passeio pelo Sena, até Saint-Cloud, sob neblina e em carro aberto. À noite, começou a tossir. Em 25, manifestou-se uma pneumonia que lhe tomou todo o pulmão esquerdo e que os médicos Charcot, Bouchard e Mota Maia não conseguiram debelar. De 27 em diante, as anotações no diário foram feitas com letra de outra pessoa, talvez de Seybold, em português afrancesado. A última, de 1º de dezembro, falava em partida para Cannes no dia 6. Não houve celebração no dia seguinte, quando completou 66 anos. Entrou em agonia na noite do dia 4 e morreu aos 35 minutos do dia 5. Paul Nadar fotografou o corpo, já vestido com farda de marechal. O atestado de óbito foi assinado por Charcot, Bouchard e Mota Maia. A *causa mortis* indicada foi pneumonia aguda do pulmão esquerdo.

A repercussão em Paris e na Europa foi imediata, entre povo e governos. O presidente da república francesa, Sadi Carnot, determinou honras militares, ignorando o protesto do representante do governo brasileiro. As honras militares eram devidas a d. Pedro por ser titular da Grã-Cruz da Legião de Honra. No final do dia 5, 2 mil telegramas e centenas de coroas de flores já haviam chegado ao hotel, uma delas enviada pela rainha Vitória. O corpo foi embalsamado e levado no dia 8 à noite para a igreja da Madeleine em cortejo oficial, no mesmo carro usado nos funerais do ex-presidente Thiers, que conhecera em 1871. A igreja tinha as paredes forradas de preto, e enorme catafalco fora colocado no centro da nave. Para nova irritação do governo brasileiro, o caixão fora coberto com a bandeira imperial. No dia 9, houve exéquias solenes, com a presença do general Brugère, chefe da Casa Militar, representando Sadi Carnot; dos presidentes do Senado e da Câmara; de quase todos os membros da Academia Francesa, do Instituto de França e da Academia de Ciências Morais; da família imperial; de representantes de muitas outras casas reais, e de vários brasileiros, aos quais se juntava Eça de Queirós. Joaquim Nabuco observou que a nave da Madeleine parecia abrigar um congresso do espírito humano. Presentes também muitos representantes de outros governos, inclusive da América, exclusive do Brasil.

Da Madeleine partiu imenso cortejo, composto de doze

regimentos comandados por um general e formado por cerca de 200 mil pessoas. Ao som da *Marcha fúnebre* de Chopin, o corpo foi levado para a estação de Austerlitz, de onde seguiu de trem para Portugal. D. Pedro, após a morte, teve, no exterior, toda a pompa que recusara em vida. Escrevendo para um jornal do Rio de Janeiro, Joaquim Nabuco observou que nesse dia o coração brasileiro pulsara no peito da França. As homenagens continuaram durante a viagem e se encerraram nos funerais realizados em São Vicente de Fora, perto de Lisboa, no dia 12 de dezembro. O corpo foi colocado no jazigo da família Bragança, entre o da madrasta, d. Amélia, e o da mulher, d. Teresa Cristina. Novamente, a República não se fez representar nas últimas homenagens.

Pelas notícias publicadas na imprensa do Rio de Janeiro, pode-se verificar que a repercussão no Brasil foi também imensa, apesar dos esforços do governo para a abafar. Houve manifestações de pesar em todo o país: comércio fechado, bandeiras a meio pau, toques de finados, tarjas pretas nas roupas, ofícios religiosos. Talvez para se redimir dos muitos ataques, às vezes injustos, feitos ao monarca nos últimos anos de seu governo, os jornais do Rio se derramaram em elogios. A única exceção foi o *Diário de Notícias*, que não escondeu a irritação com as homenagens. N'*O Paiz*, jornal semi-oficial, um dos proclamadores da República, Quintino Bocaiúva, admitiu que se podiam considerar unânimes as demonstrações de pesar da sociedade fluminense e teve a grandeza de reconhecer os méritos do ex-imperador. No dia 9 de dezembro, confessou: "O mundo inteiro, pode-se dizer, tem prestado todas quantas homenagens tinha direito [sic] o Sr. D. Pedro de Alcântara, conquistadas por suas virtudes de grande cidadão". Alguns membros de clubes republicanos protestaram contra o que chamaram de exagerado sentimentalismo das homenagens, vendo nelas manobras monarquistas. Foram vozes isoladas.

Nos Estados Unidos, o *New York Times* do dia 5 de dezembro não poupou elogios. Em texto de duas colunas, reproduziu a frase de Gladstone segundo a qual d. Pedro seria o governante modelo do mundo e acrescentou outros louvores por conta própria. D. Pedro, segundo o jornal, foi "o mais ilustrado monarca do século" e "tornou o Brasil tão livre quanto uma monarquia pode ser".

Os adversários brasileiros do imperador, criticando sua política, ressaltavam sempre seu patriotismo, honestidade, desinteresse, espírito de justiça, dedicação ao trabalho, tolerância, simplicidade. O republicano José Veríssimo salientou que a maior dívida do Brasil com d. Pedro era a atmosfera de liberdade que proporcionara às atividades do espírito. Em seu governo, resumiu: "Todos pensávamos como queríamos e dizíamos o que pensávamos. Eu não sei que maior elogio se possa fazer a um estadista".

Cronologia

BRASIL	MUNDO
1825	1825
• 2 DE DEZEMBRO: nascimento de d. Pedro II, sétimo filho de d. Pedro I e da imperatriz Leopoldina. • Brasil entra em guerra contra as Províncias Unidas do Prata (atual Argentina). • Líderes da Confederação do Equador (PE) são executados.	• Portugal e Inglaterra reconhecem a independência do Brasil. • Na Inglaterra, George Stephenson constrói a primeira locomotiva a vapor.
1826	1826
• 11 DE DEZEMBRO: morte de d. Leopoldina. • Brasil e Inglaterra assinam o Tratado de Abolição do Tráfico. • A antiga Escola Real de Ciências, Artes e Ofícios, criada por d. João VI, torna-se Academia Imperial das Belas Artes.	Morre Thomas Jefferson.

BRASIL	MUNDO
1827	1827
Criação dos cursos jurídicos de São Paulo e de Olinda (este último posteriormente transferido para o Recife).	
1828	1828
	Fim da Guerra da Cisplatina. O Uruguai conquista sua independência.
1829	1829
• D. Pedro I casa-se com d. Amélia de Leuchtenberg. • Unificação de todas as linhas postais do país com a criação da Administração-Geral da Corte dos Correios, cujos serviços se tornam presentes em todas as capitais das províncias brasileiras. • Extinção do Banco do Brasil.	Chopin faz sua estréia em Viena tocando um concerto de sua autoria.
1830	1830
	• Republicanos e liberais franceses rebelam-se e derrubam Carlos X. Luís Filipe I, um Orléans, assume o poder. • Exércitos franceses invadem a África e iniciam a conquista da Argélia.

BRASIL	MUNDO
1831	1831
• 13 DE MARÇO: Noite das Garrafadas no Rio de Janeiro. • 5 DE ABRIL: d. Pedro I demite um ministério considerado "mais brasileiro". Uma multidão exige o restabelecimento do ministério brasileiro. • 7 DE ABRIL: d. Pedro I abdica o trono em favor de d. Pedro II e escolhe José Bonifácio como tutor do filho. • Promulgada a lei que proíbe o Tráfico Negreiro. • 9 DE ABRIL: aclamação de d. Pedro II como imperador. • 17 DE JUNHO: a Regência Trina Permanente assume o poder.	O naturalista Charles Darwin parte em sua viagem de cinco anos a bordo do *H.M.S. Beagle*.
1833	1833
15 DE DEZEMBRO: José Bonifácio é destituído da tutoria e substituído pelo marquês de Itanhaém.	A Inglaterra aprova o Ato de Abolição da Escravidão (Slavery Abolition Act), válido para todo o seu império.
1834	1834
• Aprovação do Ato Adicional, que reforma a Carta outorgada por d. Pedro I. • 24 DE SETEMBRO: morre em Portugal d. Pedro I do Brasil e IV de Portugal.	Termina a Inquisição espanhola.
1835	1835
• 7 DE JANEIRO: começa a revolta da Cabanagem no Pará. • 7 DE ABRIL: Diogo Feijó é eleito para a Regência Una. • 20 DE SETEMBRO: início da Revolta Farroupilha no Rio Grande do Sul.	Hans Christian Anderson publica suas primeiras histórias infantis.

BRASIL	MUNDO
1837	1837
• Demissão de Feijó e substituição interina por Pedro de Araújo Lima, futuro marquês de Olinda. • NOVEMBRO: começo da revolta da Sabinada na Bahia. • 2 DE DEZEMBRO: fundação do Colégio Pedro II.	• A rainha Vitória é coroada na Inglaterra. • Honoré de Balzac publica o primeiro volume de *Ilusões perdidas*.
1838	1838
• D. Pedro é acometido por um grave ataque epiléptico. • Fundação do Instituto Histórico e Geográfico Brasileiro. • 13 DE DEZEMBRO: início da revolta da Balaiada no Maranhão. • Fim da Sabinada na Bahia. • 6 DE ABRIL: falecimento de José Bonifácio.	O Museu National Gallery é inaugurado em Londres.
1839	1839
	Louis Jacques Mandé Daguerre torna pública a invenção do daguerreótipo.
1840	1840
• Encerra-se a revolta da Cabanagem no Pará. • 23 DE JULHO: Golpe da Maioridade. • 12 DE DEZEMBRO: Bento da Silva Lisboa vai para Viena, visando negociar o casamento do imperador e de suas irmãs. • Introdução do daguerreótipo no Brasil.	Nascimento dos artistas Claude Monet, Pierre Auguste Renoir e Auguste Rodin.
1841	1841
• 18 DE JULHO: sagração e coroação de d. Pedro II. • Termina a revolta da Balaiada no Maranhão.	• Grã-Bretanha declara soberania sobre Hong Kong. • Nova Zelândia torna-se uma colônia britânica.

BRASIL	MUNDO
1842	1842
• 17 DE MAIO: revolução dos liberais em São Paulo. • 10 DE JULHO: revolução dos liberais em Minas Gerais.	O médico americano Crawford Long usa éter para produzir anestesia cirúrgica.
1843	1843
• 30 DE MAIO: casamento em Nápoles, por procuração, de d. Pedro II com d. Teresa Cristina, princesa das Duas Sicílias. • 3 DE SETEMBRO: chegada de d. Teresa Cristina ao Rio de Janeiro.	Charles Dickens publica *Conto de Natal*.
1844	1844
	O escritor português Alexandre Herculano publica *Eurico, o presbítero*.
1845	1845
• 23 de fevereiro: nascimento de d. Afonso, primeiro filho do casal imperial. • 1º DE MARÇO: fim da Revolução Farroupilha. • 26 DE MAIO: volta dos liberais ao poder. • 6 DE AGOSTO: imperador viaja para as províncias do Sul. 8 DE AGOSTO: aprovação do Bill Aberdeen.	8 DE AGOSTO: aprovação do Bill Aberdeen no Parlamento inglês. A lei dava à Marinha Britânica o direito de apreender navios negreiros em direção ao Brasil
1846	1846
• 29 DE JULHO: nascimento da princesa Isabel. • Volta do imperador à corte.	Pio IX assume o papado, como sucessor de Gregório XVI.

BRASIL	MUNDO
1847	1847
• 11 DE JUNHO: morte de d. Afonso. • 13 DE JULHO: nascimento de d. Leopoldina. • 20 DE JULHO: criado o cargo de presidente do Conselho de Ministros. • Imperador viaja pela província do Rio de Janeiro. • Chegada dos primeiros imigrantes à fazenda de café do senador Vergueiro.	
1848	1848
• 19 DE JULHO: nascimento de d. Pedro Afonso. • 29 DE SETEMBRO: subida dos conservadores ao poder, com o primeiro gabinete Pedro de Araújo Lima, então visconde de Olinda e futuro marquês. • Começa a Revolução Praieira em Pernambuco.	• O *Manifesto Comunista* de Marx e Engels é publicado. • Nova revolução na França, com participação do movimento operário, leva à abdicação de Luís Filipe. Instaura-se a Segunda República Francesa, Luís Bonaparte é eleito presidente.
1849	1849
Fim da Revolução Praieira.	• O físico francês Armand • Fizeau calcula a velocidade da luz.
1850	1850
• 10 DE JANEIRO: morte de d. Pedro Afonso. • 4 DE SETEMBRO: extinção do tráfico negreiro pela Lei de Eusébio de Queiroz. • 30 DE SETEMBRO: rompimento das relações com o governo de Rosas (presidente da Confederação Argentina). • Promulgação da Lei de Terras. Promulgação do Código Comercial. • Criação da província do Amazonas, desmembrada do Grão-Pará.	População dos Estados Unidos chega a 23 milhões. População escrava ultrapassa os 3 milhões.

BRASIL	MUNDO
1851	1851
• 14 DE DEZEMBRO: Brasil inicia guerra contra Rosas. • Fundação de Joinville.	• Na França, Luís Bonaparte dá um golpe e implanta o Segundo Império. • 1º DE MAIO: a rainha Vitória e o príncipe Albert inauguram, na Inglaterra, a I Exposição Universal.
1852	1852
• 5 DE FEVEREIRO: Batalha de Monte Caseros. Derrota de Rosas por Urquiza, com apoio brasileiro. • Visconde de Mauá funda a Companhia de Navegação e Comércio do Amazonas, inaugurando a navegação comercial no rio Amazonas. • Início da telegrafia elétrica no Brasil, com a primeira ligação oficial entre o quartel-general do Exército e a Quinta da Boa Vista.	Luís Bonaparte toma o título de Napoleão III.
1853	1853
6 DE SETEMBRO: formação do gabinete da Conciliação pelo marquês de Paraná.	George Haussmann inicia a reconstrução de Paris.
1854	1854
30 DE ABRIL: estrada de ferro que liga a corte a Petrópolis é inaugurada. Instalação da iluminação a gás no Rio de Janeiro.	
1855	1855
Falece a condessa de Belmonte (aia e governanta de d. Pedro).	Em Paris, realiza-se a II Exposição Universal.

BRASIL	MUNDO
1856	1856
• 3 DE SETEMBRO: morte do marquês de Paraná, Caxias assume a chefia do gabinete da Conciliação. • 31 DE DEZEMBRO: condessa de Barral torna-se aia de Isabel e Leopoldina. • D. Pedro e José de Alencar discutem na imprensa sobre a *Confederação dos Tamoios*, de Gonçalves de Magalhães.	Flaubert publica *Madame Bovary*.
1857	1857
• D. Pedro cria a Imperial Academia de Música e a Ópera Nacional. • José de Alencar publica o romance indianista *O Guarani*.	Charles Baudelaire publica *As flores do mal*.
1858	1858
29 DE MARÇO: inauguração da Companhia Estrada de Ferro D. Pedro II, que ligava a corte a Queimados (RJ), atravessando a Serra do Mar.	A Índia é integrada ao Império Britânico.
1859	1859
• 10 DE AGOSTO: gabinete de Ângelo Ferraz, futuro barão de Uruguaiana. • 2 DE OUTUBRO: d. Pedro parte em visita às províncias do Norte.	Charles Darwin publica *A origem das espécies*.
1860	1860
• Imperador volta à corte. • Novo representante inglês, W. D. Christie apresenta credenciais.	• O belga Jean Joseph Étienne Lenoir constrói o primeiro motor de combustão interna. • Os Estados Unidos somam 48 mil quilômetros de ferrovias.

BRASIL	MUNDO
1861	1861
25 DE DEZEMBRO: início da Questão Christie.	• Abraham Lincoln é eleito presidente dos Estados Unidos. • Começa a Guerra de Secessão nos Estados Unidos.
1862	1862
• 24 DE MAIO: primeiro gabinete Zacarias (progressista). • 31 DE DEZEMBRO: esquadra inglesa aprisiona navios mercantes brasileiros. Brasil participa da Exposição Universal em Londres.	• Maximiliano, primo-irmão de d. Pedro, é coroado imperador do México. • Victor Hugo publica *Os miseráveis*. • III Exposição Universal em Londres, com a participação do Brasil. • Solano López assume a presidência do Paraguai.
1863	1863
5 DE JULHO: rompimento das relações diplomáticas entre Brasil e Inglaterra.	• Abraham Lincoln emancipa os escravos nos territórios confederados.
1864	1864
• 15 DE OUTUBRO: casamento de Isabel com o conde d'Eu. • 15 DE DEZEMBRO: casamento da princesa Leopoldina com o duque de Saxe. • DEZEMBRO: Solano López aprisiona o vapor brasileiro *Marquês de Olinda* e invade Mato Grosso. • 27 de dezembro: Paraguai declara guerra ao Brasil.	• É fundada a Primeira Internacional dos Trabalhadores. • Louis Pasteur, químico francês, cria o processo de pasteurização. • DEZEMBRO: Solano López aprisiona o vapor brasileiro *Marquês de Olinda*, invade Mato Grosso e declara guerra ao Brasil.

BRASIL	MUNDO
1865	1865
• Rendição de Montevidéu. • 7 DE JANEIRO: criado o corpo de Voluntários da Pátria. • 1º DE MAIO: assinado o Tratado da Tríplice Aliança (Brasil, Argentina, Uruguai) contra o Paraguai. • 10 DE JULHO: d. Pedro parte para o cenário da guerra. • 23 DE SETEMBRO: reatamento das relações diplomáticas entre Brasil e Inglaterra.	• Fim da Guerra de Secessão nos Estados Unidos. • Libertação total dos escravos nos Estados Unidos. • O presidente americano Abraham Lincoln é assassinado.
1866	1866
Governo brasileiro concede liberdade aos escravos designados para o serviço militar.	• Ligação telegráfica, por cabos submarinos, entre a Europa e a América é realizada com sucesso. • O sueco Alfred Nobel inventa a dinamite. • O escritor russo Fiódor Dostoiévski publica *Crime e castigo*.
1867	1867
Inauguração da Estrada de Ferro Santos—Jundiaí.	JUNHO: fuzilamento de Maximiliano no México.
1868	1868
• 13 DE JANEIRO: Caxias assume o comando das tropas aliadas. • 16 DE JULHO: gabinete Itaboraí, conservadores são chamados ao poder. • Morre Paulo Barbosa, mordomo do paço imperial.	Revolução na Espanha termina com a fuga da rainha Isabela II para a França.
1869	1869
• 16 DE ABRIL: conde d'Eu assume o comando das tropas aliadas. • Arthur de Gobineau chega ao Brasil como ministro da França.	10 DE MAIO: conclui-se, nos Estados Unidos, a ferrovia transcontinental, que liga a Costa Leste à Costa Oeste do país.

BRASIL	MUNDO
1870	1870
• 1º DE MARÇO: morte de Solano López. Fim da Guerra do Paraguai. • 3 DE DEZEMBRO: publicação do Manifesto Republicano. • Sociedade de Libertação e Sociedade Emancipadora do Elemento Servil são fundadas no Rio de Janeiro. • Carlos Gomes conclui sua ópera musical *O Guarani*. • Castro Alves publica *Espumas flutuantes*.	• Completado o processo de unificação da Itália, com a anexação de Roma. • Começa a Guerra Franco-Prussiana. A derrota francesa leva à derrubada do império e à instauração da Terceira República, com governo de Louis Adolphe Thiers. • Richard Wagner estréia sua ópera *A valquíria*.
1871	1871
• Funda-se o Clube da Lavoura e do Comércio para defender os interesses escravistas. • Aprovada a lei que subvenciona a imigração para o país. • 7 DE FEVEREIRO: d. Leopoldina (filha de d. Pedro) morre em Viena. • 7 DE MARÇO: gabinete Rio Branco. • 25 DE MAIO: partida do imperador para a primeira viagem à Europa. • Primeira regência da princesa Isabel. • 28 DE SETEMBRO: promulgação da Lei do Ventre Livre.	• 26 DE MARÇO A 28 DE MAIO: Comuna de Paris. Thiers, a partir de Versalhes, derrota a Comuna. • Completada a unificação do Império Alemão.
1872	1872
• 30 DE MARÇO: imperador retorna ao Rio de Janeiro. • Bispo de Olinda ordena a expulsão dos maçons das irmandades.	Inauguração da ponte do Brooklyn, em Nova York.

BRASIL	MUNDO
1873	1873
• JULHO: acontece o I Congresso Republicano em Itu. • Bispo do Pará também ordena a expulsão dos maçons das irmandades. • Interligação telegráfica, por cabos submarinos, das capitais das províncias da Bahia, Pernambuco e Pará com a corte.	
1874	1874
• 21 DE FEVEREIRO: condenação do bispo de Olinda. • 22 DE JUNHO: inauguração do cabo telegráfico submarino, entre Pernambuco e Portugal, efetivando a ligação do Brasil à Europa por telégrafo. • 1º DE JULHO: condenação do bispo do Pará. • Eclode movimento sedicioso nas províncias de Pernambuco e Paraíba, conhecido como "Quebra-Quilos".	Grã-Bretanha anexa as ilhas Fiji.
1875	1875
• 25 DE JUNHO: segundo gabinete Caxias. • 17 DE SETEMBRO: anistia dos bispos a pedido do duque de Caxias. • 15 DE OUTUBRO: nasce primeiro filho de Isabel. • Falência do Banco de Mauá.	Sistema de esgotos principal de Londres é concluído.

BRASIL	MUNDO
1876	1876
• 26 DE MARÇO: partida do imperador para viagem aos Estados Unidos e Europa. • Segunda regência da princesa Isabel. • Teixeira Mendes, Miguel Lemos e Benjamin Constant fundam a Sociedade Positivista do Brasil. • Fundação da Escola de Minas de Ouro Preto.	• MARÇO: Graham Bell patenteia o telefone. • Exposição Universal de Filadélfia, com a participação do Brasil.
1877	1877
• 8 DE JULHO: Rio e São Paulo são interligadas por ferrovia, com a união dos trilhos da Estrada de Ferro D. Pedro II e da Santos—Jundiaí. • 26 DE SETEMBRO: d. Pedro volta para o Brasil. • Grande seca na província do Ceará e imediações. • D. Pedro ordena a instalação de linhas telefônicas interligando o palácio da Quinta da Boa Vista às residências dos seus ministros.	Surgem os primeiros telefones públicos nos Estados Unidos.
1878	1878
• 5 DE JANEIRO: gabinete Sinimbu, volta dos liberais ao poder. • D. Pedro visita a província de São Paulo.	• A luz elétrica começa a ser instalada nas ruas de Londres. • Tem início a Exposição Universal de Paris.
1879	1879
• Inicia-se o ciclo da borracha na região amazônica. • Inauguração da iluminação elétrica na Estação Central da Estrada de Ferro D. Pedro II.	• Nos Estados Unidos, Thomas Edison cria a lâmpada incandescente durável. • O alemão Werner von Siemens apresenta a primeira locomotiva elétrica numa feira de comércio em Berlim.

BRASIL	MUNDO
1880	1880
• Fundação da Sociedade Brasileira contra a Escravidão. • 9 DE AGOSTO: nasce d. Antônio, filho da princesa Isabel. • 13 DE OUTUBRO: criada a primeira companhia telefônica nacional, a Telephone Company of Brazil. • D. Pedro visita o Paraná. Revolta do Vintém no Rio de Janeiro.	• Morre Gustave Flaubert. • Dostoiévski publica *Os irmãos Karamazov*.
1881	1881
• 9 DE JANEIRO: aprovação da Lei Saraiva, da eleição direta, com proibição do voto dos analfabetos. • D. Pedro visita Minas Gerais. • Machado de Assis publica *Memórias póstumas de Brás Cubas*. • Aluísio de Azevedo lança o romance *O mulato*.	Realiza-se, em Paris, a I Exposição Internacional da Eletricidade.
1882	1882
10 DE JULHO: furto das jóias da imperatriz.	Os ingleses ocupam o Cairo.
1883	1883
• Fundação da Confederação Abolicionista. • Campos (RJ) torna-se o primeiro município do Brasil e da América do Sul a receber iluminação elétrica pública. • Início da Questão Militar. • Publicação póstuma d'*Os escravos*, de Castro Alves. • Joaquim Nabuco publica *O abolicionismo*.	Surge o primeiro arranha-céu, de dez andares, em Chicago.

BRASIL	MUNDO
1884	1884
• 25 DE MARÇO: abolição da escravidão no Ceará. • JULHO: fim da escravatura no Amazonas.	
1884-85	1884-85
	Conferência de Berlim oficializa e estabelece as normas da partilha da África.
1885	1885
• 20 DE AGOSTO: gabinete Cotejipe, volta dos conservadores ao poder. • 28 DE SETEMBRO: promulgação da Lei dos Sexagenários.	
1886	1886
• 12 DE AGOSTO: Deodoro é demitido do comando no Rio Grande do Sul. • Fundação da Sociedade Promotora da Imigração.	R. L. Stevenson publica *O médico e o monstro*.
1887	1887
• 2 DE FEVEREIRO: protesto de militares. • 30 DE JUNHO: terceira viagem do imperador à Europa e terceira regência da princesa Isabel. • Exército manifesta-se a favor da abolição, soldados não podem mais ser usados para capturar escravos. • Republicanos de São Paulo aderem à causa abolicionista.	H. W. Goowdwin inventa o filme em celulóide.

BRASIL	MUNDO
1888	1888
• 10 DE MARÇO: gabinete João Alfredo. • 13 DE MAIO: promulgação da Lei Áurea. A escravidão é abolida no Brasil. • 22 DE AGOSTO: volta do imperador à corte. • José do Patrocínio funda a Guarda Negra, formada por libertos, que combate os republicanos e defende a princesa Isabel.	• Inauguração do Instituto Pasteur, na França. • O papa Leão XIII concede à princesa Isabel a Rosa de Ouro.
1889	1889
• MAIO: I Congresso Nacional do Partido Republicano, em São Paulo. Quintino Bocaiúva é eleito presidente do partido. • 7 DE JUNHO: gabinete Ouro Preto, liberais voltam ao poder. • 15 DE JUNHO: atentado contra o imperador. • 9 DE NOVEMBRO: baile da ilha Fiscal. • 15 DE NOVEMBRO: proclamação da República. • 17 DE NOVEMBRO: família imperial parte para o exílio. • 28 DE DEZEMBRO: morre Teresa Cristina.	Exposição Universal de Paris comemora centenário da Revolução. O Brasil é a única monarquia a tomar parte no evento.
1890	1890
15 DE NOVEMBRO: é instalada a Constituinte na República brasileira.	Luvas de borracha são usadas pela primeira vez numa cirurgia, no Johns Hopkins Hospital, em Baltimore.

BRASIL	MUNDO
1891	1891
• 14 DE JANEIRO: morre a condessa de Barral. • 14 DE FEVEREIRO: promulgada a Constituição dos Estados Unidos do Brasil. • 25 DE FEVEREIRO: marechal Deodoro é eleito presidente, e Floriano Peixoto é seu vice. • 3 DE NOVEMBRO: Deodoro fecha o Congresso. • 23 DE NOVEMBRO: Deodoro renuncia, e Floriano Peixoto assume. • 5 DE DEZEMBRO: d. Pedro II morre em Paris.	Início da construção da Transiberiana, a linha férrea contínua mais extensa do mundo.

Indicações bibliográficas

Para entender d. Pedro II, convém ler um pouco sobre os pais. A mais recente biografia de d. Pedro I foi escrita por Isabel Lustosa como parte desta coleção de Perfis Brasileiros (*D. Pedro I*, São Paulo: Companhia das Letras, 2006). Muito útil também é o CD-ROM *Pedro I: um brasileiro*, organizado pelos pesquisadores do Museu Imperial de Petrópolis. Sobre d. Leopoldina, há a biografia de Carlos H. Oberacker Jr. (*A imperatriz Leopoldina, sua vida e sua época. Ensaio de uma biografia*, Rio de Janeiro: Conselho Federal de Cultura, 1973). Leia-se ainda a publicação do Arquivo Nacional, *Cartas de Pedro I à marquesa de Santos*, com notas de Alberto Rangel (Rio de Janeiro: Nova Fronteira, 1984), e a *Correspondência entre Maria Graham e a imperatriz dona Leopoldina e cartas anexas*, com tradução de Américo Jacobina Lacombe (Belo Horizonte: Itatiaia, 1997).

Sobre d. Pedro II, já foram escritas várias biografias. A melhor delas, como a Batalha de Itararé de que falou o poeta Murilo Mendes, não houve. Joaquim Nabuco manifestou em

1894 o desejo de dedicar o resto da vida a essa tarefa, caso tivesse acesso ao arquivo particular do imperador. O magnífico biógrafo do pai, Nabuco de Araújo, nos teria legado, sem dúvida, uma obra magistral.

A primeira que houve foi publicada ainda em vida do imperador. Seu autor, o monsenhor e deputado Joaquim Pinto de Campos (*Biografia do senhor d. Pedro II, imperador do Brasil*, Porto: Typographia Pereira da Silva, 1871), pediu permissão para realizar a empreitada. O monarca registrou em seu diário que respondeu ao monsenhor que havia liberdade de imprensa no país e que não queria ver a biografia antes de publicada. E pediu que ela fosse breve. Pinto de Campos afirma que quis fugir da lisonja. Se quis, não conseguiu. Pelo menos, seguiu o conselho de ser breve: o livro tem 96 páginas. Também ainda em vida do imperador, lançou-se em Paris a biografia de B. Mossé (*Dom Pedro II, empereur du Brésil*, Firmin-Didot, 1889). É igualmente elogiosa, mas de muito melhor qualidade que a de Pinto de Campos, em parte graças à grande ajuda dada ao autor pelo barão do Rio Branco. A seguinte foi também escrita no exterior, e por uma mulher, a americana Mary Wilhelmine Williams (*Dom Pedro, the Magnanimous. Second emperor of Brazil*, Chapel Hill: University of North Carolina Press, 1937) e padece das dificuldades de acesso às fontes. Muito fantasioso é o estudo de outra americana, Bertita Harding, sobre os Bragança no Brasil, lançado em 1941 (*Amazon throne: the story of the Braganzas in Brazil*, Nova York: The Bobbs-Merril Company). D. Pedro II merece umas cem páginas do livro, publicado em português em 1944.

A melhor biografia, pela abrangência e riqueza de fontes, ainda é a de Heitor Lyra. Uma primeira edição foi publicada em três volumes entre 1938 e 1940 (*História de dom Pedro II, 1825-1891*, São Paulo: Companhia Editora Nacional). Segunda edição muito aumentada saiu em 1977, já depois da morte do autor, também em três volumes (Belo Horizonte/São Paulo: Itatiaia/Edusp). Realizando o sonho de Joaquim Nabuco, Heitor Lyra teve acesso pleno ao arquivo particular de d. Pedro II, guardado no castelo d'Eu sob os cuidados do primogênito da princesa Isabel, d. Pedro de Alcântara. Com a abundância do material coletado nesse e em outros arquivos, escreveu ainda uma *História da queda do Império* em dois volumes (São Paulo: Companhia Editora Nacional, 1964).

Outra biografia monumental, em cinco volumes, foi publicada no sesquicentenário de nascimento do imperador, em 1975. Trata-se da *História de d. Pedro II*, de Pedro Calmon (Rio de Janeiro/Brasília: José Olympio/Instituto Nacional do Livro). Com rica iconografia e abundância de fontes, não tem o rigor e a sobriedade narrativa da obra de Heitor Lyra, e o estilo florido pode não agradar ao leitor de hoje. Pedro Calmon já tinha lançado em 1938 um primeiro ensaio biográfico de d. Pedro com o título de *O rei filósofo* (São Paulo: Companhia Editora Nacional). No mesmo ano de 1975, Lídia Besouchet publicou seu *Pedro II e o século XIX* (Rio de Janeiro: Nova Fronteira). A obra concentra-se na análise da relação de d. Pedro com o mundo intelectual e cultural do século XIX.

O interesse pela vida do último imperador continuou vivo após as publicações do sesquicentenário. Nos últimos dez anos, foram lançadas duas excelentes biografias, já de acordo com as novas abordagens da história e das ciências sociais. A primeira delas é a de Lilia Moritz Schwarcz (*As barbas do imperador. D. Pedro II, um monarca nos trópicos*, São Paulo: Companhia das Letras, 1998). Trata-se do melhor e mais completo estudo sobre a imagem pública de d. Pedro II, baseado em vasta pesquisa iconográfica. O tema da representação do monarca na caricatura da época fora tratado anteriormente por Araken Távora (*D. Pedro II e o seu mundo através da caricatura*, Rio de Janeiro: Editora Documentário, 1976).

A segunda saiu um ano depois, e é a terceira escrita por um estrangeiro, agora o inglês Roderick J. Barman (*Citizen emperor. Pedro II and the making of Brazil, 1825-1891*, Stanford: Stanford University Press). Ainda sem tradução portuguesa, é excelente contribuição, feita por historiador profissional, há muito familiarizado com o Brasil. Como seqüência desse livro, Barman escreveu também a biografia da princesa Isabel, publicada em inglês em 2002, com edição portuguesa em 2003 (*Princesa Isabel do Brasil. Gênero e poder no século XIX*, São Paulo: Unesp). Dois outros livros recentes, um de brasileiro, outro de francês, são mais modestos no escopo e na realização. Refiro-me às obras de Paulo Napoleão Nogueira da Silva (*Pedro II e seu destino*, Rio de Janeiro: Forense, 2004) e de Guy Fargette (*Pedro II, empereur du Brésil, 1840-1889*, Paris: L'Harmatttan, 2005). Outro francês, Jean Soublin, aventurou-se no campo ficcional em *D. Pedro II, o defensor perpétuo do Brasil. Memórias imaginárias do último imperador* (Rio de Janeiro: Paz e Terra, 1996), um criativo e perspicaz romance, inspirado nas *Memórias de Adriano*, de Marguerite Yourcenar. Sobre a princesa Isabel, três vezes regente do Império, ver ainda, de Lourenço Luiz Lacombe, *Isabel: a princesa Redentora* (*biografia baseada em documentos inéditos*) (Petrópolis: Instituto Histórico de Petrópolis, 1989), e *Isabel, a "Redentora" dos escravos*, de Robert Daibert Junior (Bauru: Edusc, 2004).

Vários estudiosos concentraram-se em aspectos particulares da vida do imperador. Sobre a educação de D. Pedro, o melhor estudo até hoje é o de Alberto Rangel, *A educação do príncipe* (Rio de Janeiro: Agir, 1945). O livro é uma crítica feroz aos mestres e à qualidade da formação por eles dada ao futuro monarca.Um lado que tem despertado muita curiosidade é o da vida amorosa de d. Pedro II. O tema provocou interesse depois que 283 cartas do monarca à condessa de Barral foram doadas ao Museu Imperial de Petrópolis em 1948 pelo marquês de

Barral e Montferrat, neto da condessa. O primeiro a divulgar as cartas foi o diretor do Museu, Alcindo Sodré, em seu livro *Abrindo um cofre: cartas de dom Pedro II à condessa de Barral* (Rio de Janeiro: Livros de Portugal, 1956). No mesmo ano, R. Magalhães Júnior publicou as cartas, acompanhadas de notas e comentários (*D. Pedro II e a condessa de Barral*, Rio de Janeiro: Civilização Brasileira). Seis anos depois, Mozart Monteiro voltou ao assunto, ampliando a análise para a relação do imperador com outras mulheres (*A vida amorosa de d. Pedro II*, Rio de Janeiro: Edições O Cruzeiro).

Publicada a primeira edição deste livro, o bibliófilo José Mindlin informou ao autor que possuía muitas cartas de d. Pedro à condessa de Barral em sua biblioteca. O colecionador Pedro Corrêa do Lago disse que também possuía algumas. Ambos tiveram a grande gentileza de permitir acesso ao material. A consulta às duas coleções resultou em que o número de cartas sobreviventes de d. Pedro à condessa mais do que duplicou. A Biblioteca Guita e José Mindlin possui 491 delas e a coleção de Pedro Corrêa do Lago, 38. Somadas às 283 do Arquivo Histórico do Museu Imperial, temos 812 cartas, além de oito existentes no Arquivo do Grão Pará, pertencente à família imperial, e duas cópias sem original na coleção Tobias Monteiro guardada na Biblioteca Nacional. Ao todo, são 822 cartas. O número é em si impressionante e o fica mais ainda quando se leva em conta que ambos, imperador e condessa, escreviam diários que compartilhavam entre si. A razão da dispersão das cartas parece estar no fato de que elas foram divididas entre vários netos da condessa. O marquês de Barral e Montferrat doou seu lote ao Museu Imperial em 1948, outros netos venderam os seus a colecionadores particulares. As novas cartas não alteram em nada a interpretação desenvolvida no livro, antes a reforçam. Mas permitem dar maior desenvolvimento a alguns pontos, o que foi feito nesta edição.

A Biblioteca Guita e José Mindlin possui ainda outra preciosidade, o diário da condessa de Barral, composto de 29 cadernos, com centenas de páginas manuscritas. O diário teve início em 7 de agosto de 1869 e terminou a primeiro de maio de 1885. Escrito para d. Pedro, a quem era enviado e que fazia anotações nas entrelinhas, é um complemento às cartas trocadas entre os dois. Esse diário, no entanto, não está disponível para consulta.

A relação do monarca com intelectuais e com o mundo da ciência e da cultura mereceu muitos estudos. A parte referente aos sábios franceses foi analisada por Georges Readers em *D. Pedro II e os sábios franceses* (Rio de Janeiro: Ed. Atlântida, 1944). A parte americana foi coberta por David James em "O imperador do Brasil e seus amigos da Nova Inglaterra" (*Anuário do Museu Imperial*, ed. bilíngüe, s. d.). O autor incluiu a correspondência do imperador com o cientista Louis Agassiz e o poeta Henry W. Longfellow.

O interesse do imperador pela cultura está documentado numa publicação do Arquivo Nacional, *Dom Pedro II e a cultura* (Rio de Janeiro, 1977), com prefácio de Américo Jacobina Lacombe. São ementas de 2252 cartas enviadas em nome de Pedro II a intelectuais brasileiros e estrangeiros, fazendo doações em dinheiro, concedendo bolsas de estudo, registrando envio e recepção de livros. As bolsas de estudo, chamadas na época de "pensões", mereceram análise à parte de Guilherme Auler em *Bolsistas do imperador* (Petrópolis: Tribuna de Petrópolis, 1956). Era grande o interesse do imperador pela fotografia. Esse ponto foi estudado por Pedro Karp Vasques em *Dom Pedro II e a fotografia* (Rio de Janeiro: Internacional de Seguros, s. d.).

As viagens imperiais, no Brasil e no exterior, foram objeto de vários estudos. Basta citar o de Argeu Guimarães, *D. Pedro II nos Estados Unidos* (Rio de Janeiro: Civilização Brasileira, 1961). O autor faz uma excelente reconstituição da viagem de

1876, com base nas reportagens do jornalista J. O'Kelly, do *New York Herald*, e no diário do viajante. O mais completo relato até agora da vida de d. Pedro no exílio é o de Lídia Besouchet, *Exílio e morte do Imperador* (Rio de Janeiro: Nova Fronteira, 1975).

O doloroso período do exílio mereceu um comovido e apaixonado texto de Afonso Celso, filho do visconde de Ouro Preto (*O imperador no exílio*, Rio de Janeiro: Francisco Alves, s. d.). Outro texto apaixonado que cobre a deposição e o exílio é o do visconde de Taunay, *Pedro II*, publicado postumamente (São Paulo: Companhia Editora Nacional, 1933), com prefácio de Afonso de E. Taunay. O livro reproduz trechos do diário íntimo do autor referentes aos anos de 1889 a 1891, a correspondência entre o visconde e o imperador, e o texto da *Fé de ofício* que este lhe enviou.

Em 1894, três anos após a morte de d. Pedro, foi publicada uma *Homenagem do Instituto Histórico e Geográfico Brazileiro à memória de Sua Majestade o senhor d. Pedro II* (Rio de Janeiro: Companhia Typographica do Brasil). São quase mil páginas, em que se reproduzem todas as manifestações da imprensa carioca por ocasião da morte. O mesmo IHGB, que era a menina-dos-olhos do imperador, lançou posteriormente em sua *Revista* dezenas de artigos e documentos referentes a seu patrono. Destaca-se o tomo especial de 1925, centenário do nascimento de d. Pedro II, intitulado *Contribuições para a biografia de d. Pedro II*. Além de muitos artigos de alguns dos principais intelectuais da época, as 994 páginas do volume incluem cartas do monarca ao visconde do Rio Branco, ao conselheiro Saraiva e ao marquês de Paranaguá.

Todas essas biografias tendem a ser simpáticas ao imperador, se não abertamente elogiosas. Não encontrei nenhuma que buscasse destruir sua imagem. Mas houve durante o Império alguns panfletos muito violentos contra o monarca e os

Bragança. Os dois mais conhecidos e mais virulentos, *O libelo do povo*, de Timandro, pseudônimo de Francisco de Sales Torres Homem, de 1849, e *A conferência dos divinos*, de Ferreira Viana, de 1867, foram republicados por R. Magalhães Júnior (*Três panfletários do Segundo Reinado*, São Paulo: Companhia Editora Nacional, 1956). Os dois autores mais tarde se arrependeram e se reaproximaram de d. Pedro. Quem não se arrependeu foi um filho de Ferreira Viana, que, sob o pseudônimo de Suetônio, publicou em 1896 uma espécie de memória, *O antigo regimen, homens e coisas* (Rio de Janeiro: Cunha & Irmão), uma série de ataques, freqüentemente mesquinhos. Ataque menos panfletário e mais raciocinado foi o de Cristiano Otoni, senador durante o Império, lançado em 1892 (*D. Pedro d'Alcântara, segundo e último imperador do Brazil*, Rio de Janeiro: Jornal do Commercio). Em reação irada às celebrações do centenário do nascimento do imperador, Carlos Sussekind de Mendonça escreveu outro panfleto, intitulado *Quem foi Pedro II*, publicado em 1929, sem indicação de local e editora. O subtítulo revela as intenções do autor: "Golpeando, de frente, o 'saudosismo'!".

Mais importante do que biografias é a matéria-prima de que são feitas, os documentos originais. É vastíssima a documentação disponível em bibliotecas e arquivos, sobretudo no Museu Imperial de Petrópolis. Boa parte desse material já está disponível em textos impressos ou em CD-ROMs. Cabe menção especial ao *Diário do imperador d. Pedro II, 1840-1891* (organização de Begonha Bediaga, Petrópolis: Museu Imperial, 1999). A publicação vem acompanhada de CD-ROM com o texto integral, manuscrito e transcrito, dos 43 volumes que formam o diário do imperador. É fonte riquíssima e indispensável. Do mesmo Museu, temos *Família imperial, álbum de retratos*, organizado por Maria de Fátima Moraes Argon (Petrópolis, 2002). Também acompanhado de CD-ROM, contém todas as fotografias da família imperial existentes na Coleção de Fotografia do Arquivo Histórico do Museu. A enorme coleção de fotografias da família imperial encontra-se na Biblioteca Nacional, a que foi doada sob o nome de Coleção Teresa Cristina.

Vários diários de viagem já tinham sido lançados anteriormente, como o *Diário da viagem ao Norte do Brasil*, com prefácio e notas de Lourenço Luiz Lacombe (Salvador: Livraria Progresso Editora, 1959), que foi reeditado em 2003 (Rio de Janeiro: Letras e Expressões). A correspondência da condessa de Barral com d. Pedro e a imperatriz foi reunida em Condessa de Barral, *Cartas a Suas Majestades, 1859-1890* (Rio de Janeiro: Arquivo Nacional, 1977). Cópias de vinte cartas guardadas na Coleção Tobias Monteiro da Biblioteca Nacional foram analisadas por Mozart Monteiro em *A vida amorosa de d. Pedro II* (Rio de Janeiro: Edições O Cruzeiro, 1962). Também já se publicou parte da correspondência do imperador com políticos, intelectuais e artistas. Como exemplos, temos o livro de Georges Readers, *D. Pedro II e o conde de Gobineau (correspondências inéditas)* (São Paulo: Companhia Editora Nacional, 1938), as *Cartas do imperador d. Pedro II ao barão de Cotegipe*, ordenadas e anotadas por Wanderley Pinho (São Paulo: Companhia Editora Nacional, 1933), e *Uma amizade revelada: correspondência entre o imperador dom Pedro II e Adelaide Ristori, a maior atriz de seu tempo* (organização de Alessandra Vannucci, Rio de Janeiro: Biblioteca Nacional, 2004).

Há muitos diários e memórias de pessoas próximas ao imperador ou que com ele se relacionaram esporadicamente que constituem fontes ricas de informação. Além do diário da condessa de Barral, ainda inacessível, merece especial referência o de André Rebouças, *Diário e notas autobiográficas* (Rio de Janeiro: José Olympio, 1938). Rebouças foi professor do neto preferido do imperador, o príncipe d. Pedro Augusto, na Escola Politécnica. Encontrava-se com freqüência com d.

Pedro na estação ferroviária de Petrópolis e conversavam sobre política e administração. Menos ricos de informação, mas merecedores de referência, são as *Memórias do visconde Taunay* (São Paulo: Iluminuras, 2005) e o diário de Joaquim Nabuco, *Joaquim Nabuco. Diários, 1873-1888* (Recife: Editora Massangana, prefácios e notas de Evaldo Cabral de Melo, 2 vols., 2005). Curto, mas curioso por causa das informações sobre o jovem d. Pedro, é o diário de François Ferdinand Philippe Louis Marie d'Orléans, príncipe de Joinville e futuro marido de d. Francisca, irmã caçula do imperador: *Diário de um príncipe no Rio de Janeiro* (Rio de Janeiro: José Olympio, 2006).

Além da ampla correspondência e do diário, d. Pedro deixou alguns poucos textos doutrinários. O mais importante é *Conselhos à regente* (Rio de Janeiro: Livraria São José, 1958), dedicados à filha quando da primeira viagem do imperador à Europa. Já se mencionou acima a *Fé de ofício*, espécie de testamento político. Ele fez ainda várias traduções de textos gregos (Ésquilo), latinos, ingleses (Longfellow, Withier), italianos (Dante, Manzoni), hebraicos, franceses (Victor Hugo, Sully Prudhomme), em geral sem grande valor literário. Um exemplo é *Prometheu acorrentado, original de Eschylo vertido litteralmente para o português por dom Pedro, imperador do Brasil* (Rio de Janeiro: Imprensa Nacional, 1907). O barão de Paranapiacaba fez a versificação. Uma seleção de poemas e traduções foi reunida e publicada pelos netos em *Poesias (originais e traduções) de S. M. o senhor d. Pedro II. Homenagem de seus netos* (Petrópolis: Typographia do "Correio Imperial", 1889).

A bibliografia sobre o Segundo Reinado é vasta. Indico apenas algumas poucas obras que servem para dar uma visão geral do período. O principal texto para entender a vida política da época é a biografia que Joaquim Nabuco escreveu de seu pai em *Um estadista do Império* (Rio de Janeiro/Paris: Garnier, 1897-99, 3 vols.). Outro texto clássico é o de Sérgio

Buarque de Holanda, *História geral da civilização brasileira. Do Império à República*, tomo II, 5º volume (São Paulo: Difel, 1972). Livro mais recente sobre a política imperial é o de José Murilo de Carvalho, *A construção da ordem e Teatro de sombras* (2ª ed., Rio de Janeiro: Civilização Brasileira, 2006).

Um dos episódios mais importantes da época, se não o mais importante, foi a Guerra do Paraguai. Sobre ela, ver o excelente livro de Francisco Doratioto, *Maldita guerra. Nova história da Guerra do Paraguai* (São Paulo: Companhia das Letras, 2002). A vida social da alta sociedade do Rio de Janeiro foi muito bem descrita por Wanderley Pinho em *Salões e damas do Segundo Reinado* (São Paulo: Livraria Martins, 1942). Para conhecer os bastidores da política, são bastante úteis as *Memórias do meu tempo*, de J. M. Pereira da Silva (Rio de Janeiro: Garnier, s. d., 2 tomos). Finalmente, os mexericos são o tema de *O Império em chinelos*, de Magalhães Júnior (Rio de Janeiro: Civilização Brasileira, 1957).

Índice onomástico

Abaeté, visconde de, 83
Abrantes, marquês de, 64, 94, 106
Afonso VI, 48
Agassiz, Elizabeth, 95, 134, 161, 169
Agassiz, Louis, 134, 160, 161, 171, 227, 228, 229, 230, 267
Agostini, Ângelo, 87, 143, 144, 157, 158, 194, 202, 230
Aguirre, Atanasio, 110, 111
Aimard, Gustave, 95
Albuquerque, Ana Maria Cavalcanti de *ver* Villeneuve, Ana, condessa de
Aleijadinho, 144
Alencar, José de, 138, 153, 175, 231, 252
Alexandre II, imperador da Rússia, 95, 173
Alfredo, João, 58, 137, 147, 154, 191, 202, 206, 228, 260
Aljezur, conde de, 156, 223, 238, 241
Almeida Júnior, 101
Almeida, Miguel Calmon du Pin e *ver* Abrantes, marquês de
Alves Machado, visconde de, 238, 240
Amélia de Leuchtenberg, 13, 16, 17, 64, 149, 243, 246
Américo, Pedro, 83, 101, 173, 217, 240
Andrada, Antônio Carlos Ribeiro de, 24, 38, 39
Andrada, Martim Francisco Ribeiro de, 24, 38
Antônio de Arrábida, frei, 26
Araújo, Ferreira de, 87
Araújo, Nabuco de, 55, 60, 128, 133, 183, 263
Assis, Machado de, 203, 216, 258
Augusto de Saxe-Coburgo, 223
Azevedo, Artur, 72
d'Azy, Clair, 75

Baligand, Anne de, 75
Bannen, almirante, 215, 221
Barata, Cipriano, 15
Barbacena, visconde de, 12
Barbosa, Paulo, 33, 38, 47, 52, 53, 65, 93, 97, 254
Barbosa, Rui, 185, 209, 218
Barral, condessa de, 10, 17, 27, 32, 62-9, 71-7, 84, 94, 116-7, 119-20, 127, 134, 139, 147, 149, 155-6, 159, 162, 167, 171, 173, 179, 186-7, 226-8, 232, 238, 241, 252, 261, 265-7, 270
Barral, Eugène de, 64
Barral, Horace-Dominique de, 65, 67
Barros, Domingos Borges de, 64
Barros, Luísa Margarida Portugal de *ver* Barral, condessa de
Bastos, Tavares, 121, 192, 228
Beauharnais, Eugênio de, 64
Beccaria, marquês de, 150
Belisário, Francisco, 184
Bell, Graham, 170, 257
Bento, José, 39
Berro, Bernardo, 109, 110
Berry, Charles, 86
Binzer, Ina von, 94, 98
Bocaiúva, Quintino, 210, 211, 218, 243, 260
Boiret, Renato Pedro, abade, 14, 15, 32
Bom Retiro, visconde do, 31, 55, 84, 140, 147, 162, 202
Bonfim, conde de, 102
Bonifácio, José, 14, 21, 22, 23, 24, 32, 64, 132, 136, 193, 247, 248
Bonifácio, José, o Moço, 185, 192
Borges, Abílio César, 141
Boulanger, Luís Aleixo, 32
Branco, Manuel Alves, 46
Brasiliense, Américo, 210

Bueno, José Antônio Pimenta *ver* São Vicente, marquês de

Caetano, João, 229
Câmara, José Antônio Correia da *ver* Pelotas, visconde de
Camaragibe, visconde de, 85
Campos, Bernardino de, 210
Campos, Pinto de, monsenhor, 32, 40, 263
Canabarro, David, 140
Caneca, Frei, 11
Capanema, Guilherme Schüch, 31, 101
Caravelas, marquês de, 21
Carlos I, rei de Portugal, 236
Carlos IV, rei da Espanha, 13
Carlos X, rei da França, 20, 246
Carlota Joaquina, 13, 64
Carnot, Sadi, 242
Carvalho, José Carlos de, 143, 144, 145
Carvalho, Rafael de, 29
Casal, Julián del, 213
Castelo Branco, Camilo, 149, 151
Castilho, Antônio Feliciano de, 148, 228
Castilhos, Júlio de, 210
Castro, Apulco de, 73, 87
Castro, Domitila de, 14, 16
Caxias, barão e duque de, 12, 32, 58, 59, 86, 114, 118-22, 124, 137, 140, 145, 158, 161, 175-7, 182, 184, 195-8, 252, 254, 256
Celso Jr., Afonso, 204
Chalaça, 19
Chanavat, padre, 145, 155
Charcot, Jean-Martin, 202, 203, 240, 241, 242
Chaves, Alfredo, 198
Christie, Douglas, 105, 106, 107, 109, 112, 125, 126, 179, 203, 252, 253

Constant, Benjamin, 198, 212, 215, 219, 220, 257
Cosme (dom), 176
Costa, Antônio de Macedo, 68, 154, 157
Cotegipe, barão de, 55, 58, 61, 121, 126, 190, 191, 194, 198, 199, 200, 202, 207, 214, 228, 259
Coutinho, Aureliano, 24, 31, 33, 34, 45, 47, 51

Dadama *ver* Mariana Carlota
Daiser, barão, 24, 41, 44, 50
Dantas, Manuel Pinto de Sousa, 189, 190, 238
Darwin, Charles, 150, 247, 252
Daubrée, Auguste, 174, 240
Debret, Jean Baptiste, 16, 22, 41
Dias, Gonçalves, 229
Dória, Franklin *ver* Loreto, Barão de

Eckhout, Albert, 173
Edimburgo, duque de, 94
Elisabeth da Baviera, imperatriz, 150
Equey, Maria Catarina, 12
Estigarribia, Antonio de la Cruz, 115, 116
Estrela, Maria Augusta Generoso, 101
d'Eu, conde, 87, 93, 114, 120, 122, 147, 151, 203, 204, 207, 212, 214, 221, 235, 236, 238, 240, 253, 254, 264

Faria, Cândido de, 157
Feijó, Diogo, 35, 37, 153, 247, 248
Ferdinando I, imperador da Áustria, 51
Fernando II, rei das Duas Sicílias, 51
Ferraz, Ângelo Muniz da Silva, 118, 119
Ferraz, Luís Pedreira do Couto *ver* Bom Retiro, visconde do

Ferreira, Antônio, 127
Figueiredo, Aurélio de, 216, 217
Figueiredo, visconde de, 222
Fish, Hamilton, 164
Fleiuss, Henrique, 157
Fletcher, James Cooley, 160, 170
Flores, Venancio, 110, 115
Fonseca, Deodoro da, 178, 197, 198, 199, 211, 214, 215, 218, 219, 220, 221, 222, 239, 259, 261
Fontes, José Ribeiro de Sousa, 162
Francisca, princesa, 12, 13, 31, 35, 51, 65, 92, 93, 98, 134, 271
Francisco I, imperador da Áustria, 14, 24
Francisco José I, imperador da Áustria, 150
Frias, Miguel de, 20
Frothingham, Richard, 170

Galvão, Ramiz *ver* Ramiz Galvão, barão de
Gama, Luís, 192
Gama, Maria Lopes, 241
Gama, Nogueira da, 147
Glicério, Francisco, 210
Gobineau, conde de, 67, 75, 84, 95, 96, 149, 173, 179, 226, 228, 254, 270
Gomes, Carlos, 170, 173, 255
Gomes, Raimundo, 176
Gonçalves, Bento, 140
Gorceix, Henri, 144, 228, 240
Gottschalk, Louis Moreau, 126, 213
Graham, Maria, 14, 15, 262
Grant, Ulysses S., 162, 168, 169
Guedes, Mariquinhas *ver* Pinto, senhora Guedes
Guido, Tomás, 104

Henning, Karl, 162, 163

Herculano, Alexandre, 148, 212, 228, 231, 249
Homem, Sales Torres, 48, 54, 61
Hugo, Victor, 151, 174, 230, 232, 253, 271

Inhaúma, visconde de, 118
Isabel Maria Brasileira, 14, 15
Isabel, princesa, 17, 51-2, 59, 61, 65-6, 68, 72, 87, 89, 94, 97, 118, 122, 138, 146-7, 152, 156-8, 161-2, 167, 175, 180-1, 191, 193-4, 199, 202, 204, 207, 210-1, 213, 217, 220-3, 229, 235-6, 238-9, 249, 252-3, 255-60, 262, 264-5
Itaboraí, visconde de, 121, 136, 137, 175, 254
Itanhaém, marquês de, 24, 25, 26, 27, 38, 40, 247
Itapagipe, visconde de, 95
Itaúna, visconde de, 147, 150

Januária, princesa, 12, 13, 37, 51, 53, 92
Jardim, Antônio da Silva, 191, 205, 210, 212
Jequitinhonha, visconde de, 37, 192
João V, d., 48
João VI, d., 13, 14, 27, 41, 48, 92, 94, 96, 104, 245
Joinville, príncipe de, 31, 35, 42, 65, 271

Kraemer, almirante finlandês, 95

La Tour, condessa de, 75
Lacerda, José Francisco de, 123
Lacerda, Pedro de, bispo, 158
Lacombe, Lourenço, 32
Lacombe, Luís, 26
Ladário, barão de, 214
Laet, Carlos de, 232

Lamare, Joaquim Raimundo de, 162, 169
Lamas, Andrés, 97, 239
Leão XIII, papa, 157, 260
Leão, Honório Hermeto Carneiro ver Paraná, marquês de
Leopoldina, imperatriz, 12, 14, 15, 16, 23, 31, 32, 150, 230, 245, 262
Leopoldina, princesa, 17, 52, 65, 66, 67, 94, 146, 204, 213, 250, 252, 253, 255
Leuchtenberg, Amélia de ver Amélia de Leuchtenberg
Lima e Silva, Luís Alves de ver Caxias, barão e duque de
Lima, Araújo ver Olinda, marquês de
Lima, Manuel de Oliveira, 207
Lisboa, Bento da Silva, 51, 248
Lisboa, Joaquim Marques ver Tamandaré, almirante
Lobo, Aristides, 211, 218
Longfellow, Henry W., 160, 164, 168, 169, 232, 233, 267, 271
Loreto, barão de, 221, 222, 223, 235
Luís Filipe I, 20, 35, 48, 65, 66, 150, 246, 250
Luís I, 148
Luís XIV, 28, 74, 103, 213
Lund, Peter Wilhelm, 145
Lynch, Elisa, 117, 118

Macedo, Artur Teixeira de, 162
Machado, Alves ver Alves Machado, visconde de
Magalhães, Domingos José Gonçalves de, 229, 231, 252
Magalhães, Mariana Carlota de Verna ver Mariana Carlota
Maia, Cláudio Velho da Mota, 201, 202, 203, 223, 226, 238, 240, 241, 242

Maintenon, madame, 74
Mallet, Emílio, 222, 223
Manzoni, Alessandro, 150, 228, 232, 271
Maranguape, visconde de, 34, 62
Maria II, rainha de Portugal, 12, 19, 149
Maria da Glória *ver* Maria II, rainha de Portugal
Maria Luísa de Habsburgo-Lorena, 14, 15
Mariana Carlota, 13, 22, 50, 52
Marinho, Saldanha, 157, 158, 210
Martins, Gaspar Silveira, 192, 220, 221, 238, 239, 240
Martius, Carl von, 160, 229
Matos, Cunha, 198
Mauá, barão de, 61
Maximiliano, arquiduque da Áustria, 117, 143, 253, 254
Melo, Francisco de Paula Sousa e, 47
Mendes, Cândido, 158
Mendonça, Salvador de, 164, 203
Mesquita, barão de, 102, 161
Mesquita, Jerônimo José de, 102
Metternich, príncipe de, 51
Miguel I, rei de Portugal, 12, 19, 148
Mitre, Bartolomé, 109, 110, 111, 113, 115, 116, 239
Monte Alegre, visconde de, 105
Montezuma, Francisco Jê Acaiaba de *ver* Jequitinhonha, visconde de
Mota, Silveira da, 192
Muritiba, barão de, 221, 223, 238

Nabuco de Araújo *ver* Araújo, Nabuco de
Nabuco, Joaquim, 55, 132, 135, 147, 190, 203, 209, 242, 243, 258, 262, 271
Nadar, Paul, 242
Napoleão I, 14, 174
Napoleão III, 117, 143, 251
Nassau, Maurício de, 173
Navarro, Antônio, 39
Navarro, viúva, 62, 72
Nemours, duque de, 238
Nietzsche, Friedrich, 233
Nioac, conde de, 223, 238, 241

O'Kelly, James J., 162, 163, 165, 166, 167, 268
Obá II d'África, príncipe, 125
Olinda, marquês de, 34, 35, 37, 44, 55, 193, 248, 250
Oliveira, Albino José Barbosa de, 61
Oliveira, João Alfredo de *ver* Alfredo, João
Oliveira, Vital Maria de, 68, 153, 154, 155
Oribe, Manuel, 104, 105
Ortigão, Ramalho, 98
Osório, Manuel Luís, 95, 118, 121, 124, 196, 198
Oswald, Henrique, 101
Otaviano, Eponine, 75, 76
Otaviano, Francisco, 31, 75
Otoni, Cristiano, 21, 138, 240
Otoni, Teófilo, 21, 35, 38, 47, 106, 128
Ouro Preto, visconde de, 177, 178, 206, 207, 208, 209, 214, 215, 219, 220, 237, 238

Paiva, Manuel de, 72
Paraná, marquês de, 45, 55, 58, 59, 60, 80, 175, 183, 184, 186, 251, 252
Paranaguá, marquês de, 73, 124, 148, 268
Paranhos, José Maria da Silva *ver* Rio Branco, visconde do
Pasteur, Louis, 151, 174, 202, 228, 229, 253, 260
Patrocínio, José do, 72, 74, 87, 153, 177, 181, 187, 192, 193, 203, 220, 260

Paula Mariana, 12, 13
Pedro Augusto, príncipe, 204, 213, 236, 240, 270
Pedro de Alcântara Brasileiro, 101
Pedro de Santa Mariana, frei, 27, 29, 32, 40, 50
Pedro I, d., 11-7, 19, 21-3, 25-6, 32, 35-6, 41, 43, 51, 64, 92, 94, 100-1, 104, 143, 176, 245-7, 262
Pedro II de Portugal, 48
Peixoto, Floriano, 198, 214, 219, 261
Pelotas, visconde de, 198, 199
Penedo, barão de, 154, 237, 238, 239, 240
Pereira, Lafaiete Rodrigues, 130, 177, 238
Pinheiro, Rafael Bordalo, 149, 151, 155, 157, 158, 237
Pinto, senhora Guedes, 34, 62, 72, 93
Pio IX, papa, 153, 154, 155, 157, 249
Pompéia, Raul, 72
Porto Alegre, conde de, 115, 116, 198
Porto Alegre, Manuel de Araújo, 41
Prado, Eduardo *ver* Penedo, barão de
Pullman, George M., 166

Queirós, Eça de, 151, 242
Queirós, Eusébio de, 133
Quesada, Vicente, 95, 96, 98, 212

Rafael (criado de Pedro II), 32
Ramirez, Vincenzo, 51
Ramiz Galvão, barão de, 223, 239
Rebouças, André, 94, 97, 131, 191, 192, 204, 212, 220, 223, 235, 239, 240, 270
Renan, Ernest, 151
Rio Apa, barão do, 178
Rio Branco, barão do, 238, 263
Rio Branco, visconde do, 55, 58-9, 108, 110, 117, 126, 131, 135-7, 147, 154, 155, 157-8, 175, 177, 228, 255, 268
Rivera, José Fructuoso, 104
Robeson, George M., 164
Rocha, Justiniano José da, 54
Rojas Paúl, Juan Pablo, 213
Roosevelt, Theodore, 166
Rosas, Juan Manuel de, 104, 105, 196, 250

Sá, Simplício de, 26
Sales, Campos, 130, 209, 210
Santos, Felício dos, 192
São Vicente, marquês de, 58, 59, 130, 134, 137, 149
Sapucaí, marquês de, 31, 32, 40
Saraiva, José Antônio, 58, 60, 110, 178, 185, 186, 190, 206, 207, 208, 221, 258, 268
Sarmiento, Domingo, 231, 239
Schreiner, ministro da Áustria, 88, 96
Schüch, Roque, 31, 32, 101
Semmola, Mariano, 202, 203
Seybold, Christian Friedrich, 226, 229, 238, 240, 241, 242
Sherman, William T., 164, 168, 169
Silva, Francisco de Lima e, 12, 21
Silva, Francisco Gomes da *ver* Chalaça
Silva, Inocêncio Francisco da, 148
Silva, José Bonifácio de Andrada e *ver* Bonifácio, José
Silva, José Joaquim de Lima e, 24
Silva, Manuel da Fonseca Lima e, 21
Silva, Paulo Barbosa da *ver* Barbosa, Paulo
Sinimbu, visconde de, 85, 177, 182, 184, 185, 257
Solano López, Francisco, 68, 108-11, 113, 115-8, 121-4, 198, 253, 255
Sólon, major, 218, 221
Sousa, Francisco Belisário de *ver* Belisário, Francisco

Sousa, Júlio César Ribeiro de, 101
Sousa, Paulino José Soares de *ver* Uruguai, visconde de
Spix, Johann Baptiste von, 160
Suzannet, conde de, 35, 42, 44

Taft, Alphonso, 164
Taine, Hippolyte, 151
Tamandaré, almirante, 110, 115, 118, 124, 141, 143, 197, 222
Taunay, Auguste, 32
Taunay, Félix Emílio, 32
Taunay, Nicolas, 32
Taunay, visconde de, 32, 95, 204, 220, 268, 271
Tavares, Muniz, 142
Teixeira Jr., Jerônimo José, 147
Teresa Cristina, imperatriz, 51, 53, 61, 66-7, 71-2, 74-5, 82, 93, 100, 119, 134, 140, 144, 146-7, 150, 160, 161-3, 166, 168, 173, 203, 229-30, 232, 235, 237-8, 241, 243, 249, 260, 270
Thayer, Nathaniel, 161
Thiers, Adolphe, 149, 150, 242, 255
Thornton, Edward, 107, 169
Tocantins, visconde de, 102
Tosta Filho, Manuel Vieira *ver* Muritiba, barão de
Trovão, Lopes, 143, 177

Urquiza, Justo José de, 105, 109, 111, 251

Uruguai, visconde de, 105, 228

Vale, Adriano do, 180
Vargas, Getúlio, 78
Varnhagen, Francisco Adolfo de, 228
Vasconcelos, Bernardo Pereira de, 35, 37
Vasconcelos, Zacarias de Góis e, 58, 60, 109, 118, 119, 120, 134, 135, 136, 158, 175, 188, 196, 253
Veiga, Evaristo da, 35
Veríssimo, José, 235, 244
Viana, Antônio Ferreira, 61, 86, 238, 239, 269
Viana, Cândido José de Araújo *ver* Sapucaí, marquês de
Villeneuve, Ana, condessa de, 75, 76, 77, 241
Virasoro, Valentín, 105
Vitória, rainha, 108, 150, 180, 224, 225, 242, 248, 251

Wagner, Richard, 150, 169, 173, 231, 255
Wanderley, João Maurício *ver* Cotegipe, barão de
Weingartner, Pedro, 101
Whittier, John G., 160, 169, 171
Winterhalter (pintor), 66
Wyndham, George, 204

Young, Brigham, 167

Esta obra foi composta
por warrakloureiro
em Electra e impressa
pela Geográfica
em ofsete sobre papel
pólen soft da Suzano
Papel e Celulose para
a Editora Schwarcz
em novembro de 2017

A marca FSC® é a garantia de que a madeira utilizada na fabricação do papel deste livro provém de florestas que foram gerenciadas de maneira ambientalmente correta, socialmente justa e economicamente viável, além de outras fontes de origem controlada.